JN061287

公共善エコノミー

Christian Felber
クリスティアン・フェルバー－著

Noriaki Ikeda
池田憲昭－訳

鉱脈社

Gemeinwohl-Ökonomie.
Ein Wirtschaftsmodell mit Zukunft
Aktualisierte und erweiterte Neuausgabe

by Christian Felber

Published by arrangement through Meike Marx Literary Agency, Japan

Japanese Translation by Noriaki Ikeda
Published in Japan by Komyakusha LLC

まえがき　日本語版の出版に際し

「いつでもオルタナティブはある」※

マーガレット・サッチャーとアンゲラ・メルケルへ

日本語翻訳初版の出版に際し、公共善エコノミーは12歳の誕生日を祝う。２０１０年の10月にスタートしてから12年、ヨーロッパから南米まで40の振興協会が設立され、３０００以上の企業が公共善エコノミーの運動を支援し、自治体や都市が次々に、公共善エコノミーを段階的に実践する道を歩み始めている。

ＥＵでは今年、バルセロナとアムステルダム、ウィーンが最初の1歩を踏みだした。ドイツでは、ノルドライン・ヴェストファーレン州のヘクスター郡が最初の公共善地域になる道を歩んでいる。これまでに7つの銀行が公共善決算を作成した。オーストリアでは最初の公共善口座が市場に出された。スペインのバレンシア大学では、世界で初めて、公共善エコノミー研究室（講座）が設置された。バレンシア大学のこの講座は、様々な活動を行っているが、２０２２年3月に、公共善エコノミーに関する2回目の学術会議を開催した。オーストリアでは「応用・公共善エコノミー」コースの2年目が始まった。２０２２年始めにアルゼンチンで開催されたスペイン・コルドバ大学のＰＩＮＥプログラムには、中南米全域から学生たちが集まった。

欧州経済・社会委員会は、すでに２０１５年に、公共善エコノミーに関して、86％の賛成票でイニシ

「いつでもオルタナティブはある」　イギリスとドイツの両女性首相は、任期中に、「オルタナティブはない」という言葉を頻繁に使った。サッチャーはその言葉で、既存の競争原理を軸にした資本主義市場経済を擁護し、メルケルは、さまざまな政治的決断の論拠として、この言葉を使い、議論や対案を退けた。それに対して作者はこの本で「いつでもオルタナティブはある」といっている。

アチブ態度表明を行っている[1]。ベルテルスマン財団※のアンケート調査[2]で、88％のドイツ国民、90％のオーストリア国民が「新しい経済秩序」を望んでいることは、驚きではない。10人のうち9人が、転換に対して円熟した状態にある。金融危機、気候危機、分配の危機、意義の危機（損失）、デモクラシーの危機、価値の危機などすべてが、「ホリスティック（包括的）」なシステム危機の症状であると認識する人々がますます増えている。

　パンデミック、より具体的にいうと、パンデミック・マネージメントの結果として、貧困、飢餓、不平等という社会的な問題は、より明瞭に強まった。

―２０２０年、極度貧困者がほぼ1億人も増加した。２０２２年の半ばの時点では、極度貧困者が、パンデミック前の予測値から、推定７５００万から９５００万人も増加している[3]。

―パンデミックの間、世界中で3分の2の家庭が所得を減らした[4]。

―国連の世界食糧計画によれば現在、８億２８００万人の人々が飢餓状態にある。1時的な食糧確保不安定状態にある人々の数は、1億３５００万人から3億４５００万人に増加した[5]。

―同時期に、２０２１年の私有資産は、ボストン・コンサルティング・グループによると、10・6％の成長をし、５３０兆ＵＳドルとなった[6]（これはグローバルＧＤＰの6倍である）。

―グローバル・メディア会社のForbesによると、5人の大富豪の1人当たりの資産が１０００億ＵＳドルの壁を突破した。そのうち1人の大富豪（イーロン・マスク※）の資産は２０００億ＵＳドルを超えた。

―国連の人権高等弁務官であるミシェル・バチェレによれば、現在のグローバルな不平等は、過去１００年の間でもっとも高いレベルにある[7]。

―ハワイのマウナロア山の頂上にあるＮＯＡＡ気象観測所は２０２１年、過去最高のCO_2濃度を測定

ベルテルスマン財団　ベルテルスマン・メディアグループを母体にしたドイツ最大の財団
イーロン・マスク　テスラの共同創設者

した。月の平均値が４１９・13ppmである。２０２０年５月は４１７ppmであった。２０２２年には４２１ppmと、最高記録が更新された[8]。

――世界の資源消費は最新の研究によると、１９７０年から3倍に増大している。成長のテンポは緩くなったが、「現在の傾向からすると、今後数十年で完全なデカップリング※が起こる可能性は低い」[9]

これら現状から明確にいえることは、改革ではもはや不十分だということだ。新しいヴィジョンが必要だ。まだ定まっていないことは、旅がどの方向に向かうかだけである。よりたくさんの協同組合と社会経済的企業による社会的で連帯的なエコノミーの方向なのか？　経済的自己組織によって市場を補うコモンズや共同財産の方向なのか？　エコ・ソーシャルな市場経済よりもラディカルに、縮小の目標を目指す脱成長経済、循環経済の方向なのか？　または所有と権力の集中、大企業の「超資本主義」をストップさせるための経済デモクラシーの方向なのか？

公共善エコノミーは、これらのアプローチのすべてが今日に増して必要になる、と主張する。経済は、より人間的に、より連帯的に、より持続可能に、より平等に分配されるように、より民主的に、もしくは根本的に公共善に則したものにならなければならない。

当初「公共善エコノミーは自己矛盾している」という反応がよくあった。今日において私たちは、エコノミーに関する思想史の徹底的な研究により、別の見解を持っている。経済は、より高い価値を獲得するための単なる一手段である、という信念は、すべての時代、すべての文化の中で、いつも、実際にあった。

今日の経済が、過去の通念とはまったく別の機能をし、まったく異なることが学校や大学で教えられているという奇妙な事実は、さらなる中核問題を示唆する。大学での経済学、もしくはより適切な言い方をすると、今日のメインストリーム（主流）である新古典派※のエコノミクス（経済学）は、数学化し、

デカップリング　資源消費と経済成長の相関の切り離し
新古典派経済学　学説的には19世紀末のA・マーシャルを中心とするケンブリッジ学派の経済学を指す。自由な市場（市場放任主義）が資源の合理的な分配をもたらすという考えが中心にある。20世紀前半、政府による財政・金融政策の必要性を説くケインズ経済学の登場で下火になったが、1970年代以降、アメリカ、イギリス、日本などで支持者を得て復活した。

現実から分断し、金銭的な指数と貨幣価値という、うわべだけの消失点※に迷い込んでいる。しかしお金は、公共善に貢献すべき単なる手段である。企業、投資、クレジット、すべての経済も同様に、単なる手段である。経済学は、目標と手段を取り違えるという、曲芸的な芸術作品を創り上げた。そして自らを、非エコノミカルな学問へと「変貌」させた。

次に挙げるのはアリストテレスの言葉である。彼は、経済の考えと実践について、2つの形態を挙げて明確に区別した。1つ目の形態「オイコノミア」は、すべての人間の良い生活（世帯と国民経済での）を目標にし、お金はその際、単なる手段として捉えられ、用いられる。他方で、お金の獲得と増殖が自己目的になっているもう1つの経済形態を、彼は「クレマティスティケ」と名付け、「反自然」なものだと酷評した[10]。

経済学は、利回りと利益、GDPに注視し、「効率」を効率的な資本活用もしくは資本増殖と同一視することで、クレマティスティクスに変容してしまった。もはやエコノミクス（経済学）ではない。少なくともアリストテレス的にはそうではない。

「オイコノミア」は、公共善エコノミーと、立派に翻訳することができる。これはエコノミーという概念の本源的な意味である。本来のエコノミーに、「社会的」「エコロジカル」「持続的」「人間的」「フェア」「公平」「民主的」「倫理的」といった属性を付け加える現代の多様な試みは、クレマティスティケ信奉者が過去に、エコノミーの本源的意味を奪い、「反自然」な内容物を満たすことに成功したことの証明である。もしくはディルク・フィリプセン※の言葉を借りれば、クレマティスティケ信奉者が「手段と目的を取り違える」[11]ことに成功したともいえる。

幸運なことに、幾人かの経済学者はこの区別と変貌のことを知っている。ハーマン・デイリー※は「定常経済」で、ホワン・マルティネスーアリエ※は「エコロジー経済学」で、セルジュ・ラトゥーシュ※、マ

消失点　遠近法において平行な直線群が集まる点
ディルク・フィリプセン（Dirk Philipsen）　アメリカの経済史教授
ハーマン・デイリー（Herman Daly）　アメリカの環境経済学者
ホワン・マルティネスーアリエ（Joan Martinez-Alier）　スペインの環境経済学者
セルジュ・ラトゥーシュ（Serge Latouche）　フランスの経済哲学者
マウリツィオ・パランテ（Maurizio Pallante）　イタリアの「幸せな脱成長運動」の創設者

ウリツィオ・パランテ※、ニコ・ペヒ※は「脱成長エコノミー」で、ケイト・ラワース※は「ドーナツ経済」で、エリノア・オストローム※は「共有財エコノミー」で、ジュヌビエーブ・ボーガン※は「ギフト・エコノミー」で、マシャ・マデリン※は「ケア・エコノミー」で、それぞれに尽力した。ハーマン・デイリーとジョン・コッブJR※は、すでに1989年に『For the Common Good（公共善のために）』という本を出版した。イタリアではステファノ・ザマグニ※が2007年に『L'economia del bene comune（公共善の経済）』を世に出し、彼がルイジーノ・ブルーニ※とともに2004年に出版した『Economia civile（市民経済）』は、2012年に『Por una economía del bien común（公共善エコノミーのために）』とスペイン語に翻訳された。ジャン・ティロール※は2016年に出版した『Économie du bien commun（公共善エコノミー）』で、経済と倫理の分断を克服した。

大学生の間では、まずフランスで「ポスト自閉症エコノミー」が誕生し、その後、国際的なレベルで「再考エコノミクス」と経済学の多元性を求める国際学生イニシアチブ（ISIPE）が起こった。これらは、地平線を照らすほのかな光である。しかしメインストリームは、いまだに固くクレマティスティケ信奉者たちが握っている。それとは異なる国際的な哲学、例えばブータンの国民総幸福量※とか、中南米のブエン・ヴィヴィール※には、彼らは見向きもしない。

学問が道に迷っている特徴的なこととして、「ノーベル経済学賞」が挙げられる。この名前の賞は実際には存在しない。アルフレッド・ノーベルは、自然科学の分野にのみ、彼によって設立された賞を授けた。社会科学であるエコノミクス（経済学）の賞に明確に反対意見を述べた。スウェーデン国立銀行による経済学賞は1969年に付け加えられたものだ。アルフレッド・ノーベルの相続人の反対のもとでの強奪と偽ブランドの混合物といえる[12]。偽ブランドには二重の意味がある。経済学賞を受賞した10人のうち9人の学者は、どちらかというとクレマティスティケのカーストに所属している。つまりエ

ニコ・ペヒ（Niko Paech）　ドイツの国民経済学者
ケイト・ラワース（Kate Raworth）　イギリス・オックスフォード大学の経済学者
エリノア・オストローム（Elinor Ostrom）　アメリカの政治・経済学者
ジュヌビエーブ・ボーガン（Genevieve Vaughan）　アメリカ出身の記号学者、フェミニスト、慈善家
マシャ・マデリン（Mascha Madörin）　スイスの経済学者でフェミニスト経済学のパイオニア
ジョン・コッブJR（John Cobb Jr.）　アメリカの宗教学・哲学者、エコロジスト

コノミーでもノーベル賞でもない。この「素晴らしく大胆なPR」（ペーター・ノーベル）[13]の背景には、強大なイデオロギーと社会の勢力関係のなかでの格闘がある。

公共善エコノミーは、新しい経済理論を構築したい[14]。経済の実践を変えたい。そしてさらに、倫理的、包括的で、責任意識のある経済活動と活動家が持続的に認められ、成功するための適切な法的枠組みを作りたい。公共善エコノミーは、ホリスティック（包括的）なオルタナティブ（代価コンセプト）としての、

(a) しっかりとした理論アプローチで、首尾一貫したモデルである。
(b) 広範な参加プロセスで、それはすべての改革意思に開かれている。
(c) 実用的なツール（プロトタイプ）への、成長するオファーである。
(d) 未来を示す、民主的な実践の提案である。

最後の項目については、公共善エコノミーは新しいデモクラシーのコンセプトを開発した。それは、4年か5年に1回だけ、選挙で政党に丸をつける、ということだけよりも多くのことを、人間に期待するものだ。「主権者デモクラシー」は、公共善エコノミーと双子の姉妹関係にある。主権者デモクラシーは、何千人もの人々、企業、自治体、学術機関が、政治・経済界で、価値によって導かれる根本的な転換のための土壌を準備した後に、公共善エコノミー誕生の助産婦にもなり得る。

２０１０年8月に『公共善エコノミー』の初版が出て以来、イタリア語、スペイン語、ポルトガル語、オランダ語、英語、フランス語、フィンランド語、そしてここに日本語へと翻訳され、合計14カ国で出版されている。公共善エコノミーの実践運動はスカンジナビアから南米まで広がっている。数千人の人々が、世界中の地域グループ、ワーキングサークル、そして振興協会で、アクティブに活動している。この若いイニシアチブは、アジアにまでその触覚を伸ばした。２０１３年10月にはハラルド・レムケ教

ステファノ・ザマグニ（Stefano Zamagni）　イタリアの経済学者。教皇庁社会科学アカデミー会長
ルイジーノ・ブルーニ（Luigino Bruni）　イタリアの政治経済学者
ジャン・ティロール（Jean Tirole）　フランスの経済学者
ブータンの国民総幸福量　本書第２章「手段ではなく目標で測る」の項参照
ブエン・ヴィヴィール　自然と調和した、バランスのとれた、尊厳ある共同生活。中南米の原住民の生活文化に起源がある言葉。

授が東京大学で講演をした。フィリピンでは最初の地域グループができかけた（残念ながらエネルギーはまだ弱かった）。ブータンの国民総幸福の元センター長だったハ・ヴィン・ゾーが、これまでアジアで唯一の公共善エコノミー大使である。

まだアジアでは少ないが、この日本語版が、東洋での公共善エコノミー植物の成長のための培養元を与えてくれるかもしれない。公共善エコノミーは、意義深い価値、成長するコミュニティ、実用的な実践ツールを提供する。類似のアプローチとの組み合わせに関してもオープンである。多くの読者が一緒に運動に参加し、この世界で自らが望む変化の主体になることを期待する。

2022年9月

クリスティアン・フェルバー

目次

第2章　公共善エコノミーの核

第4章　所有

第5章　モチベーションと意義

第6章　デモクラシーのさらなる発展――159

第7章　事例、類似例、模範例――190

第8章　実践の戦略

凡　例

1. 本書は、クリスティアン　フェルバー（Christian Felber）著『公共善エコノミー』（Gemeinwohl-Ökonomie）の２０２２年改訂版を翻訳したものである。

2. 語句の末尾のカッコ数字は原注番号で、原注に出てくる書名・論文名は、研究者等の便宜を考慮して原語のままとし、翻訳のあるものは邦訳名を併記した。参考文献についても同様である。

3. 語句の末尾の※印は訳者による補注を付していることを示す。補注は各ページ下に記した。補注は日本の読者を考慮して、語句の意味にとどまらず、時代背景等も入れて説明している。

4. 本文中の（　）括弧で、本文と同じポイントのものは原著者による補足、ポイントを小さくしているものは訳者による訳文の補足である。

5. 訳文の漢字、ひらがな等の表記は、文化審議会国語分科会の方針をもとにした。引用文については、原著の翻訳のあるものは、それらを参考に、部分的に訳者がアレンジし、邦訳のないものは訳者の訳である。

公共善エコノミー

Gemeinwohl - Ökonomie

第1章　短い分析

「協力する、他者を助ける、公正を守らせる、というのは世界中どこにでもある、生物学的に深く根付いた人間の基本モチベーションだ。この原型はすべての文化圏に共通してある」[15]

ヨアヒム・バウアー※

人間的な価値——経済の価値

奇妙だ。本来であれば、私たちの共同生活の「北極星」、すなわち、共同生活における指針となるものに価値が付与されるべきなのに、今日の経済においては、私たちの日常的な人間関係において大切なものとまったく異なる価値が重んじられている。

交友関係や日常的な人同士の交流においては、信頼、誠実、尊重、リスペクト（敬意）、傾聴、思いやり、協力、相互援助、分かち合い、といった人間的な価値が尊ばれ、実践されるとき、私たちは幸福感を得る。「自由」な市場経済はしかし、利益追求と競争というシステム上のルールに基づいて動いている。これは、エゴ、欲望、貪欲、妬み、傍若無人、無責任を刺激し、促進する。

人間的な共同生活と経済活動の間にあるこの大きな矛盾は、複合的もしくは多義的な現代社会の単なる上辺の欠点ではない。文化的に深く食い込むクサビである。私たちを内部から分断する。個人的にも、社会的にも。

※ヨアヒム・バウアー（Joachim Bauer）　ドイツの著名な脳神経学者・心理学者

価値は北極星（指針）

この矛盾は、価値が私たちの共同生活の基盤であるので、とても致命的だ。複数の価値に基づいて、私たちは人生の目標を決め、行動の指針を設定し、人生に意義を付与する。価値というのは、私たちの生きる道しるべとなる「北極星」のようなものだ。だが、私たちの日常生活の北極星が、信頼、協力、分かち合い、という倫理的な方向を示しているときに、私たちの生活の一部である市場経済において、もう一つの北極星が突然、エゴ、競争、欲望というまったく正反対の方向を示すと、どうなるか。深刻な矛盾が私たちの前に現れる。

私たちは、連帯的、協力的に振る舞い、お互いに助け合い、常にすべての人の幸せを配慮するべきか？　または、最初に自分の利益を優先し、他者に対しては、ライバル、競争相手として、厳しく冷酷に対応するべきか？　この葛藤の深淵にあるものは何かというと、それは、経済学の教科書や法律が、間違った北極星を優遇していることだ。教科書や法律が、その北極星に正当性を与え、私たちみんなを苦しみ悩ませる価値を助成している。

でも、この事実は一目瞭然ではない。というのは、どの法律にも、利己的に、欲望をあらわに、貪欲に、傍若無人に、無責任に振る舞うべき、とは書かれていない。より明確なのは経済学の教科書だ。アメリカの著名な経済学者であるマンキューとテイラーはこう書いている。「消費者は自分の利益の最大化を目指して行動する。消費者は自己の関心事によって誘導され、他者の利益は考慮しない」[16]。同じくアメリカの経済学の大御所であるピンダイクとルビンフェルドは「企業活動の理論は、企業は自らの利益の最大化を志向する、という単純な想定に基づいている」[17]と書いている。法律はそして、企業に金銭的な決算書を作成することを義務付けている。それによって多くの企業が、金銭的な利益の最大化を目指して行動する。競争の法律は、傾向的に、企業が協力することを妨げている。「協力の法律」や、法的拘束力がある「公共善決算」はほとんどない。欲望、貪欲、傍若無人さ、無責任さが市場に蔓延している。それは人間が天性的に悪者だからではない。経済界のルールが、私たちの美徳ではなく、弱みを助長するからだ。

エゴイズムから公共善へ

経済活動においては、私たちはお互いに競争し、各自が最大限の金銭的利益を目指す（＝利己的に行動する）べき、という「命令形」が存在している。これは、各個人の利己的な行動から、すべての人々の幸福が生まれる、という深く逆説的な願望に由来している。このイデオロギーは、今から約250年前に、バーナード・デ・マンデヴィル※が、著作『蜂の寓話』によって創作した。この本には「私悪すなわち公共善」という副題がついている[18]。国民経済学の創始者であるアダム・スミス※はエゴイズムを正当化した、といわれている。それは彼の次の文だ。「毎日の食事が期待できるのは、肉屋やパン屋、ビール醸造家の博愛心のおかげではなくて、彼らが自分の利益に留意するからだ」[19]。当時においては、もっともないい分だった。「個人」が自己の利益を追求するということは、目新しいことだった。「企業」は当時、ちっぽけで、大した力も持っていなくて、地域と結合していて、個人責任で成り立っていた。企業家、オーナー、雇い主、労働者は、多くの場合、同君連合体であった。匿名でグローバルに展開する株式会社も、自由な資本の移動も、巨額の投資ファンドもなかった。

他方でアダム・スミスは、より著名に、より明瞭に、「ユニバーサルな慈善」の賛歌を次のように歌

バーナード・デ・マンデヴィル（Bernard de Mandeville）
18世紀、オランダで生まれ、イギリスで活躍した精神科医で思想家。『蜂の寓話』は1714年刊

アダム・スミス（Adam Smith） 18世紀のイギリスの経済学者・思想家。主著『国富論』『道徳感情論』

っている。「私たちの良い意志は、何の制限も受けない。…私たちが、感じる能力を持った純真な生き物に対して、その至福を望まないということはない」[20]。スミスの「見えざる手」というメタファー（隠喩）は、『国富論』という分厚い本のなかでたった1箇所だけ登場するが、それを経済学者ポール・サミュエルソン※は、「市場のメカニズム」として解釈することで、自分の世界観に合わせた。すなわち、個々の市場参加者のエゴが、すべての人間の最大限の幸福へと導く、というふうにだ。

スミスは物理学者ではなく、道徳哲学の専門家だった。道徳哲学とは、倫理学、政治経済学、神学などの部門から成る学問である。スミスは「見えざる手」を「神の手」と意図したのかもしれない。力学的な天の法則、もしくは市場の法則として[21]。または、単なる願望であったかもしれない。私は、願望に反対したいのではない。しかし、願望は学術的な方式ではないし、ましてや効果的な政策ではない。社会が望むように企業が行動するよう促すためには、「見える手」が必要になる。

大半の経済学者は、「見えざる手」は「競争」のことだという。競争以外のどのメカニズムが、他者を犠牲にして自分のエゴを増大する企業を抑制できようか。ある企業が自分のエゴを優先して、高すぎる価格を設定、もしくは低すぎる品質のものを提供した場合、競争原理によって市場から排除される。個々の参加者のエゴは、競争によって、すべての人々の最大限の幸福へ誘導される、という想定は、今日に至るまで、資本主義による市場経済の正当性を認定する核になっている。私の観点からすると、この想定は神話であり、根本的に間違っている。競争は確かに、そのやり方で業績を生み出す（詳しくは後述する）。しかし競争は、社会と人間関係に大きな損害をもたらす[22]。個々の人間が、自己の利益を追求することを上位目標として対立的に行動すると、他の人間を出し抜いて利益を得ることを学習し、それを、正しいこと、普通であること、と見なすようになる。しかし、私たちが相手を出し抜いて利益を上げるとき、その相手を同等の人間として扱わない。私たちは、相手の尊厳を傷つける。

※ポール・サミュエルソン（Paul Anthony Samuelson）
20世紀に活躍したアメリカの経済学者

「尊厳」は最高の価値

ドイツの経済大学で、私の講義を受ける学生たちに、「人間尊厳」とは何か、と問いを投げると毎回、教室は静まりかえり、沈黙が支配する。彼らは、これまでの大学での勉強で、人間尊厳について一切、聞きもしないし、学んでもいない。驚くべきことだ。尊厳というのは、最高の価値であるのに。

尊厳は、ドイツ基本法（憲法に相当）の第１条に述べられている価値であり、国連の世界人権宣言の中心的な基盤となる概念でもある。尊厳とは価値であり、すべての人間が無条件に持っている、平等で譲ることのできないもの、と定義されている。尊厳とは、個々の人間の存在そのものであり、個々の人間の「能力や業績」とは無関係のものである。このすべての人間が持っている同等の価値から、平等の概念が生まれ、すべての人間が、同等の自由と権利と機会を行使することができる、というデモクラシー（民主制）の基盤がつくられている。すべての人間が、同等の自由を行使するということは、すべての人間が真に自由でなければならない。すなわち、人間尊厳は、自由の根拠・前提条件である。イマヌエル・カント※はこういっている。

「人間同士の日常的な付き合いのなかで、私たちがお互いを、同等な人間と見なし、扱うことで初めて、尊厳が守られる。私たちは、他の人間、その欲求、感情、考えを、自分のそれらと同様に、同等に真剣に受け止めなければならない。同等の価値であることの表明として。私たちは、他の人間を、物や道具として扱ってはならない。他の人間を、第一義的に自身の目的の手段として用いてはならない。それを行ったら尊厳は終わりだ」[23]。

副次的な効果としては、尊厳に満ちた付き合いは、様々な利点をもたらす。これは、自動的に起こる

イマヌエル・カント（Immanuel Kant） 18世紀ドイツの哲学者。科学的認識の成立根拠を吟味し、伝統的形而上学を否定し、道徳の学として、形而上学を意義づけた。『純粋理性批判』など「批判」３部作の他、『永遠平和のために』など多くの著書がある。

ものだ。カントもそういっているし、常識的に理解もできる。すべての人間が、お互いに気遣い、相手に最良のものを与え、信頼関係を構築し、真剣に相手を受け止め、お互いに耳を傾け、お互いを尊重すれば、結果的に、様々な利益がもたらされる。しかし、利益を得ることを目的として付き合ってはいけない。

自由な市場においてはしかし、私たちが隣人を物や道具として扱い、それによって彼らの尊厳を傷つけることが、合法であり、普通に行われている。というのは、尊厳を保持することが、私たちの目標とはなっていないからだ。尊厳は、測ることも、精算することもできないものだ。自由市場での私たちの目標は、個人的な利益を得ること。この目標は、多くの場合、隣人を出し抜き、彼らの尊厳を傷つけることで、より容易く達成できる。私たち個々人が、どういう心のスタンスを持つか、何を優先するかが、決定的な違いを生む。私は、すべての人間の最大限の幸福と尊厳の保守が大切だと考えるのか。それは自動的に私も含むことであり、回り回って私も利益を得ることができる。もしくは、私は自分の幸せと自分の利益が大切だと考えるのか。その際、他の人間は、そこから利益を得られるかもしれないし、そうでない場合もある。

私たちが自己の利益を最上位の目標と定めた場合、他の人間を自分の目的を達成するための手段として使い、彼らを出し抜く、ということが一般的によく起こってしまう。であるから、アダム・スミスによる目標と副次的効果の曲解は、広く一般的に普及している人間尊厳の損傷と、多くの人間の自由の体系的な制限をもたらす。生徒や患者、お腹が空いた人が良くなるためには、先生や医者、料理人の博愛心※（厚意）が必要である。同様に、みんなが毎日の食事を得るためには、肉屋やパン屋、ビール醸造家の博愛心（厚意）がなければならない。彼らが自分の利益だけに留意するだけでは不十分だ。アダム・スミスと同じ国のアダム・ファーガソンも、こういっている。「他の人間の幸せに尽力する人は、他の

博愛心（厚意） 博愛心は、前述のアダムスミスの引用文に出てくる言葉で、それを受けてのセンテンスである。博愛（博愛心）は、アダムスミスの国富論の日本語訳版で一般的に使われている有名な言葉で、ここではそのまま使用しているが、ただ、昔の訳なので高尚である。現代的には、平易に「厚意」の方が適切であろう。

人間の幸せが、自分の幸せの豊富な源泉であることに気づくだろう」[24]

「自由」な市場？

「自由な市場」とは何か。真に自由な市場とは、すべての参加者が、市場によって駆り立てられる個々の交易（商取引）から、デメリットや損害をまったく受けることなく退くことができる市場である。しかし、それが可能なのは、市場での商業取引の一部だけだ。かなり多くの場合、取引の一方の参加者にはそれができても、もう一方の参加者は、相手とその取引に依存しているため、そこから退くことができない[25]。

多くの人々は、今日の食品の購入、住居の賃貸など、自由に選ぶことができない。多くの企業は、今日、金融機関からお金を借りるかどうか、選択する余地がない。借金しなければ、明日には倒産、ということもある。多くの農家は、どこに農産物を納品するか、自由に決めることができない。大抵の場合、農家は1社もしくはわずか数社の買取り業者しか選択肢を持っていない。その買取り業者からは、同等に（もしくは悪く）扱われる。

広く一般に普及する典型的な商取引は、大体、次のようなものだ。

――平均的な雇い主は、労働者よりも容易く、雇用契約から退く（=労働者を解雇する）ことができる。であるから、雇い主は、平均的な労働者よりも自分に優位に、雇用契約の各種条件を決めることができる。

――平均的な債権者は、信用（クレジット）受給者よりも容易く、貸借契約から退く（=貸付を打ち切る）ことができる。であるから、債権者は、平均的な信用受給者よりも自分に優位に、貸借契約の各種条件を決めることができる。
――平均的な不動産管理者は、賃借人と比べて、賃貸借契約への署名に対して距離を置くことができる。であるから、不動産管理者は、平均的な賃借人よりも自分に優位に、賃貸借契約の各種条件を決めることができる。
――平均的な大企業は、取引のあるサプライヤー（下請け企業）よりも容易に、その取引をやめることができる。であるから、大企業は、平均的なサプライヤーよりも自分に優位に、納入契約の各種条件を決めることができる。

個人的な取引では、力の格差があったとしても、すべての参加者が、敬意を持って、お互いの尊厳を保持する気持ちを持って接すれば、まったく問題ないだろう。そういう心構えとスタンスであれば、力のある個人は、力の弱い個人と同じ目線で向かい合い、相手の欲求や気持ちを、自分のそれらと同様に真摯に受け止め、そして、お互いにとって良い状況をつくるように努力するだろう。一方、資本主義による市場経済は、力を持っている方に、その優位性を乱用するように、すなわち、力の格差を搾取的に利用するように、逆に鼓舞してしまう。というのは、自己の利益の追求と、それによって生じる競争から、自由な市場の「特殊な効率」が生まれるのであるから。

人間の共同体において、個々人の尊厳がシステミック（全身的・系統的）に保持されない場合、自由も保持されない。なぜかというと、尊厳の保持、すなわち個々の人間同士がみな同価値として相互に接することは、共同体における自由の前提条件だからだ。すべての人間が自分の利益を優先して行動すると、他者を同等の人間としてではなく「道具」として扱い、すべての人々の自由を汚してしまう。であるから、利益追求と競争を基盤とした市場経済は、「自由」な経済とは呼ぶことはできない。そう呼んでしまうと内部矛盾が生じる。利益追求と競争を基盤とした自由を壊す市場経済は、誠実に表現するならば、傍若無人で、非人間的で、そして非自由な経済である。そう表現されなければならない。私たちは、人間的で、徹底して倫理的な市場経済を構築する道を歩み始めないといけない。

「信頼」※は効率より大切

もう1点。私たちが市場で、力と能力をもった隣人に出し抜かれるかもしれない、と絶えず危惧しなければならない状況のとき、1つの本質的なものが、システミック（全身的・系統的）に壊される。それは「信頼」だ。大半の経済学者は、この事実をほとんど顧慮しない。というのは、彼らの観点では、経済は効率が大切だからだ。しかしこれは、物事の倒錯、本末転倒の事柄である。なぜかというと、信頼は、私たちが知る限りにおいて、もっとも高価な社会的・文化的な財産であるからだ。

「信頼」は、社会を内部の深いところで結合させているものだ。効率が結合させているのではない。誰にでも安心して信頼を寄せられる社会を想像してもらいたい。それは、生活のクオリティがもっとも高い社会ではないだろうか？　逆に、みんなに不信感を抱かなければならない社会であれば、それは、生活のクオリティがもっとも低い社会ではないだろうか？

遠慮のない中間決済をする。市場経済が利益追求と競争、そこから生み出される相互の出し抜き行為を基盤にしている限り、人間尊厳とも自由とも調和しない。それは、社会的な信頼を組織的に破壊する。それが他の経済形態と比べて効率が良い、という願望に基づいて。

この事実関係を突きつけられると、メインストリーム（主流）の経済学者たちは、次に挙げる習熟した3つの反応をする。

1、市場経済に対しては、他のオルタナティブ（代替システム）はない。これはすでに知られているこ

「信頼」　原文にカッコ（強調）はないが、本書の趣旨を汲んで訳者がカッコをつけている。

とで、だから議論は不要である。

2、それを承知しない人間は、社会を貧困に、19世紀に後戻りさせたいのか、もしくは共産主義にしたいのか、どちらかだ。

3、市場経済は、現在あるなかで、もっとも生産的な経済形態だ。歴史はこれを選択した。競争は、人間を、比較することができないほどの能率的な仕事へと、鼓舞する。しかも、競争は、人間の本能的な素質であり、であるから競争することは避けられない。

最後の項にある市場経済の基本神話について、もう少し深く洞察したい。「競争は、私たちが知る限り、大半のケースにおいて、もっとも効率的な手法である」とノーベル経済学賞の受賞者であるオーストリアの経済学者フリードリッヒ・アウグスト・フォン・ハイエク※はいっている[26]。ノーベル賞の受賞者がそういっているのであれば、事実であるはずだ。ただし厳密には「ノーベル経済学賞」は通称で、正式には「経済学賞」なのであるが。私は、ハイエクがこの認識に至るベースとなった実証研究を、彼の論文の中から探したが、見つけられなかった。他の経済学者の論文でも探してみた。学術界では、研究者が他の同僚の論文を引用することが一般的であるので。しかし、そこでも何も見つけられなかった。（ノーベル）経済学賞をこれまでに受賞した学者はたくさんいるが、「競争は、私たちが知る限り、もっとも効率的な手法である」という主張を、論文で証明している人物は1人もいない。経済学におけるこの観念的な根本原理は、大多数の経済学者によって信奉されている、根拠のない主張である。この信念を基盤として、２００年来、世界で支配的な経済モデルである資本主義と競争市場経済が成り立っている。

ここで具体的な問いを投げたい。「競争は、他のどの手法よりもモチベーションを高めるか？」。この問いに関しては、社会心理学、教育学、ゲーム理論、脳神経生物学など、多様な分野で溢れるほどの数

※ハイエク（Friedrich August von Hayek）
20世紀のオーストリアの著名な経済学者。自由な市場経済の優位性を主張。

の研究論文がある。そのうち３６９の論文が1つのメタスタディ（統合的な研究）に取りまとめられている。そのメタスタディで取りまとめられた論文の87%という大多数は、もっとも効率的な手法は競争ではない、という明白な結果を示している[27]。

競争ではなく協力が効率的である。その理由は、協力では、競争とは別の性質のモチベーションが働くからだ。競争はモチベーションを与える。このことに関しては誰も反論はしないし、資本主義による市場経済が、そのことを証明している。ただ、競争によって与えられるモチベーションは、協力によるそれより低い。なぜかというと、協力では、うまくいった関係、承認、尊敬、共通の目標とその到達を通して、モチベーションが生まれるからだ。これが協力の定義。

競争の定義はこれに対し、「お互いに排除し合うことによる目標到達」である。競争では、誰か他の人間が成功しないときに、私に成功がもたらされる。競争では、第一に、不安（恐れ）によってモチベーションが与えられる。だから、不安（恐れ）は、資本主義による市場経済のなかで広く表出している現象である。多くの人間が、自分の職や収入、ステータスや社会的な名声、グループへの所属を失うことに、不安や恐れを持っている。限られた資源を求めての競争では、たくさんの敗者が生まれる。多くの人間が、自分がその敗者になるかもしれない、と恐怖心を抱いている。

もう1つ、競争がもたらすモチベーションの構成要素がある。不安（恐れ）は後方から人を押すが、前方では、ある種の欲が人を引っ張る。どんな欲かというと、勝ちたい欲である。他の人間より優れていたい、という願望である。これは、心理学的なメガネで観ると、とても問題のあるモチーフである。他の人間よりも優れていることが、私たちの目標であってはならない。そうではなく、私たちが意義深いと感じ、是非ともやりたいという思いから起こる行動がもとになって、良い結果が生まれる。そこから私たちは、自尊心を得るべきだ。他の人間より自分が優れている、ということから自尊心を得る人間は、他の人間が劣っている、ということに依存している。心理学の観点からいうと、これは、病的なナルシシズムだ。他の人間が劣っているから自分が優れていると感じるのは、病気である。健康なのは、自分で自由に選び、そこに意義を見つけ、自発的に行う活動によって自尊心を形成することだ。私たちが、「他の人間より優れている」ではなく、「私たち自身であること」に集中すれば、誰も損害を受けることはないし、敗者も出てこない。

どのように目標を設定するかが大切である。もし私がある活動において、「副次的な効果」として、他の人間より優れた結果をもたらした場合、そういう結果を得ること自体が目標でなければ、何も問題はない。私は、他の人間より優れていることを顧慮することも、その結果を「勝利」と評価することもしないだろう。そして他の人間を助けるだろう。問題となるのは、他の人間より優れた結果を得ることを目標に、勝ち負けの構図を目指す場合である。すなわち、前述した競争の定義が用いられるときだ。

私の目標が、良い活動や仕事をすることにあり、他の人間が優れているかどうかが、どうでもよいとき、競争は必要ない。ここが競争神話の核心である。神話では、人間は競争がなければ、より良い成果を上げようという気持ちにはならず、良い活動や仕事をするためのモチベーションは得られない。一方で、心理学の研究での知見からは、これとはまったく逆のことがいえる。モチベーションは、内部から起こる「内因性のモチベーション」の場合が、競争のように外から誘発される「外因性のモチベーション」の場合より、強く作用する。もっとも高い成果は、その人に競争相手がいるから生まれるのではない。その人が、やっている事柄に魅了され、エネルギーを得て、満たされているから、それに打ち込めて、心が弾むから生まれる。競争は必要ない。

誠実な経済学者が、私たちが知りうる限りの、もっとも効率的な手法での市場経済の構築を目指すのであれば、構造的な協力関係と内因的なモチベーションをもとに、市場経済を構築しなければならないだろう。少なくとも、現在ある学術研究の結果を考慮するのであれば。それを行わないという状況は、競争の弁護者が、学問とそこで得られた見識ではなく、観念的なメインストリーム（主流）のなかでの認知、もしくは既存の支配構造の防護を重視しているということだ。

権勢保持者にとっては、競争は賛嘆に値する。私たち人間が、協力し、連帯することを学習しなければ、力関係に疑問も持つことはなく、団結してそれを変えようともしないだろう。逆に、周りの相手を蹴落としながら、我れ先にと、権力を求め、社会のエリート階級の階段を登ろうとするだろう。その際、私たちの大多数が、階段の途中で挫折する。社会の雰囲気は、どんどん悪くなる。私たちは自身の利益の追求のために、持続的に他の人間を出し抜き、搾取的に利用し、侮辱し、それによって社会的な信頼と多くの人間の自己価値を弱める、もしくは破壊する。

利益追求と競争の結果：資本主義の10の危機

競争のなかで、「自己の利益」（アダム・スミス）を最上位の目標として追求すると、市場経済の予測と約束に反して、次のようなことが起こる。

1．権力の集中と乱用

システムに内在する成長の重圧は、より大きく、より強く、最終的には「グローバルプレイヤー」になることへと導く。そして、巨大企業が形成される。巨大企業は、市場支配力を乱用し、自己を外界から隔絶し、イノベーション※を抑え、競争相手を呑み込む、もしくは市場から締め出す。「市場制圧」「軍資金」「敵対的買収」。これら経済用語を見れば、自己の利益の追求がどういうものなのか、化けの皮が

イノベーション（innovation）　日本では技術革新と受け止められがちだが、それだけでなく、新市場の開拓、経営革新など幅広い革新の取り組みをいう。

剝がれる。

2. 競争の排除とカルテル（企業連合）の形成

競争の結果、わずかなプレイヤーだけが生き残ると、それまでの敵対関係は、電光石火のように、戦術的（原則的ではない！）な協力に急変することがある。大きな方向転換であるが、最大限の利益を得る、という目標はそのままだ。権力がカルテル（企業連合）や寡占を形成することを許せば、逆にこの方法の方が優遇される。なぜかというと、協力の方が、競争より、より効率的だからだ。競争では絶えず、敗者が出る。協力では、みんなが勝者になる。だから同業界の企業は、それが可能になると、まもなく協力する（協力が優勢なことの、不本意で不愉快な証明である。なぜ不愉快かというと、ここでの協力は、普遍的な目標ではなく、他者を出し抜くという間違った目的のための手段だからだ）。

今日の銀行救済を見ると、その施策が、競争と市場経済を促進するためのものではなく、企業の利益と権力を、国が防護することだとわかる。この目的のために、経済界と政界のエリートは協力し、競争を排除する。競争が目標ではない。仮にそうであったとしたら、「システム上重要な銀行」なんて成立していないはずだ。

3. ロケーション競争

各国は、企業を誘致するために、企業の利益獲得のための条件を体系的に改善する。それにより、賃金、社会福祉、税、環境の分野で不当廉売（ダンピング）が起こる。地域の零細・小企業よりも大企業がより優遇される。さらには、銀行秘密を許す制度、もしくは国による銀行の監視や調整の放棄など、特別な誘惑措置が施行される。これらの施策が、大企業にとって、ロケーションメリットになるからだ。

企業の競争が国のレベルまで波及すると、表向きのグローバル化の真っ只中で、ナショナリズムが盛り上がる。そして、人類が過去に獲得したデモクラシー（民主制）や社会福祉制度が害される。なぜかというと、デモクラシーや社会福祉は、グローバルなロケーション競争における「競争阻害要因」だとして、けなされるからだ。

4．非効率な価格形成

価格というのは、多くの場合、合理的な市場参加者たちの理性的帰結ではなく、力関係の表れである。供給と需要の力関係は、かなり不均衡である。であるから、価格は力を持った参加者の利益を反映している。実際のコストや有益性を反映しているのではない。例えば、子供、病人、高齢者、もしくは庭の世話という、社会的に有益な価値のあるサービスには、多くの場合、なんの価格も付かない状況がある。一方で、ヘッジファンドの世話には、天文学的な数字の価格が付けられる。社会にとって非有益であるにもかかわらず。

きれいな空気や生物多様性、安全や信頼、結びつきや公平さといった公共の財産には価格が付けられていないから、それらは無償で破壊され、それによって生じるコストは公共が背負うことになる（生活のクオリティの損失から補修コストまで）。大きな被害をもたらした者ほど、大きな競争メリットを獲得する。

5．社会的な二極化と不安

市場経済は、力の経済である。「自由競争」が、より大きく、よりグローバルであるほど、市場参加者の間での力の格差は大きくなる。それによって、不平等や貧富の格差が大きくなる。国際ＮＧＯのオックスファム（貧困と不正を根絶するための国際的支援組織）によると、８人の大富豪が、全人類の半分の富を所有している[28]。アメリカ合衆国では、高給取りのマネージャーは、法律で定められている最低賃金の35万倍を稼いでいる[29]。これは「合理的な価格形成」とも、効率や公平とも違う。権力だけが決めていることだ。

その結果、社会の信頼は低下し、不安は増長する。アメリカ合衆国では、人間同士の信頼は、１９８０年の60％から、２００４年には40％へと低下した[30]。不安に関しては逆に、旧西ドイツにおいて１９８０年の不安指数が24％であったのが、１９９１年には45％に増加した[31]。

6．生活の基本的欲求の非充足と飢餓

グローバル化した市場経済が、人々の生活の基本的欲求を充足すること、それによって人権を守ることに関して、いかに不能であるか、飢餓の数の爆発的な増加でわかる。１９９０年代始めの飢餓人口は８億人弱であった。世界食糧農業機関によると、２００９年の飢餓人口は10億２３００万人であった。その後２０１１～13年まで、８億４３００万人に減少した[32]。

資本主義の目標は、人々の生活の基本的欲求を充足することではなく、資本の増大である。これでは多くの場合、小さな購買力しかない人々の生活の基本的欲求は満たされない（食料、医療、住居、教育など）。そして、基本的欲求が満たされた余剰の購買力に対しては、新しい欲求が「創作」される（例えば、病みつきになる食料、ゲームボーイ、整形手術、街用のオフロード車など）。ネッスル社の内部調査によると、60％の商品が健康を促進しない[33]。資本主義では、創造力や投資が、組織的に間違った方向へと舵取りされる。

７．エコロジカルな破壊

資本主義は、金融資本の増大（公共善の増大ではない）を最大の目標としているので、その他の目標、例えば環境保護などは、優先順位の下位に滑り落とされる。国連は、ミレニアム総合レポートにて、１９５０年から２０００年にかけて地球上のほぼすべてのエコシステム（海洋、草地、河川、山岳、森林）の健康状態が悪化したことを確認した[34]。それらのエコシステムは、崩壊する限界点に達しようとしている。遅かれ早かれ崩壊が起こることが予想されている。

これは、人間の生活にとって大切なエコシステムの働きが危機にある、ということだ。気候安定性、湿度と温度の調整、病気や有害生物の制御、土壌の肥沃さ、吸収能力などが、失われる恐れがある。資本主義は、すべての人間の幸福ではなく、盲目に金融資本の増大を目指しているので、人間の生活と経済活動の基盤である自然を破壊する。

８．意義の損失

物質的な価値の蓄積が、資本主義の最上位の目標である。これはやがて、物資的基本欲求を充足させるという意義深い副次効果を飛び越え、人間関係や環境のクオリティ、時間の豊かさ、創造性、自律性といった他の価値を、その下に隷属させる。ＥＵにおいては、１９９５年から２００５年にかけて、就業労働時間は８％増加している[35]。消費への圧力は、買い物依存症を生み、多くの人間が、お金を稼ぐこと以外の活動に意義を見いだせなくなる。なぜかというと、彼らはその過程で、真の願望や理想から離反するばかりなので。ギャラップ世論調査によれば、70％の非自営の職業従事者が仕事のモチベーションを失っているか、もしくは「心のなかで辞表を出している」[36]。

9. 価値の崩壊

今日の経済においては、非社会的な人間ほど、より容易く出世できる。その理由は、経済界では、数字の目標の最適化が求められ、それ以外のすべての目標、すなわち人間的、社会的、エコロジカルな目標をフェードアウトさせることを「より容易にできる能力」を持っている人間が、文化的に「選抜」されるからだ。

今日では、利己主義者がとりわけ「大きな成功」を収める傾向がある。経済において、組織的に、エゴイズムと競争行為が褒めたたえられ、このそそのかしのダイナミズムに乗って出世する人間が成功者として名声を得る場合、その価値は、社会のすべての領域に影響を与える。まずは政治とメディア、最終的には私たちの相互の人間関係に。ドイツの著名な社会心理学・哲学者のエーリッヒ・フロムは「資本主義的な性格が、社会の性格を形作る」とすでに90年代始めに表現している[37]。

10. デモクラシー（民主制）の閉め出し

利益最大化と自己の利益の追求が最高の目標である場合、経済の参加者は、この目標を徹底して達成するために、すべてのレバーを動かす。人間関係や個人的な才能、もしくは天然資源だけでなく、もちろんのことデモクラシーも手段として使われる。

というのは、「自己の利益」の倫理には、マンデヴィル以来、個々人の利益は、公共善より上にある。この倫理では、公共善は、希望的な観測であるが、個々人の利益追求によって副次的に達成される。現実はしかしそうではない。グローバル企業、銀行、投資ファンドは、大きな権力を活用したロビー活動、メディアの所有、ＰＰＰ（官民連携）、政党への資金援助などによって、議会や政府を、公共善ではなく、うまく自分たちの利益につながるように仕向けることができる。イギリスの著名な社会・政治学者のコリン・クラウチは、「ポスト・デモクラシー」の仮説によってこの発展を理論的に描写している[38]。経験的には、スウェーデンのゴーテバーク（イェーテボリ）大学のデモクラシーの価値研究所のV-Dem（Value of Democracy）レポート2021が、2020年のデモクラシーの状態が1990年レベルに逆戻りしたことを示している[39]。フランスの有名な作家ヴィヴィアン・フォレスターにならうと次のことがいえる。「資本主義は、私たちの子供だけでなく、デモクラシーも食ってしまう」[40]

※　※

詳細な分析に関しては、私は他の書物で発表している[41]。だから現状分析はここで終止符を打ち、新しい事柄に舞台を譲りたい。

第2章　公共善エコノミーの核

「すべての経済活動は公共善に寄与する」
バイエルン州憲法　第151条[42]

経済活動の目標

私が経済専門学校や大学の経済学部で学生たちに、経済活動の目標は何か、と問うと、ほぼ毎回、「お金」「利益」「もうけ」といった回答が返ってくる。「誰がそういっているのですか？」と質問を投げ返すと、「そういうふうに、ここで先生たちから学んでいます」と返答をもらう。「では、君らの先生たちは、どの文献に基づいて、そういっているのですか？」と問うと、沈黙が支配する。「利益とお金を増やすことが経済活動の目標であるべき、という主張の根拠はどこにあるのですか？」とさらに問いをつづける。沈黙はさらに深まる。

私は、この問いの回答を得ようと、デモクラシーを適用している国や州の憲法を調べた。最初に、ドイツのバイエルン州の憲法を見てみた。「すべての経済活動は公共善に寄与する」と書いてある[42]。私は最初、これは何かの間違いか、例外ではないか、と思った。でも、他の国や州の憲法でも同様のことが書いてある。ドイツ基本法では「所有権は、その利用が同時に公共の幸福に寄与することを、義務付ける」とある[43]。イタリアの憲法にも「公的および私的な経済活動は、公共の福祉に照準を合わせて行われるべきである」と明記されている[44]。コロンビアの憲法は「経済的な活動と私的なイニシアチブは、公共善の境界内において自由である」といっている[45]。また、なんとアメリカ合衆国の憲法においても、その前文は「公共善の促進」という言葉で締められている。

このように、各憲法においては、経済活動の目標は公共善の促進である、という明快なコンセンサスがある。経済活動の目的は資本の増大もしくは金銭的利益である、といっている憲法は、私が知る限り、一切ない。経済学の教科書では、様相が異なる。アメリカの経済学の権威であるロバート・ピンダイクとダニエル・ルビンフェルドは、「企業活動の理論は、企業は自らの利益の最大化を志向する、という単純な想定に基づいている※」と書いている[17]。これは、各国の憲法に反することだ。

アリストテレスは今からおよそ2300年前に、2つの異なる経済形態を分別した。もとからある「オイコノミア」は、すべての参加者の幸せ、すなわち公共善が目的で、お金と資本は、そのための単なる手段である。お金と資本が目的になってしまうと、「オイコノミア」は「クレマティスティケ(=貨殖と自己の富を増殖する技法)」に変貌する。アリストテレスは明確に、後者にならないように助言した[46]。

西洋では約2000年前から、経済活動の目標に関するコンセンサスがある。世界エートス研究所※の所長クラウス・ディアクスマイヤーは「アリストテレスからトマス・アキナスを経て、アダム・スミスまで、経済の理論と実践は、上位目標(ギリシャ語で「テロス」)、例えば『公共善』という目標によって、正当化され、また制限されなければならない、というコンセンサスがある」という結論に達している[47]。

公共善の価値は、世界中のあらゆる文化で拝見できる。中南米には「ブエン・ヴィヴィール」という言葉がある。アフリカでは「ウブントゥ※」という言葉がよく使われている。ブータンでは、国民総幸福が、国の政策目標として掲げられている。イタリアでは、すでに18世紀に「公共の幸福」という概念が

「企業活動の理論は、企業は自らの利益の最大化を志向する、という単純な想定に基づいている」 この言葉は第1章の「価値は北極星」の項でも引用されている。
世界エートス研究所 ドイツ・チュービンゲン大学にある。所長のクラウス・ディアクスマイヤーは論理学者
ウブントゥ 人間性、隣人愛、公共心といった意味。ブータンの「国民総幸福」第2章、「ブエン・ヴィヴィール」は「前書き」の補注参照。

一般化されていた[48]。スイスのザンクト・ガレン大学の経済倫理学者であるティモ・マインハルドは「世界中のすべての言語が、公共善に相当する言葉を有していることは、明白だ。……公共善との結びつきなしに構築され得る社会理論はまったくない」と書いている[49]。

公共善エコノミーは、憲法上の目標を、実際の経済秩序のなかでも実践するべきだ、と提案している。それ以上でもそれ以下でもない。

システムポイントのシフトチェンジ

そのためには、現在の市場経済のシステムポイントのギアを、利益追求と競争から、公共善の追求と協力にシフトチェンジしなければならない。法的なインセンティブの枠組みは、偽りの北極星である「自己利益の最大化」を取り外し、真の北極星である「公共善志向」を取りつけなければならない。すべての企業の目標は、公共の幸せに最大限の貢献をすることだ。

これは別に新しいことではない。個々の経済活動の参加者の目標を、憲法上の目標と合致させるだけである。これが、自由市場の倫理的コース変更のステップ1だ。

経済的な成功を新たに定義する

ステップ2。公共善が民主的に定義された経済活動の目標であるなら、論理的な帰結として、経済活動の成功の測定において、目標到達度が測定されなければならない。それは、国民経済（マクロなレベル）、個々の企業のレベル（メゾレベル）、そして投資のレベル（ミクロレベル）と、すべてのレベルで行われなければならない。

今日、経済的な成功は、上記の3つのレベルすべてにおいて、金銭的な指標で測定される。マクロのレベルでは国内総生産（GDP）、企業のレベルでは金銭的利益、個々の投資家のレベルでは「投資に対するリターン」が指標になる。この3つの成功指標に共通するのは、金銭的な指標である、ということだ。しかしお金は経済活動の目的ではない。経済活動の単なる手段である。

ここでとても重要な問いを投げたい。あるプロジェクトの成功度合いを、第一義的に、手段とその蓄積、または目標とその到達度、どちらで測定するのが理にかなっていて、方法論的に正しいだろうか？成功の測定の際、目標と手段が取り違えられている。これは現在の経済秩序の中核的なシステムエラーではないだろうか。

資本主義では、アリストテレスの「クレマティスティケ」の定義によれば、間違いなく、資本の増大が最上位の目標である。公共善を生み出すことは、そのための手段、もしくは副次的な作用であるかもしれない。しかし必ずしもそうであるとはいえないのである。一方、公共善経済においては、公共善の増大が最上位の目標である。資本は、その目標到達のための（価値のある）手段である。多くのケースで、目標に到達するためにその手段を使用することができる。でも、目標に到達するためのより良い手段と道がある場合、資本を投入する必要性がまったくないこともあり得る。資本の投入や増大が強要されることはない。なぜかというと、企業や投資家や国民経済の成功の度合いは、資本の増大によって測定されるのではなく、目標到達度で直接測られるからだ。

経済活動の成功の測定における金銭的な指標のウィークポイントは、お金が交換価値でしかあり得ないことだ。お金は使用価値にはなり得ない[50]。人間は、最終的には、使用価値しか必要としていない。これが経済活動の目標である。交換価値だけでは私は、暖かくすることも、食べることも、着ることも、刺激を与えることも、満足することもできない。それらを得るためには、食料や洋服、温かい住居、健全な人間関係とエコシステム、すなわち使用価値が必要になる。GDPや金銭的利益は、どれだけの使用価値があり、それらが意のままに使えるかどうかを、信憑性を持って表現することはできない。

例えば、ある国でGDPの上昇があったとして、それは次のことに、信用できる回答を与えることができるか？

——その国が戦争状態にあるのか、もしくは平和な状態にあるのか？

——民主制なのか、独裁制なのか？

——資源の消費が増加しているか、もしくは縮小しているか？

——分配は公平かどうか？

——女性が同等の権利を与えられているのか、もしくは差別されているのか？

——社会で信頼が高まっているのか、もしくは不安が高まっているのか？

どの使用価値について質問したとしても、GDPの上昇は、使用価値の獲得について、信用のおける答えを与えることはできない。GDPは、本当に必要なものを測定することはできない。

手段ではなく、目標を測る

GDPの弱点はだいぶ前から知られている。であるから、豊かさのオルタナティブ（代替的）な指標を探すことは、すでに1970年代から始まっている。OECD（経済開発協力機構）は2011年に「ベター・ライフ・インデックス」を開発した[51]。同年、ドイツ国会の調査委員会「成長・裕福・生活の質」は、「W3指標※」を作成している[52]。フランス元大統領サルコジは、2008年にスティグリッ

W3指標　Wohlstand（＝豊かさ）を、1．物質・金銭、2．社会福祉、3．エコロジーの3指標で包括的に表現するための指標。

ツーセン－ヒトシ委員会にGDPの代わりになる豊かさの指標の研究を依頼している[53]。

豊かさのオルタナティブ（代価的）な指標を求めての世界中の様々なリサーチのなかで、断然トップにいるのは、「国民総幸福量（GNH）」という指標を開発し採用する小さな国ブータンだ。この指標は、他にあるような複雑な数学的なモデルではない。国の数千世帯に数年おきに、下記のような項目でアンケート調査をし、集計したものだ[54]。

――あなたは、自分の生活全般に満足していますか？

――近所の人たちを信頼できますか？

――あなたの生活環境のなかで、困ったときに助けてくれる人はどれくらいいますか？

――毎日、瞑想または祈りの時間を持てていますか？

――河川の汚染は、どれだけあなたの生活にダメージを与えていますか？

多くの経済学者は未だに「幸福は測ることはできない」と主張している。でもブータンの幸福度調査の135の質問は、健康、満足度、時間の活用、共同体の活力、エコロジカルな多様性、精神性、政治参加、もしくは良い政府など、生活のクオリティのすべての観点を網羅するもので、幸福度の実際に、GDPで測る場合より遥かに接近することができる。私の考えでは、20の指標があれば、1国の国民経済のなかの「公共善総生産」をまとめることが可能である。これの構築は、公共善エコノミー運動の中心的なプロジェクトになるだろう。

プロジェクトのスタートとして、後述する「公共善自治体」が良いと思う。そこでは、市民が分散型の会議に分かれて参加し、生活の質に関する20のもっとも重要な観点を抽出し、それをもとにコミュニティ※の生活の質、もしくは公共善インデックス※を構成する。このようなコミュニティレベルの活動が広域に広がれば、数百もしくは数千のローカル公共善インデックスを、1国もしくはEUや国際レベルの

コミュニティ 自治体だけでなく、地域やサークルなど幅広い社会活動・組織を含む。後述する本書第6章参照

公共善インデックス 本章第6章参照

国民経済の公共善総生産に統合することができる。

前項と同様の思考を企業のレベルでやってみよう。企業が獲得する高い金銭的利益は、下記の事柄に信頼のおける回答を与えることができるか。

――企業が雇用を増やしているか、もしくは減らしているか？
――労働環境が人間的になっているか、もしくは過酷になっているか？
――企業が環境に配慮しているか、もしくは搾取しているか？
――収益が公平に分配されているか？
――武器を製造しているか、もしくは地域のビオ（有機）食品を生産しているか？

確かな回答を与えることは、まったくできない。高い金銭的利益は、ＧＤＰと同様に、１つの使用価値の進展に関しても、人間の基本的欲求の充足についても、または憲法上の価値が履行されているかどうかも、何ら確かな回答を与えることはできない。利益は経済活動の本来の目標から逸れたものを測定している。利益は経済活動の目標を測ることがまったくできない。

公共善エコノミーでは、国民経済の成否が、方法論的にクリーンに、憲法にも適合して公共善総生産で測られる。１企業の成否は公共善決算で、投資の成否は公共善査定で測定される。今日の経済システムにおいては、雇用を壊滅させ、環境を破壊し、デモクラシーを地中に埋め込み、無益のものを生産する企業、すなわち社会や環境の問題の悪化に貢献する企業が、成功者であり得る。アダム・スミスが主張した、個々が自分の利益を求め行動すれば、みんなの幸福に繋がる、という自動機構は存在しない。利益と公共善の間で連関性が存在する場合もあるが、どんな場合でも自動的にそうなるものではない。公共善決算によってこそ、その連関性が信用の持てるものとして構築される。アダム・スミスの「見えざる手」への願望は、個体（企業）の成果と集合体（社会）の成果の連関性を確かなものとして構築する秩序立った方法論「見える手」の導入によって、初めて満たされる。

公共善を測る

公共善がすべての企業の目標であれば、当然の帰結として、それが公共善決算によって測定されなければならない。これが企業のメインの決算になる。これまでメインであった金銭上の決算は、副次的もしくは中間的な位置付けに変わる。

金銭的な決算は、企業が、コスト、投資、将来への備えをカバーしているか、企業の資金がどう発展しているかを描写するが、企業としての「成功」を本源的に表現してはいない。企業は、公共善へ向かう途上において、これまでと同様に、金銭的な損失を避けるべきである。自由な市場経済においては、利益がないことは企業にとっては即座に死を意味する。しかし、利益を上げるために利益を得るのではない。それは「クレマティスティケ」である。利益は目的のための手段になる。今日、資本主義の「氾濫」「過剰」「貪欲」として人々が体験しているものに、終止符が打たれる。利益の活用は、社会的に共同操作される。金銭的な決算の後に、公共善決算という精密なものがくる。

公共善決算は、公共善を構成する憲法上の中心的な価値が、企業の活動のなかに活かされているかを測定する。決算で測定される5つの価値は、別に特別なものではない。多くの憲法にもっとも頻繁に記載されているものである。それは「人間尊厳」「連帯」「正義（公正）」「エコロジカルな持続可能性」「民主的な共同決議」である。

公共善決算は、この5つの基本価値が、対象となる企業の「接触グループ」で活かされているかを測定する。接触グループとは、その企業の活動に接触する、もしくは直接的に関係しているすべての人物グループである。サプライヤー、出資・融資家、従業員、顧客、同業者、所在地の自治体、将来の世代、環境（地球気候を含む）である。

公共善決算をわかりやすくするために、私は仲間と一緒に「公共善マトリックス（行列）」を作成した。行列のX軸には5つの基本価値、Y軸には接触グループが並べられている。両軸が交差する各箇所で、20の公共善テーマに沿って倫理的な質問を設置し、その充足度を評価する。例えば、

——製品／サービスはどれくらい意義があるか？
——労働環境は、どれくらい人間的か？
——どれだけ倫理的な販売がされているか？
——他の企業に対して、どれだけ協力的で連帯的に振る舞っているか？
——収益はどのように分配されているか？
——女性が同等に扱われ、適切な報酬が支払われているか？
——どれだけ民主的に決議が行われているか？

しかし、そのような因子は測ることはできない、という指摘がよくある。さらには、誰が公共善の意味を具体的に定義する所轄になるのか？　この2つの問いに関しては答えがある。まず1つは、すでに20年あまり、企業の倫理的な成果を把握し評価するという活動が世界中で行われている。なぜかというと、金銭的な指数だけによる成果の測定では、企業を評価するのに不十分、より鋭い言い方をすると、方法論的に不適切だからだ。「成功」は本源的に、目標到達度で測定されるもので、到達手段の自由裁量度数で測定されるものではないからだ。

明確に定義され、そして部分的に測定可能な倫理的（金銭的でない）指標は、すでに他のＣＳＲ※（企業の社会的責任）スタンダードやその他のツールに練り上げられている。例えば、グローバル・リポーテ

ＣＳＲ（企業の社会的責任）　Corporate Social Responsibilityの略。国や企業によって基準が異なる。

イング・イニシアチブ（ＧＲＩ）※や多国籍企業のためのＯＥＣＤ（経済協力開発機構）ガイドライン、ＥＵの環境マネージメントシステムＥＭＡＳや国際品質基準であるＩＳＯ　２６０００（社会的責任）、さらには「ニューカマー」であるドイツに拠点を置くＢコーポレーション※やイギリスに拠点を置くフューチャー・フィット財団※、ドイツ持続可能性規範※などがある[55]。これらはすべて、同じ目標と価値へ向かっている。それは、企業がどれだけ社会的責任を持って活動しているか？　どれだけエコロジカルに持続可能に生産しているか？　どれだけ公正に分配されているか？　労働環境の品質はどうか？　どのように共同決議が実践されているか？　政治的な責任（コーポレート・シチズンシップ）は認識されているか？　などである。民主的な社会の着眼が、より明確に、これらの指標を見いだすことに向けられれば、目標に対してより精確に、そしてより精細に、探されているものが発見されるだろう。物理的な測定機械が、よりたくさんの人間がそれに根気よく携わり、磨いていくことで、より精密で鋭敏になるように。

私の「公共善マトリックス制作チーム」は20のテーマ領域を定義した。このテーマ領域は39のポジティブ観点と19のネガティブ観点に分類される。例えば、テーマ領域「職場での人間尊厳」は、「従業員を反映した企業文化」「健康と労働保護」ならびに「多様性と機会均等」というポジティブ観点と、「人間尊厳を傷つける労働環境」というネガティブ観点に分類される。すべてのポジティブ観点とネガティブ観点で、公共善の点数評価が行われる。個々の観点で「最初の1歩」「進歩した」「成熟した」「模範的」という4段階評価がある。

公共善決算を実践する企業は、数年にわたって実践的なワークブックに結果を記録していく。個々の観点ごとに、観点の定義と測定方法から事例や由来事項まで、数ページの量になる。ワークブックは

ＧＲＩ　サステイナビリティに関する国際基準の策定を使命とする非営利団体
Ｂコーポレーション　社会や公益のための事業を行う企業を対象にした認証制度
フューチャー・フィット財団　サステイナブル経営を推進するための重要業績評価手法のツールを開発・普及
ドイツ持続可能性規範　定期的な持続可能性レポート作成により、企業の持続可能性戦略の構築を支援する

「ワーク・イン・プログレス（進行中）」の文書である。絶えず書き加えられることで「クリエイティブな一般良識」としてのライセンスが与えられていく。すなわち、文書は、誰でも自由に無料で使用することができる。すべての企業や団体は、

――決算を自分で作成できる。

――ピアグループ※で他の企業と一緒に決算を作成できる（公共善エコノミー運動の推奨）。

――決算を公共善エコノミーのコンサルタントの助けを借りて作成できる。

自己査定用に、「決算計算機」が用意されている。公表して良いのはしかし、外部監査の結果だけである。外部監査書の最後で合計点数が算出される。これが公共善の決算書だ。

公共善を定義する

では、誰が公共善を定義するのか？　運動という観点からいうと、民主的な議論と決議のプロセスが大事である。なぜかというと、公共善という概念には、ア・プリオリ（先験性）はなく、すなわち最初から定まって固定しているものではなく、時間の経過によって変化するからだ。

歴史的にたどると、公共善の起源はアリストテレスとその師匠であるプラトンにある。この概念を明確に使用したのは13世紀のトマス・アキナスである：「Bonum commune sit melius quam bonum unius」[56]。それ以来、公共善の概念は、キリスト教世界の社会教義のなかで指標的な価値として扱われてきた。しかし崇高な伝統だけでは意味はない。理論的には、独裁者も全体主義的な政権も、すべての国民のために何が1番良いかわかっている、と主張することはできる。そして、独自の解釈をした「公共善」をベースに独裁的な政治を構築することもできる。実際に過去には、右派の独裁者も左派

※ピアグループ　同業種や地域の公共善企業グループ

の独裁者も、この概念を活用している。これは、公共善だけでなく、大きな輝きを放つすべての概念が持っている宿命だ。「自由」「愛」「神」という概念と同じくらい、「公共善」も悪用されている。ただし、だからといってこの概念を棄却するべきだ、ということではない。民主的に定義することを提案する。

学術的には価値コンセプトの形式的な定義と実際の内容は異なっている[57]。内容的な定義は最初から決まっている。形式的な定義は参加型のプロセスで民主的に確定される。公共善エコノミーの運動は、明確に後者を支持する。

公共善エコノミーのモデルでは、公共善の定義が必要なのは、金融（投資／クレジット）、経営（企業／組織）、国民経済の３つのレベルだけである。その他の経済的な措置には、公共善の定義は必要ない。公共善総生産（国民経済レベルの公共善付加価値の総和）のベース作業は、公共善自治体で行うことができる。最初の公共善査定は、オーストリアの「公共善のための銀行プロジェクト」で開発された。そして公共善決算は、国際的な広がりを見せている公共善運動の心臓部である。

もともとの始まりは、Attac（アタック）※に加盟しているオーストリアの約15の企業であった。公共善決算の最初のバージョンは、この企業グループによって開発が行われ、２０１０年８月に発表された。公共善エコノミー運動のスタート合図となった２０１０年６月のイベントで、公共善決算の最初のバージョンが、約１００名の参加者の前で紹介された。そのとき、数十社の企業が２０１１年に公共善決算を作成することを表明した。４人の編集チームのサポートのもと、バージョン３・０の粗コンセプトに発展し、２０１２年に約60の企業が、最初の決算書を作成した。その後、たくさんのフィードバックに基づいてバージョン４・０、４・１へと発展し、最新版である５・０が２０１７年５月に出来上がった。運動とともに編集チームも大きくなった。現在は、個々のテーマごとに１人の編集責任者が配置され、彼らは、専門家と関係者のグループをコーディネートし、各テーマや観点に関するすべてのフィー

Attac　1998年にフランスで生まれた、市民を支援するために金融取引への課税を求めるアソシエーションで、国際的に広がりをもつ、反グローバリゼーションの市民運動

表：公共善マトリックス5.0

部門＼価値	人間尊厳	連帯と公平	エコロジカルな持続可能性	透明性と民主的決議
サプライヤー	サプライチェーンにおける人間尊厳	サプライチェーンにおける連帯と公平	サプライチェーンにおけるエコロジカルな持続可能性	サプライチェーンにおける透明性と民主的決議
オーナーとファイナンスパートナー	資金の扱いに関する倫理的なスタンス	資金の扱いに関する社会的なスタンス	社会的エコロジカルな投資と資金使用	所有と民主的決議
従業員	職場における人間尊厳	雇用契約の形態	従業員のエコロジカルな行動の促進	社内での共同決議と透明性
顧客と同種企業	倫理的な顧客との関係	同種企業との協働や連帯	製品の利用、廃棄とサービスによるエコロジカルな負荷が少ないこと	顧客参加と製品の透明性
社会環境	製品とサービスの社会的な作用と意義	コミュニティへの貢献	エコロジカルな負荷の減少	透明性と社会的な共同決議

ドバックを加味してシステムを発展させている。これまで、数百の個人、企業、団体が参加している。

最初の機会は２０１７年だった。この年に、「非金銭的な事柄に関する報告書」のＥＵガイドラインが施行された。これは２０１４年末に欧州議会で決議され、２０１７年初めまでにＥＵ各加盟国の法体系に組み入れられたものだ。このガイドラインは、従業員５００人以上の企業に、企業倫理に関する報告を義務付けるものだ。ドイツとオーストリアでは、ガイドラインも具体的な法規も最大限に希釈され、法的な報告の義務は取り立てて大きな変化にはならなかった。

ドイツでは、総企業数が約４００万社のうち、たった５００社にしか義務が課されていない[58]。オーストリアでは、約35万社のうち約１２５社に義務付けられている[59]。該当するこれらわずかな企業は、国際的な報告スタンダードを用いる必要はない。倫理報告書は、既存の現況報告書に統合する必要はない。内容的な査定もされず、気候保護や人権、もしくは不平等に関する企業の具体的な行動に関して、法的な効果はない！　このケースでは、立法者は、効果的な立法の妨害者としての強力なロビー家寄りに働いた。

広がりを見せる公共善エコノミー運動の戦略は、立法者が「次のラウンド」に向かうことだ。ＥＵガイドラインは２０２１～22年に改正され、ＮＦＲＤ（非金銭的な事柄に関する報告書のガイドライン）からＣＳＲＤ（協働持続可能報告書のガイドライン）に名称変更されて、２０２５年から適用される。そこでは10～12の優良な既存の報告スタンダード（そのうちの１つが公共善決算）の主体が１つのテーブルに集められ、透明性のある業績基準に基づいて、統一された法的スタンダードに統合される。ドイツの前進的持続可能性研究所（ＩＡＳＳ）のスタディは、どのメタ基準に基づいて将来の法的スタンダードが形成されえるか考察し、次に挙げる10の基準を定義した[60]。

①参加型の開発　選ばれた専門家グループでなく、理想的には、より広い運動によってそのスタンダードが支えられているべきである。

②全体性　エコロジカルな観点、もしくは職場の品質だけを測定するのでは不十分である。すべての基本価値を含んでいなければならない。

③実行可能性　報告書に対する要求事項は、適切なレベルで、実行可能なものであるべきである。報告書の枠組み条件は、どの企業も組織も、会社形態や規模に関係なく、作成できるものでなければならない。

④理解可能性　企業コンサルタントや公共善査定員だけでなく、顧客、従業員、関心のある一般

人などすべての人間に、決算書が理解可能でなければならない。

⑤評価可能性／比較可能性　結果は客観的に評価され、その業績が比較可能になる。これにより、消費者、投資家、その他のステークホルダーは、企業のパフォーマンスに沿って自分たちの経済的な決定を下すことができ、立法は、各企業の決算書の内容に法的な刺激やルールを結びつけることができる。

⑥効果　報告書の枠組みは、持続可能な経済活動や公共善の助成、ユニバーサルな基本価値の保守などの社会的な目標の到達に貢献する。社会的な目標に関わる企業活動の作用を測定する証拠に基づく指標の適用義務によって、効果が生み出される。

⑦外部検査　企業が、多くのＣＳＲツールの場合と同様に、自分で評価することを避けるために。中期的には、法的に定められた審査において、金銭的決算と公共善決算の間で違いがなくなるべきである。

⑧拘束力　自発性では目標へ到達しないことは、無数のＣＳＲツールでの実践が証明している。

⑨法律効果　共同体のために貢献している企業・団体は、業績公平性の原則に基づいて、報いられるべきである。コストの外部化はもはや、競争のメリットになってはならず、逆に、競争の手痛いデメリットにならなければならない。

⑩公共性と見える化　決算は、企業の登記簿やウェブサイトにて、公的に閲覧できるものでなければならない。各商品にて、ＱＲコードですべての「非金銭的情報」が簡単に入手できるようにされなければならない。

公共善決算は、上記すべての要求事項をもっとも広範に満たす。複数の比較研究によれば、公共善決算は、もっとも野心的でもっともシステマティックなツールである。なぜかというと、それが包括的なモデルの一部であるからだ。グリーン・ウォッシング（上部だけの欺瞞的な環境行動）のツールとも非難される初代CSRツールと違い、公共善決算は、マクロ経済的な観点から開発されたものだからだ。他のフレームワークは大概、自発性に基づいている。ごく少数だけが監査を行っている。大半は、比較することが不可能で、コストの外部化を非経済的にするための法的な措置を提案しているものは皆無だ。大企業のロビー家たちが、可能な限りの権力を用いて、統一的で拘束力のある倫理監査の導入に対して抵抗してきたこと、現在も抵抗していることの理由はここにある。拘束力があり、法的な措置と結びついた公共善決算は、市場経済におけるコストの外部化を終わらせるだろう。

プランB：主権者デモクラシー

公共善決算の法制化が代表制デモクラシーによって実りを見せない場合（現在のガイドラインは1999年に欧州議会によって決議された。欧州委員会の意思によれば、2025年から作用するCSRDにおいても、2200万の企業のうち、たった49000企業しか対象にならない[61]）、市民評議会もしくは経済コンベント[※]は、「所有権は、その利用が同時に公共の幸福に寄与することを、義務付ける」というドイツ基本法の意思を、公共善決算の義務化によって具現化することができるだろう。

憲法上の追記が必要な場合は、デモクラシーの主権者によって議決され、憲法のなかに固定される。

主権者は次の4つの論理的なオプションの選択肢を持っている。

①企業は金銭的決算だけを作成すればよく、公共善決算は作成しなくてよい。
②企業は公共善決算を作成しなければならず、金銭的決算は作成しなくてよい。
③企業は金銭的決算も公共善決算も作成しなければならない（公共善エコノミーのアイデア）。

コンベント　主権者が参加する民主的会議。「公共善エコノミー」運動を担う核組織。
第6章「デモクラシーのさらなる発展」参照。

④企業は、金銭的決算も公共善決算も作成しなくてよい。どの提案が勝つだろうか？　詳しくは第6章の「民主的経済コンベント」を参照。

基本理念をここでもう一度。民主的な社会は、企業に対して20から30の中心的な期待事項を明文化し、それに対する報告を義務づけ、促進ツールによる期待事項の実行を要求する権限を持っているべきである。企業がそれを実践しなければ、政治的な命令や禁止の規則によって、厳格な規制手法がオルタナティブ（代価手法）としてある。現行の規制は、そのようなものとしては認識されていない。いや、「利益追求」や「税務決算」提出の強制、並びに、合法的な共食いにまで及ぶ「競争」、それから、絶え間ない「倒産」の危険性は、法人への強い効力がある法的な規制である。それらは、ある一定の行動様式を刺激し、もしくは強制する。一方で、広く普及している、非社会的で信頼を破壊する、人間関係に傷害を与える行動手法や戦略に関しては、それを防いだり是正したりすることが法的枠組みのなかに書き加えられることは、未だに滅多になく、ほとんどの場合、人間の本性として片付けられてしまっている。公共善決算は、このような市場のプログラミングエラーを修正し、「市場の法」を、人間関係の価値ならびに憲法の価値と合致させる試みである。

市場の透明性を構築する

公共善決算は次のように機能する。監査官は、対象企業の個々の目標の達成度に応じて、41の決算項目で、ポイント数を割り当てる。企業は決算項目ごとに、4段登ることができる（最初の一歩、進歩的、経験豊か、模範的）。しかし、19のネガティブ項目も査定され、手痛い減点を受けることもある。

個人経営の企業から、NPO団体、シュタットベルケ（自治体の会社）、中小企業、上場している株式会社まで、すべての企業は、総合点として、マイナス３６００（ネガティブ項目で最大減点、プラスポイントがない場合）から最大１０００の公共善ポイントを得ることができる。

公共善決算の総合点は、すべての商品とサービスに表示される。それは、例えば下記のような5レベルの色分け表示になる。

――マイナスポイント、レベル1、レッド
――0から２５０ポイント、レベル2、オレンジ
――２５１から５００ポイント、レベル3、イエロー
――５０１から７５０ポイント、レベル4、ライトグリーン
――７５１から１０００ポイント、レベル5、グリーン

消費者は、購入を検討している商品やサービスを提供している企業の公共善パフォーマンスに関するコンパクトな情報が得られる。公共善のカラーは、バーコードやＱＲコードにつけることもできる。スマートフォンでそのコードを読み取ると、その企業の公共善決算がオンラインで読める。

公共善決算は、取得と公開が義務付けられる。そうすると、消費者はその場で、その商品がエコロジカルに、持続可能に生産されたものであるかだけでなく、地域産のものであるかどうかも、女性従業員が同じ仕事で、男性と同等の報酬を受けているかどうか、労働時間のモデルが家族に優しいものであるかどうか、など多面的な側面がわかる。

市場経済の「合理性」と「効率性」は、すべての市場参加者が、すべての情報を完全に得られる状況が前提であると、多くの経済学の教科書に書いてある。今日ではしかし、そうはなっていない。スーパーマケットの棚から、ある商品を取ったとする。それには、生産者が誰であるか、どのような労働環境で、どのような環境負荷によって生産されているか、女性が男性と同等に扱われているか、その企業

が競合と協働しているか、もしくは競合を食っているか、フェアな税金を納めているか、もしくは納税を税金天国に移動させているか、政治ロビー活動家を雇用しているか、政党に献金しているか、などの情報はまったく得られない。

現在の市場経済は、経済理論からすると、まったく合理的でも効率的でもない。合理性と効率性の前提条件である情報の透明性が欠けているからだ。作用、内容物、製品の生産背景に関しては、広告によって、意図的に情報隠しが行われることが稀ではない。公共善決算は、市場経済の現実を、理論的な要求に近づけ、それによって、より効率的にすることができるだろう。

公共善への努力に報いる

公共善決算の作成と表示の次は、決定的なステップになる。それは、公共善決算の結果に応じて弁別する法的待遇だ。公共善のポイントを多く獲得した企業ほど、より法的に有利な待遇を受ける、というものである。保守的な意味においては、至極、成果に応じた公平性とも言える。社会共同体に献身的な行動をする者ほど、社会からより良い報いを受けるべきである。適切な刺激ツールは、今日すでに存在している。それらのツールによる報いが、徹底して、公共善の成果に与えられるようにすれば良いだけだ。例えば、

——官公庁による商品やサービスの購入や発注において優先
——銀行から有利な条件での借り入れと（公共善）証券取引所への有利なアクセス
——利益に対する税率の削減（０〜１００％）
——低い関税率（０〜１０００％）

——公立の大学との共同研究

——直接補助など。

上記のどれも、新しいものではない。ただ、徹底して、基本的価値と憲法上の目標へ方向付けされればいいだけである。今日では、部分的に、反対の方向に作用している。ドイツ環境省は、ドイツにおいて、環境に害を与える企業と製品に対して、年間、570億ユーロの助成があることを算出した[62]。世界通貨基金（ＩＭＦ）の最新の試算によれば、化石エネルギーに対する助成は、全世界で5・2兆ＵＳドルもある。2015年（4・7兆ＵＳドル）から10％の上昇である。ＥＵでは、世界の気候を加熱させるのに2890億ＵＳドルの税金が投入されている[63]。この非生産的な助成とは別に、今日では、すべての企業が、同じ条件にて市場進出を許可されている。憲法上の価値を大切にしているか、もしくは傷つけているかは、どうでもよい。「倫理的なパフォーマンス」の良し悪しも、まったく関係ない。この「平等な取り扱い」は通常、より傍若無人な者、より無責任な者が市場で勝ち残る、という状況を導く。そのような者の方が安く商品やサービスを提供できるからだ。非倫理的に行動する者が報われる。これは、経済界の間違った「北極星」の作用だ。

公共善エコノミーでは、「同等のもの」が同等に取り扱われるだけだ。非同等なものは、非同等に扱われる。高い成果が報われる。この法的なメリットは、公共善へ努力する者の、高い公共善コストを埋め合わせることに寄与する。これによって、倫理的にフェアに生産・取引された、持続可能で地域産の商品が、非倫理的で非公正に生産・取引された、短命の使い捨て商品より安くなる。そのようにして、より倫理的で責任感が高い企業が、体系的に、市場で優位になっていく。「市場の法」は、社会の基本的価値と合致するようになる[64]。

公共善の報いが太っ腹で、それによって企業が相当な利益を得た場合、その利益は、規定の用途にしか流れてはいけない。であるから、自己の関心のために利益を最大化することには意味がなくなる。他方で、公共善ポイントを最大化することは、大いに意味がある。公共善ポイントが多い企業ほど、生き残る確率が高くなる。今日の市場と違い、公共善エコノミーの市場では、金銭的決算が生き残るかどうかの重要な判断基準ではないからだ。

刺激効果は何回も累乗される。ある企業の公共善決算は、その企業のサプライヤー、金融機関、さらに協働する企業の公共善決算がより良いほど、良くなる。消費と投資の決断、サプライヤーや資金提供者の選択、銀行や証券市場への公共善査定の相乗作用によって、強力な刺激と公共善の方向への強い渦巻が生じる。市場のプレイヤーが自己の利益を最大化する代わりに、社会的な持続可能な協力パートナーを選び出すことで、社会は経済のなかでやっとその目標にたどり着く。

公共善査定

もっとも頻繁に投げかけられる問いは、誰が決算を査定するべきか、である。企業が決算書を自分で作成してよければ、どの企業も自己査定できることになる。そうであれば、個々の企業を詳細に追跡し監視する「レビヤタン（旧約聖書に出てくる怪物）」としての国は必要ないのでは？

必要はない。国は、ほとんど必要ない。この場合、市場が自己調整する。わかりやすくするためにまず、金銭的決算がどのような道をたどるか比較してみよう。金銭的決算は企業が自ら作成し、内部査定（コントローリング、内部監査）され、その後に外部の公認会計士へ渡される。公認会計士の証明書によって金銭的決算が有効となり、そこで初めて国がやってきて納税を要求する。税務署は最後だ。

公共善決算も類似である。いや、もっと簡単にいく。これも企業が作成し（理想的には、すべての従業員の参加によって）、内部査定に掛けられる（例えば、公共善専門職員）。そして外部の公共善監査官に行く。これで終わりである。監査官の証明書によって決算が有効になり、自動的に、その企業の法人税、関税率、クレジット条件のクラスが決まる。国は枠組みを提供するだけで、具体的には何もしない。官公庁による購入と入札の際に関わるのみである。そこで自治体、都市、地域もしくは州は、企業の公共善決算を見て、その後に価格を見る。

国は、公共善決算の査定（公共善監査）の法的な基盤を企業法のなかで定めればいい。これは、金銭的決算の作成と査定に関する法規に付随させる形でも、拡張させる形でもよい。情報公開の義務が、金銭的な情報だけから非金銭的な情報に拡張される。査定の対象も同様だ。例えば、企業が公共善決算を偽造した場合、監査官を買収し、偽造した決算が許可された場合などのために、スーパーヴィジョン方式※が必要になる。汚職した監査官への制裁規定も。ただし、公共善決算は、金銭的決算と比べて、たくさんのメリットがある。とりわけ偽造のテーマに関して、次のようなものがある。

――公共善決算は一般公開され、誰でも見ることができる。

――公共善の基準は簡明で人間的であるので、誰にとっても容易に理解可能である。

――関連し接触するグループがたくさんあり、それら各プレイヤーは、他のプレイヤーの公共善決算の正確さに関心が高く、偽造の試みは、すぐに吹き飛んでしまう。

――公共善決算の作成において、「同僚的（対等）な評価」が基盤になっている。監査官の仕事に対してより広範な情報の基盤を与えるために、企業に関わるすべての人物が評価作業に参加できる。

コンサルティングと監査の仕事の明確な分離は必要だ。それから企業は、監査官を選ぶ権利を持ってはいけない。また、公共善決算の査定領域はとても複合的なので、１人の監査官でなく、複数人のチームで対処するのがいいだろう。複数人の監査チームの方が、査定結果の品質も向上し、汚職も起こりに

スーパーヴィジョン方式　スーパーバイザー（指導者・監督者）による指導

くい。大切なことは、公共善の査定は国が主導で行うものではないことだ。公共善決算が企業の行動を方向付ける。補足的に、官僚的な規制業務のドンチャン騒ぎ※を引き起こすことなしに。公共善決算は、知的で倫理的な経済制度の心臓部だ。

手段としての利益

公共善決算に関しては以上である。では、公共善エコノミーのもとでは、金銭的決算（財務諸表）はどうなるだろうか？　それは差し当たり、それが義務付けられている企業によって作成される。公共善エコノミーも市場経済の1つの形態で、そこでは私企業、金銭、商品価格があり、それによって市場が形成される。ただし、今日とは異なる条件と前提でだ。公共善エコノミーのもとでは、利益はもはや目標ではないので、財務諸表は副次的な決算になる。いや、手段としての決算といった方がより適切だろう。将来的には、決算会議において公共善企業は、一義的に数字ではなく価値を提示する。

お金に関していうと、お金は本来、単なる交換の手段であるべきで、交換の目的であってはいけない。交換の目的は、需要（欲求）の充足である。財務諸表（決算書）は企業存続の中心的な条件であるが、その企業の意義と目的を表すものではなくなる。お金の増殖が目的であるクレマティスティケ的企業は、公共善エコノミーでは居場所がなくなる。企業活動の目的、社会的使命は、公共善決算で描かれる。利益は目的から手段になる。

具体的には何を意味するのか。私たち公共善エコノミーグループは、このポイントで長く熟考し、磨きをかけてきた。私たちの提案はこうだ。利益は企業の目的にポジティブに活用することもできるし、逆に損害を与えることにもなり得る。すなわち、利益で公共善を増やすこともできるし、減らすことに

ドンチャン騒ぎ　原文では、ギリシャの酒神オルギアの名前を使って、煩雑な規制業務を嘲笑している。

も使える。だから、利益の利用に関しては、基準を設けて識別する。公共善を減らすような収支利益の利用を制限するのだ。そのようにして、資本主義の行き過ぎ、すなわち資本を蓄えるための集積行為が、より良い用途の方に方向転換される。企業の人食い的買収や権力の誇示行為、搾取、環境破壊、危機に導くような利益の利用は、阻止されなければならない。他方で、余剰利益が社会・環境面での価値の向上や、意義ある投資や協働、端的に表現すると、公共善の向上のために活用されることは、許可されるだけでなく、促進される。

このような判別は、すでに至る所に存在している。例えば、キッチンナイフでは、野菜は切ってよいが、人を刺すことはしてはいけない。法律は、いろいろな道具の使用において、やってよいことと、やってはいけないことを規定している。企業の利益も同じように扱われるべきだ。なぜかというと、利益は、お金一般と同様に、公共善エコノミーにおいては道具であって、それ自体が目標ではない。そういう規制がなければ、利益は殺人の道具にもなり得る。

容認される利益の利用

1．投資

国民経済的な投資の大部分は企業の黒字（＝利益）によって行われる。これは今後もそうであっていいし、そうあるべきだ。投資は、意義をもたらし、公共善を増大させ、生活の質を向上させ得るからだ。しかしながら、ここでも道具（手段）と目標を明確に区別しなければならない。なぜかというと、キッチンナイフと同様に、投資もいろいろな用途で使用することができるからだ。例えばその余剰金は、(a)再生可能なエネルギー施設の建設、オーガニック食品の生産・製造、教育・健康サービスの提供のために使用することができる。しかし他方で、(b)熱帯雨林の開墾や大規模畜産ファームの設立、都市カウボーイのための排気量2000ccのSUVの製造や原子力兵器に使うことも可能である。よって今後は、社会・環境の面で付加価値を生み出す投資のみがされているべきだ。

そのためには、今日のコスト算定に相応する形で、すべての（大きな）投資に対して公共善算定が行われなければならない。これによって、企業のトータルパフォーマンスの測定とともに、さらなる公共善のツールが、投資決断のなかで作用する。結果として、人間の尊厳を傷つけるような生産条件が生まれることはなくなる。環境被害も引き起こされない。リスクのある技術は開発されない。

この思考の構造的な核は、とうに政治の世界に侵入している。様々な社会グループが、すべての法律に対して、社会的福祉、持続可能性、ジェンダーなどの観点での吟味を提案している。企業の投資の決断においても同様でなければならない。なぜなら、法律が、民主的なコミュニティの発展の方向を決定するのであれば、個々の投資の決断は、国民経済の発展の方向を決定するからだ。投資の決断は、可能な限り思慮深く行われなければならない。

いずれにしても、今日において、ほぼ単独の決定的な判断基準になっている財務諸表上の収益性からだけでなく、より複合的な評価基盤の上で、投資の決断がされるべきだ。外部から資本を受け入れる際には、計画されている投資に関する企業内部の公共善査定に追加して、銀行もしくは取引所による外部査定が必要になる。この本の初版の「民主的銀行」のアイデアに由来している「公共善のための銀行プロジェクト」は、クレジット請願者の支払い能力だけでなく、公共善に関する付加価値も査定する。公共善取引市場も、新しい企業をリストアップする、もしくは増資をする前に、同じような査定をすることができる。未来のビジネスプランは、今日とは異なるものになる。

2．積立金

金銭を軸にした市場経済においては、企業は金銭的決算を毎年ゼロにすることはできない。良い年もあれば、悪い年もある。だから今日においてもすでに、決算と納税申告の際に、赤字（欠損）繰越しと将来の欠損を相殺するための積立金のツールがある。企業に自由裁量の余地を与えるために、将来においても両方のツールが使えるようにするべきだ。ただし、積立金は、次に挙げる２つの決定的な条件と結び付いているべきだ。

１つは、制限するという条件。例えば、過去の平均年間売上の何％以内に収める、というふうに。もう１つは、金融投資（通常、投機と呼ばれる）に使ってはいけないという条件。

積立金が換金可能な形態であれば、公共善に対応した銀行に預けられなければならない。法人は自然人と同じ自由は持っていない。法人は、高い度合いで、公共善に責務がある。ドイツ基本法は、「人間」ではなく、「所有権（財産権）」が、その使用において、公共の福祉に寄与する責務があるといっている。

3．自己資本※の増額

３つ目の容認される余剰利益の使用は、外部資本（例えば銀行のクレジット）の返済である。中小企業の平均的な自己資本比率を考察すると、余剰利益の使用は現状に大きな変化をもたらさないことが推測される。多くの企業が、大きな、もしくは多大な負債を抱えていて、負債を返済できるくらいの十分な高い利益は上げていない。このような企業にとっては、この観点で、決算的には実質、何も変わらない。借金はそのままだ。しかしながら、公共善エコノミーにおける企業の負債は、次の２つのネガティブな側面がなくなる。すべてのクレジットが公共善査定に掛けられるので、外部資本が破壊的な投資に使用されること、さらに、金利によって成長圧力がかかることはなくなる。金利は、銀行の営業コスト

自己資本比率　企業の活動を支える資本金のうち、企業自身が株式発行や利益積立などによって調達した資本を自己資本という。銀行などからの借り入れなどによるものは他人資本という。資金全体に占める自己資本の割合を自己資本比率という。これが高い方が企業は健全で安全性が高い。

を賄うくらいのわずかな料金になるだろう。いつの日か、私たちがネガティブ（マイナス）金利システムに移行すれば、倫理的な企業には、無利子のクレジットが与えられるかもしれない。

4. 従業員への配当

ある年、企業の業績が予想以上に良かった場合、それに貢献したすべての従業員の給料を増額することができるようにするべきだ。ただし給料は、法律で定められている最低賃金の一定倍率まで、と制限される。一緒に働いている企業のオーナーも同じように扱われる。境界線をどこに引くかは、経済コンベントが提案し、民主的な主権者が決定することができる。

5. 他の企業への貸付（ローン）

他の企業や顧客、サプライヤーを助けたい場合は、無利子の貸付（ローン）を与えることができる。公共善エコノミーでは、協力が構造的に推進されるので、このような直接的な（財政）連帯も促進される。貨幣の流通はこれによってコスト安になり、企業は銀行を通じた道を省略することができる。

容認されない利益の使用

前述の利益使用法はすべて、今日でもすでに可能であるし、許可されている。決定的に重要なのは、容認されない利益の使用を定めることだ。

１．ファイナンス投資

企業は、自ら生産した商品、もしくは提供したサービスだけから収益を得るべきで、金融ビジネスによる収益は得るべきでない。理容店は、散髪もしくは顔のケアを行うのが本業であり、お金でお金を増やすことではない。農家の仕事は、健康な食料を生産し、農業エコシステムを安定させることであり、お金でお金を増やすことではない。銀行は、貯蓄財産を安価なクレジットに変換させるために存在していて、お金でお金を増やすためではない。

今日の大企業は、純債務者から純債権者になってしまった[65]。生産した商品ではなく、賭け事や株式取引、または金利ビジネスで、よりたくさんのお金を稼いでいる。大半の製造業を営む大企業は、自らのことを、「小さな作業バンク（台）を持った大きなバンク（銀行）」だといっている。製薬会社のロシュは、「小さな多数の薬局を連結する大きな銀行」といわれている[66]。

公共善エコノミーにおいては、お金は生産の道具（手段）でしかなく、儲けるための道具ではなくなる。金融カジノは、もはや産み出されない。ファイナンス貸方は、会社の金庫に保管されているのでなければ、利益優先でない銀行に保管されなければならない。その銀行は、公共の財産であるお金を、フルマネー改革によって公共善のサービスにあて、素早く、そして安価に、その資金を必要としている者に送付する。公共善エコノミーにおいては、お金は絶えず、インフラストラクチャーの一部であり、単なるプライベートな所有物ではない。公共の財産である[67]。

２．企業で働いていないオーナーへの利益の配分

資本主義の核は、資本の所有者である権力者が、資本を所有していない無力者による労働の付加価値を、合法的に横領することにある。ここで問わなければならないのは、ほんのわずかな人間がたくさん

の資本を所有し、多くの人間がわずかな資本しか持っていない、という状況がなぜ生み出されているかで、それに対して、システム全体的な対策を成し得るかだ。

　この議論の難しいところは、大資本の所有に至る道がいろいろたくさんあることだ。そのうちいくつかの道は、社会の基本的価値と調和している。資本家が、他のすべての関係者への配慮を持って、責任感ある事業企画で、自らの労働によって財を成した場合である。しかし他方で、社会の基本的価値に甚だしく反する道もある。それは、配慮のない所有欲や権力欲、トリック、幸運によって得られた財産、まったく自分の功績ではない大きな財産の相続、または、高い資本所得へと導く力の格差構造による利潤である。その価値創出の労働に参加していない者に事業収益を配当できるという仕組みは、多くのケースで、個人的な尽力や責任ではなく、次のような危険な傾向を促進する。

――権力と責任のデカップリング（切り離し）。企業における決定権限を持ったオーナーと従業者の分離は、無責任や厚顔無恥といった留金が外される。例えば、収益性の高い拠点が閉鎖され、数千人の職場が破壊されたり、または、必要な投資が控えられたり。

不公平な分配から搾取まで。匿名性は、極端さや過度さを促進する。国民経済の利潤率は過去数十年、労働分配率※を犠牲にして上昇した。１９８０年から２０１５年の期間、ドイツでは労働分配率が63・7%から56・6%に、オーストリアでは63・9%から55・6%に、フランスでは65・6%から58・2%に、アメリカ合衆国では62・1%から57・6%に減少している[68]。２０１０年、DAX（ドイツ株価指数）の計算基準になっている優良30社のうち7社は、前年の利益を上回る金額を株主に配当した。私たちの社会は、配当から構造的な収用への変遷過度期にある。

――無意味なモチーフ。利潤は、個人的な興味も創造的な関心もない事業を行う企業の設立のモチーフになり得る。

労働分配率　各企業の生み出す付加価値額に占める人件費の割合。

——権力の集中。私が自分で働かない企業を所有することが許されるのであれば、何百もの企業を所有することができ、よりお金持ちに、より権力を増す（所有とそれによる権力の増大は目標となり、意義ではなくなる）。企業所有権の偏った分配は、所得と財産の不平等さ（格差）の中心的な源泉になる。

だからこそ、労働のみが所得の源泉で、企業のなかに大半の決定権が留まることが、責任ある、成果に対して公平なやり方であり、次のことが約束されるべきだ。

- 資本は単なる手段（道具）であり、その増大が企業や企業設立の目的ではない。
- 資本という道具が可能な限り公平に分配され、とりわけ起業の際に「機会均等」が与えられる。
- 資産獲得が個人的な成果・責任と連結している。
- 資本利回りは、労働によってその発生に貢献した者に与えられる。

よって、企業で働いている者のみが、事業収益から所得を得るべきだ。公共善エコノミーでは、個々の労働時間に対して、最低賃金と最大賃金が規定される。最大賃金は、最低賃金の5倍、7倍、10倍、12倍、15倍、もしくは20倍、というふうに規定することができる。より多くの時間を労働に費やした者は、それに応じた報酬を受ける。しかし、個々の労働時間（特別勤務や夜間勤務は別として）に対して、時給の最大値が設けられる。最大時給は民主的に、主権者が決定する。

この配分制限の主要な目的は、不平等と権力集中の源泉を枯渇させることだ。資本が企業の中から外へぶちまけられることが可能であれば、外にいる所有者たちは、企業やそこで働く従業員の関心事とは異なる短期的なことを実行しようという誘惑に駆られやすくなる。自らは働かない一握りの人間が決定し、果実を収穫する。

ほとんど大半の企業は、利益を企業外の個人に分配することをしていないので、公共善エコノミーへ移行しても、実質、何も変わらない。ここでよく誤解されることがある。多くの中小企業は「利益優先」と捉えられている。なぜかというと、中小企業のオーナーがその所得を事業利益から得ているからだ。この構造は、公共善エコノミーになってもそのまま維持される。今日のシステムとの違いは、オーナー所得が、企業で働く1個人の労働収入として捉えられることだ。すなわち、オーナー労賃として。前段に書いた問題は、フルに会社に尽くす創設者への利益分配ではなく、会社で働いていない所有者への分配である。大半の人的企業（有限会社や合名会社など）は、低い「利益」しか上げていないので、オーナーの所得も、法的に保障されている最低賃金の10倍以下である。よって、これらの企業は「配分制限」の対象にはならない。

主要な対象は株式会社と投資家である。株式配当金は、既述した理由により、将来的にはゼロにされるべきだ。次の3つは、株式会社に関してあまり知られていない事柄である。

(a) 株式が企業の資金融資に使用されることが少なくなっている。アメリカ合衆国では1990年代、株式市場（証券取引所）では、株式会社から吸い上げた金銭の方が、株式会社に送り出した金銭より多い。フランスでは差引残高はゼロだった[69]。

(b) 革新的なスタートアップ企業が株式市場にある資本を受領するケースはわずかである。通常は、親類がサポートしている[70]。

(c) 多くの株式会社は、所有と責任の連関性を喪失している。

株式会社なるものは、もともとは、特にリスクが大きい企業のために設定された。それまでは、企業のオーナーは、自分の全財産で企業の責任を負っていた。1856年、アメリカ合衆国で、個人責任が会社への出資額までと制限された[71]。今日では、納税者が株主の責任を負っているケースが増えている。例えば、倒産した銀行や自動車企業が救済される際に。オーナーたちに増資が要請される代わりに、納税者によって、オーナーたちの悪い運用や責任欠乏に報酬が与えられている。このことが、株式会社が格別に無責任になる、税金を横領する、デモクラシーを地中に埋め込む、という傾向を助長させている。

ここでよく受ける質問は、投下資本利回りがほとんど、もしくはまったく得られないという状況で、なぜ人が企業に投資するのか、誰が資本家のリスクをカバーするか、という問いである。この問いに体系的に答えるために、公共善エコノミーで企業が外部資本を得ることができる4つの道をここに明示したい。

①公共善銀行からの外部資本：銀行が利益の配当を行わず、貯蓄金利を払わず、もしくはマイナス金利を導入（大半の国民に有利になるが、これは後述）すれば、クレジットは安価になる。クレジット手数料は、銀行の営業コストのみをカバーする。グローバルな金融賭博場は閉鎖されるので、銀行には人々の財産が積み上げられ、融資のための豊富なお金が用意される。

②自己資本：公共善エコノミーにおいて人々は、地域公共善エコノミー取引市場を通じて企業に関与できる。これまでのシステムとの違いは、投資家が利回りをもらえず、持株を証券取引所で売却できないことだ。お金に利回りという魅力がなくなるが、それではその代わりに、どのようなメリットと得が与えられるか？　それは3つある。まず1つ目は「意義」。あなたは、ある意義深い企業のオーナーの1人であり、その存在を高く評価し、自分の議決権を利用して企業を共創することができる。2つ目は「使用価値」。あなたは役に立つものを生産する企業だけに投資するだろう。クレマティスティケ的企業は、有用でないので、除外される。3つ目は「価値」。企業の公共善決算が良いほど、無料の自己資本をもらえる展望が高くなる。全システムが突如、正しい方向に動き出す！　経済活動に対する金融財の割合が大きくなるので、将来は、資本の大部分が「意義の探索」に換金される。別のいい方をすると、個人資産の一部を企業に無料の自己資本として提供するだけ

で良い、ということになる。なぜかというと、金融資本が増える一方なので。

③自分の資本：これは若い従業員が民主的な持参金として投じるものだ。これにより企業の自己資本が増額される。相続法の改正（第４章）により、若者が、自分の労働力だけでなく、資本も会社に提供する。会社がそれにより負債なしでスタートできれば、その後も無負債を維持するチャンスは上がる。

④無料の外部資本：企業は、お互いに無利子の貸付（ローン）を提供しあうことができる。その行為は報いられる。ローンを提供する側は利子を得ることはないが、連帯の経験を獲得し、公共善決算を良くすることができる。

公共善エコノミーにおいては、お金が今日とは別の役割を持つ。支払い手段、そして自分の企業のなかの自分の資本としてのお金は、大半が私有財になる。クレジットもしくは別企業への資本としてのお金は、傾向的に公共財になる。

３．成長のための企業の買収と融合

３つ目の余剰利益の容認されない使用は、他の企業を、その意思に反して買収することだ。企業の新しい方向づけにより、買収や融合の背景にある大きな動機はなくなる。企業が利益優先ではなくなると、成長するという目標が自然に消失する。(a)高い利益を上げるため、(b)競合を食うため、(c)競合に食われないために、できる限り大きくならなければならない、という必要性はなくなる。

基本的に、経済活動に金銭的な成長目標がなくなる。成長は、公共福祉へ最大限の貢献をするという新しい目標を達成するための単なる手段になる。貢献度は、新しい事業評価指数によって測定される。もし投資、売上上昇、または友好的な合併がこの目標に寄与するのであれば、それは大いに歓迎される。

ただ企業融合の際は、両方の企業で、従業員、マネージャー、オーナーの規定割合以上の同意が得られることが条件である。そうであれば、今日一般的な、資本力の大きい者による独裁的な敵対的買収はなくなる。ドイツ経済省は2017年に、外国投資家による戦略的な企業買収の許可義務を強化した[72]。これは、法人による投資の自由が公的な関心事であることの明瞭な事例である。

4. 政党への寄付

企業による政党への財政支援は禁止される。自然人だけが政党に財政支援できる（議会の議員が政党を通して選挙で選ばれている場合）。

成長圧力の終わり

財務諸表（決算書）上の余剰金（利益）の使用に関する前述の識別化は、企業における業績向上努力の方向転換を促す。利益の最大化は、追求するに値するものではなくなり、実質的に到達不可能になる。「利益配当」はない。所得には上限と下限がある。敵対的買収は禁止される。企業の業績はまず、公共善決算によって測定される。

これらの措置を集合させることにより、経済界における成長圧力は消失する。成長圧力は、金銭的な指標（＝利益追求）による業績の計測と競争の組み合わせから起こる。私の会社が他の会社と競合関係にある場合、私の会社は高い利益を上げなければならない。そうでないと、企業ランキングが悪くなり、ファイナンスの料金が高くなる。または他の企業に食われてしまう。企業の生き残りにおいて、利益がどれだけ決定的な役割を果たすかは、多くの場合、過小評価されている。企業の成功に影響を与える要素は豊富にある。品質、革新性、効率、厚顔無恥さ、規模、柔軟性などなど。しかし、決定的な条件は1つしかない。それは利益である。1日の終わりに、生きるか死ぬかを決定するのは利益である。品質、倫理的な責任意識、革新力、規模、マーケティング、ロビー活動、その他の要素のレベルがどうであろうと関係ない。

成長は、競合よりも高い利益を上げること、敵対的買収を防御すること、もしくは自らが他者を食うことに貢献する。利益追求と競争によってプログラミングされているシステムであれば、成長はシステムに内在する。だからこそ、プログラミングを変更しなければならない。業績＝利益ではなく、食われることも禁止されれば、企業は沈着冷静に、不安なく、意義のある「適切」な大きさを算出し、それに向かって尽力できる。資本によるシステム動力学は消滅する。すべての企業が一般的な成長圧力と相互食い合いの圧力から解放される！

最適な大きさ

「限られた世界のなかで、無限の指数関数的成長を信じる者は、愚か者か経済学者のどちらかだ」。数々の賞を受賞したアメリカの経済学者ケネス・ボールディングがいった言葉である[73]。多くの彼の同僚たちにとっては、いまだに受容しづらい言葉のようだ。例えば、ウィーン経済大学で長い間、国民経済学の最古参者であったエーリッヒ・シュトライスラーは、私の前述した成長批判[74]に対して、「持続可能な発展は、長期的な経済成長の最大値のようなものだ」[75]とコメントを返した。成長のテーマで、私がもっとも価値がある見解だと思うのは、オーストリア出身の経済・政治・法学者レオポルド・コールの「成長は、自然界においては、最適な大きさに到達するための手段だ」という言葉だ[76]。経済においても、そうであるべきだ。

1企業の最適な大きさにたどり着くための手段としての成長。今日、成長自体が目標になっているので（今はお金が経済活動の目標になっているので：クレマティスティケ）、手段は1つしかない。小さければ、大きくなれば良い。しかし肥大成長してしまった企業、例えば経済システムにおいて欠かせない存在の銀行にとっては、最適な大きさに向けた成長は、ネガティブなもの（縮小）になる。公共善エコノミーにおいては、これは問題ない。使用価値の成長、すなわち公共善の成長が目標であるので。今日、支配的になっている経済規律においては、ネガティブ成長はスーパーガウ（超大規模事故）である。金銭的な縮小は、後退と沈滞を意味する。

人間という組織体を考察しても、他の生物体同様に、成長の意義は何かということが認識できる。私たち人間は、「最適な大きさ」に到達するまでの間、肉体的・物質的に成長する。しかし、ある時点でそれは終わる。その後の成長は、非物質的な次元の成長、すなわち感情的、社会的、知的、精神的な成熟へと移行する。人間がこの地球上で生物として成功していて、幸せだと感じるのは、人生の成功、人生の意義を、人体質量の無限の成長によって測ってはいないからだ。

構造的な協力

公共善エコノミーにおいて、おそらくもっとも難しい思考トレーニングは競争（Konkurrenz）から協力（Kooperation）へのパラダイムチェンジではないだろうか。企業が相対して行動するのではなく、共に行動するというイメージを持つこと。そのためには、少なくとも報いられなければならない。

このイメージを抱くことは、多くの読者にとって骨折りな作業だと思う。なぜかというと、今日においては、競争するもの同士が、お互いに傷つけ合い、最悪の場合、排除することが普通となっている。厳密には、今日の意味での競争は、「Konkurrenz（コンクレンツ）」ではなく、「Kontrakurrenz（コントラクレンツ）」と言われなければならない。「Konkurrenz」は、ラテン語の「con-currere」から来ていて、意味は「一緒に走る」だ。「協力」と翻訳することができる。英語の「competition（コンペティション）」は、ラテン語では「com-petere」。「相対して走る」ではなく、「一緒に探す」という意味だ。みんなにとって1番良い解決策を探す。「相対して探す（counterpetition カウンターペティション）」が効率的でないのは明らかではないだろうか？　グループ知性は個々の知性よりも高い。ほぼすべての大きな技術的発展は、1人の人間ではなく、多くの人間の貢献に基づいている。学問の大宇宙は、数えきれないほどの研究者や哲学者の歴史的な協力の成果だ。

公共善エコノミーでは、競争が廃止されることはない。公共善エコノミーも市場経済の1形態であり、私企業（市場）と支払い手段としてのお金という基本土台の上に成り立つ。企業創立の自由と倒産の可能性があるかぎり、「コントラクレンツ（相反して走る＝競争）」は必然的に生じる。競争が促進され、掻き立てられれば、経済は戦場になる。一方で、法的な促しの枠組みによって競争にブレーキがかけられ、競争することがデメリットになれば、競争は、協力の1次構造のなかで目立たなくなり、本来の姿である「悪習」として評価される。競争は、単なる社会の1部になる。葬られることもなく、優勢になることもない。

公共善エコノミーでも競争は可能である。理論的には、１００％の「連帯経済」においても競争はあり得る。協同組合がその倫理感に反して、お互いに競争することも、すべての人間が組合を設立することもできる、という同等の自由を有していることに基づいている。しかし、ある企業が肘を突き出して他の企業に対してアグレッシブに行動すればするほど、その企業の公共善決算の評価は悪くなり、倒産

表：競争から協力へ

他の企業にアクティブにダメージを与える	援助と協力を控える	部分的／個別の協力	体系的な協力
価格ダンピング	重要な情報を提供しない	ノウハウをもって支援する	オープンソース、クリエイティブ・コモンズ・ライセンス
ブロック特許	不完全な消費者の情報	金銭的な支援：流動資産の平準化、無利子のクレジット	最適な大きさへ目指す努力
敵対的な買収	残余マテリアルを提供しない	労働力の提供	危機克服のための部門会議に参加
マスメディアを使った広告	余った経営資金を提供しない	仕事回し	製品情報システムへの参加
戦略的な告訴	余剰の人的資源を提供しない	共同の研究開発	倒産ファンドへの供給
悪い公共善決算	**弱い公共善決算**	**良い公共善決算**	**模範的な公共善決算**

の危険性が高まる。逆に企業がより協力的に振る舞い、お互いに助け合えば、その企業の公共善決算の評価は良くなり、生き残れる可能性は高くなる。それも他者を踏み台にしてではなく、他者のためになって生き残る。今日のＷｉｎ－ｌｏｓｅ（勝ち－負け）の配列ではなく、Ｗｉｎ－Ｗｉｎ（勝ち－勝ち）の配列になる。

では、どのようにして企業同士が助け合うことができるのか？　近所同士や友達同士の場合と同じように、いろんなやり方がある。例えば、

- 自分の知識をオープンソースの原則※や「クリエイティブ－コモンズ－ライセンス」※によって共有する。
- 労働力を提供し合う。
- 仕事を回す。
- 無利子のローンを提供、もしくは流動資産の平準化を行う。

さらには、次の事例のように、アグレッシブな相反関係になる第１歩を放棄する方法もある。

オープンソースの原則　ネットで知識やノウハウを無償公開するやり方
クリエイティブ－コモンズ－ライセンス　作品をネットで公開する作者が、ライセンス条件を規定した上で、自分の作品の自由な使用を他者に許可する

・マスメディアへの広告を止め、その代わりに透明性と平等性のある商品情報システムを整える。
・市場を支配し確保するための価格ダンピングを止める。
・商品をブロックするための特許取得を止める。
・お互いに食い合うことを止める。

企業がお互いに助け合うことで報いられれば、構造的な相反関係と、現代の根絶と食い合いの競争は、悪いケースでも、平和的な共存に、最良のケースでは、（法的な刺激のおかげで）リゾーム（根茎）型※もしくは共生菌ネットワーク※のようなアクティブな協力に変わる。

これだと企業カルテル形成へ誘導してしまう、と懸念する人は、今日の資本主義の論理で考えている。今日においては、カルテル（企業連合）は、それ自体が目的ではなく、より利益を増やすための手段である。企業の戦略的、決算的な目標が公共善に貢献することであれば、利益は制限され、公共善を増やすために使用される。利益を増やすための手段としてのカルテル形成の意味はなくなる。それに対して協力は、公共善を増やすという企業の目的を確実に満たすための効果的な手段である。そうなると協力は、経済活動の最終目標と相反しなくなり、それと調和する。

最適な大きさに到達する努力がなされ、それを成長の目標とすることで、多くの企業の協力への意欲が高まる。なぜかというと、最適な大きさに到達した企業は、自分のノウハウをオープンに提供したり、仕事を回したりすることが、容易（たやす）くできるようになる。

生物進化から学べることは、(a)よりたくさんの種が誕生し、(b)種の個体は必ずしも大きくはならない、ということだ。ドイツの著名な脳神経学者・心理学者のヨアヒム・バウアーは「協力が上手くいくことなしに、生活能力のあるものが発生することはない」といっている[77]。オーストリア出身でハーバード大学の数学者・生物学者のマルティン・ノヴァックは、「協力は進化の主任設計者だ」と結んでいる[78]。

リゾーム（根茎）型　横断的に結びついている共生形態
共生菌ネットワーク　共生菌の菌糸のネットワークによって植物同士がつながり、物質や情報の交換をしていること

表：今日の競争と公共善エコノミー

	ワーストケース	ベストケース
資本主義	パーフェクトな競争により、すべての企業が倒産する	財務諸表（決算）の内容の悪い企業だけが倒産する
公共善エコノミー	公共善決算の評価が悪い企業だけが倒産する	構造的な協力により、すべての企業が生き残る

破産

破産の可能性は、公共善エコノミーが市場経済の1形態であることを示す、お金と私的（生産的）所有物に並ぶ、3つ目の基準である。しかし、公共善エコノミーにおいて倒産が起こる可能性は、資本主義の競争経済のそれよりも少ない。なぜなら、

- 傾向的に、意義のある企業だけが設立される。利益がモチーフになった企業設立は行われなくなるので。
- 民主化した企業は、みんなが1つにまとまって営業し、共同の手順により倒産を効果的に回避できるので。
- ホリスティック（包括的）な経済解釈を通じて、最初から、より包括的なレジリエンス※（回復力・弾性）に気を配るので。
- 企業同士、より協力し、競争することが少ないので（それに対して報いがあるが、強要されるのではない）。

協力を拒み、法律の最低基準だけ守るような企業は、傾向的に分が悪くなる。そのような企業は真っ先に倒産の危険に陥る。なぜかというと、その魅力的でない公共善決算の評価が理由で、消費者からの信頼も法的なメリットも得られないからだ。そのような企業は、協力意欲があり責任感がある企業に比べ、より多くのデメリットを受ける。今日とは正反対である。今日では頻繁に、厚顔無恥で賃

レジリエンス（resilience）　困難や脅威に直面している状況に対して、しなやかに適応できる能力

金を抑え、環境を汚染し、残忍で、納税を回避する企業がコストメリットを得て、それにより強い競争力を持つ状況がある。大きくて厚顔無恥な企業が勝ち抜いている。品質や価値に反する形で。

共同の市場制御

公共善エコノミーは市場経済であり、計画経済※ではない。であるから将来においても市場の変動はある。ある分野の需要が突然落ち込み、新企業の市場参入により供給が増加することもあり得る（需要が増加し、供給が減少するのであれば、企業にとっては問題ない）。それでは、需要の落ち込み、もしくは技術革新により、それほど多くの企業、もしくは確実にそれほど多くの労働時間が必要でなくなった場合、公共善エコノミーでは何が起こるだろうか。

まず今日における古典的な反応から。市場が「狭く」なれば、競争が激化し、すべてのプレイヤーがより安い価格で商品やサービスを提供し合う。その行為は、1社または複数社が倒産、もしくは最悪の場合、みんなが一斉に倒産するまで続けられる。今日の市場経済はWin-lose配列である。

公共善エコノミーでは、その対象分野のなかで協力意欲がある企業が、危機会議もしくは協力会議を招集し、何がもっとも公共善にとって良いか、共同で協議する。例えば、

- すべて比例的に労働時間を短縮する。
- すべて比例的に仕事（職場）を減らし、再教育を企画準備する。
- 1つの事業体を決定的に縮小するか、もしくは共同の努力により、新しい仕事に特化させる。
- 1つの事業体が閉鎖され、その従業員には代価の仕事（職場）が提供される。
- 2つの事業体を、1つの小さなユニットに融合させる。その融合体が大きすぎない、というのが前

計画経済　1国の経済活動が、中央政府の意思のもとに計画的に管理・運営される経済体制。社会主義国家経済の特徴の1つ。

提条件である（その判断基準として、「客観的」＝総合経済的／法的な基準と「主観的」＝事業体独自の基準の両方がある）。

もしくは他の道を見つける。地域経済会議は、システム全体に影響を及ぼす解決策を探索することに協力できる。他の分野で早急に労働力が必要とされていたり、再教育が行われていたりするかもしれない。

すべてのオプションを検討したにもかかわらず、企業が廃業することが避けられないことも、確実にある。公共善エコノミーにおいても、プロジェクトが失敗することはある。リスクも、そして自由もある。今日においては基本的に、品質やエコロジカルな持続可能性、社会的責任とは関係なく、財務諸表（決算）の内容がもっとも悪い企業が廃業する。公共善エコノミーにおいては、公共善決算の評価がもっとも悪い企業が廃業する。共同体のために行動したくない、他の企業と共同しない、そして助け合わない企業である。

今日との決定的な違いは、企業が連帯的に行動し、みんなが一緒にボートに乗っていられるように努力することだ。今日のシステムでは、他者をボートから突き落としたり、もしくは野蛮に食ったりすることが許可されている。公共善エコノミーでは、企業は「食うか、食われるか」のモットーの代わりに、「生きるか、生きることを可能にするか」のモットーに基づいて行動する。

社会的な保障と自由年

倒産の可能性があれば、人々が職と収入源を失うことも起こる。であるからこそ公共善エコノミーでは、すべての人間に、勤労10年間あたり1年間、仕事を休止し、他のことに従事することが許される。

40年の勤労期間で4年間とする。自由年は、家族のために当てる、再教育を受ける、芸術やスピリチュアルなことに打ち込むなど、人によっていろいろな選択肢がある。

これによって、労働市場の圧迫状況を10％ほど軽減できる。理論的な計算上、今日のEUの失業率が、多かれ少なかれ緩和される。休止する者にとっては「自由年」だ。自由年を取る人はその期間、法的な最低賃金もしくは民主的に規定された賃金をもらう。すべての人が同様に、この「職業節制」の喜びを得られるので、妬みの感情は生まれない。みんな同じ権利を持っていて、誰も、誰の費用も負担していない。この人生のチャンスによって、現在失業中の多くの人間の自尊心だけでなく、一般的な自由な気持ちも持ち上げられるだろう。この自由年は、自分が情熱をかけられる事柄や、自分がやりたいことを自律して実践するために使用できる。労働の位置価値は低減し、人生のその他の事柄の価値が引き上げられる。

私は、この4節制年が社会的保障として十分であると確信している。なぜかというと、システムから排除される人の数が少なくなるからだ。公共善エコノミーでは、企業は利益を上げるために雇用を削減するようなことはしない。利益率上昇を目指して新しい技術を絶えず発明することもしない。基本的に会社に来る新しい労働者は、今日よりもより歓迎されるだろう。それに加え、仕事がしたいすべての労働者が職を見つけられるように、企業同士が助け合う。それに対して法的な刺激を与える枠組みも作られる。

システムの動力学は、「取る」優先から「与える」優先へと、正反対の方向に変わる。それにより、システム全体で、欠乏と締め出しではなく、インクルージョン（包含・一体性）と充満が起こる。さらには、労働者の過半数のモチベーションが、今日のそれより高くなる。なぜかというと、労働者に決定権や企業を一緒に形成する機会が与えられるからだ。また、労働時間や労働環境が人間的になるので、労働者が生産プロセスに献身するモチベーションも高くなる。このように状況が変われば、失業者手当、緊急支援、社会扶助などといったものは、かえって新システムの障害になるように思われる。

連帯所得

特別な需要もしくは制限があり、働くことができない、もしくは部分的にしかできない人には、どんな場合でも、無条件に連帯所得が与えられるべきだ。例えば、最低賃金と中間賃金の間のレベルで。その他の緊急時や特例時でも、頼みの綱として、連帯所得が、例えば最低賃金の4分の3のレベルなどで提供されるべきだ。

公共善エコノミーが実践されるなかで、実際にそれがどれだけ必要か、わかってくるだろう。みんなにとって確実で非官僚的なオルタナティブ（代価物）は、無条件のベーシックインカム（基本所得）である。これを部分的に、公共善通貨「Cradido」[79]で形作ることも可能である。公共善エコノミーの民主的なアプローチによって、ベストなオルタナティブが見つけられ、実践されていくだろう。

確実な年金

年金を金融市場に連結させたことは、ネオリベラル時代の政治における、もっとも大きな過ちだ。将来、労働収入の代わりに資本所得を得るという広範な市民層の願望によって（実際の財産と比較すると取るに足らない規模であるが）、資本所得も労働所得と同様に労働によってもたらされる、という思考が根本的な短絡の上に乗せられる。実際には自らの労働ではなく他者の労働なのであるが。これにより、資本主義社会の根本的な利害対立が掻き消される。全資本所得の「獅子の分け前」（大部分）を横領するごく少数と、それを生み出し、支払う大多数の間での対立がなくなる。

民営化によって、年金は、確実なものにも、社会的にも、安くもならない。給付能力のある年金システムの核となるこの3つの基本要求事項とは真逆のことが起こる。これに関して私は、別の書物で詳細に調査し、記述している[80]。なので、ここではオルタナティブ（代価案）だけを記述する。

公共善エコノミーでは、信用を失った世代間契約が回復させられ、連帯の賦課方式が強化され、耐性が高められる。これは、近年にプロパガンダ類似の洗脳によって築かれた主張に反して、現実的に実現可能である。賦課方式年金の実現は、およそ10の調整ネジに依存している。人口動態の変化は、資本補償手続きをほぼ不可能にしてしまっているが、賦課方式のもとで、複数の調整ネジの適合化作業によって、完全に緩衝可能なシステムにすることができる。失業者を減らすこと、企業収益への参与率を上昇させること、資本所得の査定基盤の拡張、事業による付加価値創出、そして実際の年金支給スタート年の適度な上昇といった調整ネジの適合である。

世界の人口はすでに100年前から急速に高齢化しているが、年金の資金繰り問題はこれまで一度もなかった。私営の保険会社が、自らの利益を上げるために、「人口動態の爆弾」のせいで連帯年金の資金繰りが不可能、という広く受け入れられているメルヘン（童話）を充てがうようになるまでは。公共善エコノミーには利益優先の銀行や保険会社は存在しない。金融システムは公的財産になる。賦課方式の年金は、だからこそ確実で強固になる。

公共善とグローバル化

多くの読者や講演会の参加者から次のような質問がよくある。「倫理的な企業はグローバルな競争のなかで、直ぐに市場から打ちのめされるのでは?」「全世界がこれを一緒に行わない限り、公共善エコノミーは機能しないのでは?」。多くの人がこのような見方をするのは、現行の経済秩序のイデオロギー論者や受益者たちの教化事業が大成功しているからだ。彼らは現行の経済秩序が「自然」で「代価なし」だと表現し主張して、不公平なグローバル化、自由貿易、自由な資本取引の政治的基盤をぼやかしている。

自由貿易の秩序のなかでは確かに、より倫理的なプレイヤーが負ける。これはまさに、このシステムの欠陥だ。立派な振る舞い、憲法に忠実な行動が処罰を受ける。「自由貿易」は異なるものを同等に扱う。一方では、EUが民主的に獲得したすべての法律や価値を無視し、傷つける企業がいて、他方では、それら法律や価値を尊重し、履行する企業がいる。両方が、同じ条件下で市場参入の許可を与えられた場合、どちらが勝つかは明らかだ。自由貿易は、生産場所の移転、職場(雇用)の輸出、納税拒否への政治的な招待状である。他国と自由貿易協定を結び、自らの規則や法律を見えないところに埋め込んで無効にする。民主的なコミュニティの自負心がいかに低いことか。自由貿易は憲法違反だ!

私は2つのソリューションがあると思っている。

アプローチAは、グローバルな政治秩序のアプローチだ。労働、社会、消費者保護、環境、税、透明性に関する基準を設定する共通の枠組みが構築されてから初めて、経済活動の自由が与えられる。これを調整するもっとも良い場所は、国際法結晶化の核である国際連合だろう。具体的なオプションとしては、EUが、次の国際条約に批准している国に自由貿易を提供する。

- 国連(UNO)の市民規約

表：倫理的な保護関税

UNO市民規約（International Covenant on Civil and Political Rights）	+20%の関税
UNO社会規約（International Covenant on Economic, Social and Cultural Rights）	+20%の関税
UNO気候保護協定	+20%の関税
その他のUNO環境保護協定	+10%の関税
ILO国際労働基準（International Labor Standards）	＋５%の関税
ユネスコの文化多様性条約（Convention on the Protection and Promotion of the Diversity of Cultural Expressions）	+10%の関税
税に関わる情報の自動交換に関する条約	+20%の関税

- 国連（UNO）の社会規約
- 国際労働機関（ILO）の国際労働基準
- 国連（UNO）の環境保護に関する各種協定（パリ議定書を含む）
- ユネスコの文化多様性条約
- 将来予定されている税に関わる情報の自動交換に関する条約

上記の条約を批准していない場合は、別表のレベルの関税が徴収される。

同時に、倫理的な世界貿易ゾーンに参加するすべての国に、バランスを取る経常収支を義務付けることができる。この関税規則によって、原則的に不利益を受けるものを生じさせないためだ。このバランスを取る経常収支の秩序のなかでは、「悪い」貿易が選び捨てられ、「良い」貿易が促進される。

アプローチBは公共善エコノミーの刺激政策だ。すべての企業に、公共善エコノミー決算を行うことを義務付ける。決算評価がより良ければ、よりフェアな貿易であれば、市場により自由にアクセスできる。もっともフェアな企業が自由貿易を謳歌できる。逆にアンフェアと非倫理の度合いが高いほど、市場アクセスのための料金が高くなる。そうなると、アンフェアな競争とグローバルな立地競争は終わるだろう。

　このアプローチのＥＵにとってのもっとも大きな利点は、国連との合意を待たなくて済むことだ。ＥＵは、世界でもっとも大きく、強力な経済圏として、問題なく単独行動を敢行することができる。ベストであるのは、ダブル戦略だ。域内市場が弁別ある関税秩序によって保護されている間、ＥＵは国連の枠組みにおいてフェアで拘束力のある商取引の規則の導入を押し進める。これは別に新しいやり方ではない。国連の外、世界貿易機構（ＷＴＯ）の枠組みで、現行の人権保護に反した、発展を妨げる、持続可能でない自由貿易協定の締結に、アメリカ合衆国とともに骨折り努力をしたのはＥＵである。すべての国が同調しない間は、ＥＵはパイオニア国グループと一緒に、公共善圏の構築を始めることができる。これは、共通の社会、環境、税法上のルールで合意するフェアトレード圏でもある。これにより、このような調整機能がない国から自国（域）を保護する。これは至極、合法的な保護である。憲法保護だ！[81]

第3章　公共財としてのお金

「お金はそれ自体が目的ではない。目的のための手段だ」

フリードリッヒ・ヴィルヘルム・ライフアイゼン※[82]

公共善エコノミーの金融システムは？

公共善エコノミーには、民主的で倫理的な貨幣・金融のシステムが必要になる。貨幣は、経済と全社会の本質的なインフラストラクチャーであるので、それに関する適切な分類体系とルールは、とりわけ注意深く、民主的に策定されなければならない。「too big to fail※（大きすぎて潰せない）」「シャドーバンキング※（影の銀行）」「タックス・ヘイブン※（税の楽園）」「ヘッジ・ファンド※」「ハゲタカファンド※」「高周波取引※」「食糧投機※」「商業銀行による振替貨幣の創出※」といった現象は、必要とされる注意深さや、ルールの民主的なデザインが作動していないことの明らかな兆候だ。

貨幣・金融のシステムは、徹底的にデモクラシーと公共善に仕えるものでなければならない。そうでなければ、それはリベラルな社会から脱線し、以前のドイツ連邦大統領ホールスト・ケーラーの卓越した表現を借りると、「モンスター（怪物）」になる[83]。公共善エコノミーはだから、まったく別の金融システムを基礎とする。お金は公共財になり、金融市場はいくつかの部門でクローズされる。次に挙げるのは、通貨システムに存在する8つの重要なステーションでの差し迫った改革である。

ライフアイゼン（Friedlich Willhelm Raiffeisen）　19世紀のドイツ農業協同組合の指導者。協同組合の父と呼ばれている。
too big to fail　大企業などを、公的に救済支援するための理由として使われる。
シャドーバンキング　証券会社やヘッジファンドなどが行う金融仲介業務
タックス・ヘイブン　租税回避地。課税が完全に免除されたり、著しく軽減されたりしている国や地域
ヘッジ・ファンド　市場が上がっても下がっても利益を追求することを目的としたファンド

１．中央銀行

中央銀行が公的な所有物のなかに置かれる。このプロセスは国際的にはまだ完結していない。その機構は社会の様々な部門の代表から構成されている。中央銀行が独立した国家権力として追求する目標は、主権者によって設定され、与えられる。欧州中央銀行（ＥＣＢ）は今日、上位目標としての価格の安定（実物の価格）は追求しているが、フル雇用、分配の公平さ、金融安定性、もしくは持続可能性といった目標は軽視している。これら同価値の目標に並ぶものとして、追加で次の２つの改革目標を設定することができる。

①中央銀行は限定された範囲（例えば、経済パフォーマンスの５％までなど）で国に無利子のクレジットを融資することができる（モダン・マネー・セオリー）。目的が限定された負債の受容許可は、例えば、民主的に定義されたルールに基づいて決定を下す国会の予算委員会が出すことができる。

②中央銀行は、支払い手段としての新しい通貨の単独の源泉になることができる。つまり唯一の通貨創造者だ。今日においては、中央銀行は現金の唯一の創造者であるが、電子マネーにおいてはそうではない。

通貨発行（公共のインフラストラクチャー）機能と、クレジット授与（プライベートサービス）の機能が、前述２つの改革目標（「フルマネー改革」※）の実践によって、国民経済上、分離される。各種銀行の監督権限は中央銀行からはずされ、これは別の官庁の責務になる。それによって通貨システムと金融システムが、今日よりも明確に分離される。

２．通貨の創造（発行）

ハゲタカファンド　資金を集めて企業を買収する企業買収ファンド
高周波取引　超高速コンピューターを駆使したプログラミングによる証券の自動売買システム
食糧投機　食糧市場価格の短期間の変動の差益だけを狙って行う売買取引
振替貨幣　振り替えによって貨幣の機能を果たす貯金通貨
フルマネー改革　①無利子のクレジットと、②通貨も電子マネーも中央銀行が唯一の発行機関となる、という２つの柱からなる改革（経済社会学者のヨーゼフ・フーバーが提唱）。次ページの原注87も参照今日においては、中央銀行は現金だけを創造し、電子マネーは創造していない。電子マネーは、銀行の顧客が振込やオンラインバンキング、ＡＴＭやクレジットカードによって日々の支払いを行う際に使われる。この「現金でない」通貨は現在、商業銀行だけが創造している。商業銀行は電子通貨の発行によって利益を得ている[84]。問題は、私営銀行が、クレジットを授与したり、または有価証券を購入したりすることで、現金でない通貨を創造していることだ。

この２つのケースにおける投機的な利益優先の振る舞い（金融クレジットの授与と有価証券の購入によって相場差益金を獲得する）は、通貨量の膨張（インフレーション）を引き起こす。アイスランドでは、２００８年の金融クラッシュ前の10年間に通貨量が19倍に膨れ上がった[85]。私営銀行が通貨を創造していることについて、大半の政治家が知らない。ロンドンの英国国会でのアンケート調査では、国会議員の10人に１人しか、そのことを知っていなかった。70％の被験者が、中央銀行がすべての通貨を発行していると思い込んでいた[86]。

フルマネー改革[87]によって、中央銀行の独占権が、現金通貨のみの発行と流通から電子通貨を含めたそれらへ拡張される。それによって法的な貨幣・（フル）マネーだけが存在するようになり、通貨システムは簡単になり、金融市場は安定し、中央銀行は反景気循環的な通貨政策を行うことができるようになり、通貨発行利益は、公共に授与される（例えば国家負債の返済）。もう１つの利点は、この変換だけで、すなわち私営銀行による電子マネー発行量が公的な中央銀行に移るだけで、ユーロ圏の国家負債が50％削減できるということだ。国立銀行が固有のハウスバンク（主要取引銀行）になるという「銀行転換」をするだけで、各国の国家財政が立て直される[88]。

3. 商業銀行

商業銀行も、公共財である通貨・金融システム、基本インフラストラクチャーの一部である。利益獲得が上位目標というのは場違いだ。それは、インフラストラクチャーを機能不全にし、巻き添え被害や犯罪を次々に終わりなく生み出す。過度の成長、不条理なボーナスや所得、納税回避産業の構築、監視されるべき金融取引が闇市場へ移転。または金利や為替相場の操作、金融市場不安定性の悪用、企業・原料価格・為替相場に対する投機的な襲撃行為。極めて危険な「金融上の大量破壊兵器」（アメリカの投資家ウォーレン・バフェット）に関しては、まだ理解している人がほとんどいないが、実際の経済活動での効用はほぼネガティブである。さらには、顧客の了承なしに何百万もの銀行口座の開設（米大手銀行ウェルズ・ファーゴの不正営業スキャンダル）や、高齢者貧困の回避対策を探している人間を騙して儲ける行為（例えば、英国での年金ミスセリング・スキャンダル）など、利益最優先に目標設定した営業は、銀行を愚かな考えや行為へと動かす。

銀行はだから、基本的に利益でなく、公共善を優先した営業をするべきだ。公共善の指針として、例えば次のような基準目録が考えられる。


——利益優先ではない。Sparkasse（貯蓄銀行）や組合銀行のような法的形態のみに銀行を制限する。

——オーナーへの配当金をなしにする。

——すべての投資に対して公共善査定をかける。

——顧客や従業員に対して高い透明性と共同決議の規範がある。

——所得格差を制限する。

——公共善決算を作成する。


2016年末、イタリアでは予算法の改正によって初めて、「倫理的・持続可能な銀行取引」に関する法的な定義が与えられた。これは前述の基準目録とほぼ同一である。給与格差の制限に関しては、最大で5倍という値が設定された[89]。このイタリアの法的な要求基準目録は、EUの法律へも引き上げることが可能で、EU圏全域での倫理的銀行連盟組織の基盤になり得る。その連盟の会員は公共善を指針として経営する報いとして規制の負荷が大幅に軽減され、それによって小さな地域銀行が生き残れるようになる。現在、「均整の取れた」規制負荷の増大により、大銀行への構造クリーンアップが進んでいる。また、

——預金保証
——中央銀行によるリファイナンス
——国との取引
——倒産の際の再資本化

といった国による銀行への重要な保証は、公共善を指針にした銀行しか得られなくなるだろう。利益優先の銀行は自由な市場から解雇されるだろう。これら国の支援サービスの周縁で倒れていくということだ。将来的には公共善を指針にした公営銀行と私営銀行、Sparkasse（貯蓄銀行）、組合系金融機関しか存在しなくなる。ここでもっとも大切な原則がある。それは「大きすぎて潰せないということはない」ということだ。

4. クレジット

法人は自然人と比べて自由が制限され、より高い責任が課される。だからこそ法人は公共善決算を作成しなければならない。そのようにして「クレジット」としてのお金が、支払い手段としてのお金と比較して、より厳格に調整される。

クレジットは投資の資金調達方法であり、国民経済と文化がどの方向に発展していくかを著しく方向

づけるものである。今日においても、クレジット申請は、法的に定められた規則（バーゼルⅢ国際合意※）によって査定される。しかしながら査定は、融資されたプロジェクトが、「なかに注ぎ込まれた」お金（投資金）を増やせるかどうか、という観点に尽きる。

投資の成功は、投じられたお金が戻ってくること、「投資リターン」によって測定される。投資されたすべてのお金は増加するべきで、増加したら再度、投資され、そしてまた増加しなければならない、という要求は一方で、指数関数的な成長の作用とポジティブなフィードバック関係にある。しかし成長し続けることは数学的には不可能である。他方、投下資本利回りは、その桁が多くとも、その投資が環境、気候、社会的な連帯、分配、デモクラシー、男女関係、もしくは影響を受ける人間の尊厳に対して、どのような影響を与えるかをいい表すものではない（ＧＤＰが私たちの満足度について確かなことを表現しない、またはある企業の利益が1国家の「富」や「貧困」を表現しないのと同様に）。だからこそ将来は、クレジット授与の前に、融資されるプロジェクトが、社会の基本的な価値（人間尊厳、公平、連帯、持続可能性、もしくは共同決議）並びにエコロジカルで文化的な共同資産へ、どれだけの影響を与えるか、査定するべきだ。これらが没収されない、価値が低下されない場合にのみ、今日のように融資リスクの査定が行われる。クレジット申請が2つの査定に合格することで、手段としてのお金が、行くべきところ、すなわち持続可能で包括的で倫理的な経済発展の方向に流される。社会的な付加価値が高い投資ほど、国家の「富」に大きく寄与する投資ほど、有利な条件でクレジットが提供される。ただし、ＧＤＰ＝国内総生産（クレマティスティケ）でなく、ＣＧＰ＝公共善総生産（オイコノミア）によって測定される。害のある投資プロジェクトへは、もはやクレジットの提供は行われなくなる。

5. 地域公共善取引市場

バーゼルⅢ国際合意　国際業務を営む銀行の健全性を維持するための国際統一基準。バーゼル規制とも呼ばれる。日本を含む主要28カ国・地域の銀行監督当局と中央銀行で構成するバーゼル銀行監督委員会（通称バーゼル委員会）が、自己資本比率を基準にして健全性を評価する。1988年にバーゼルⅠ、2004年バーゼルⅡ、2010年にバーゼルⅢと改正が行われている。現在、バーゼルⅣが課題になっている（100ページ参照）。

地域の倫理的銀行や公共善を実施する自治体は、各地に分散して共同で地域公共善取引市場を設立することができる。一極集中型の資本主義（クレマティスティケ）的な取引所との違いは、公共善取引市場においては、融資の仲介が行われるだけで、株式の取引は行われないことだ。株式相場は成立しない。だから株価変動を利用した利益を得るための投機もない。取引による所得も、空売り（ショート・セリング）や担保のない空売り（ネーキッド・ショート・セリング）も、ない。自己資本の出資者は、企業で資本が返却され得ない、という状況になった場合、いつでも「ダイベストメント（投資撤退）」することができる。もう1つの違いは、投資家が投資利回りを獲得しないということだ。その代わりに企業は、「意義」をもたらし、使用価値を提供し、倫理的な行動（良い公共善決済）で信頼を得なければならない。

これらが、共同決定権とともに、明日の投資のモチベーションだ。この要求度の高い非物質的な財を提供する企業のモチベーションは、公共善決算が良いほど、有利な条件で無料の自己資本が得られるということだ。

6．賭博場を閉鎖

金融システムは、企業の大きさと同様に、過度な経済自由が保証され、それが社会一般の自由が侵されることを代償に拡張した、もっとも典型的な例だ。可能なことはなんでも許される、というのであってはならない。クレマティスティケは、金融システムから完全に除去されなければならない。「公的財産」としての通貨・金融システムは、容易に運用され、その中枢機能（クレジット、自己資本、支払流通、通貨交換）に限定され、民主的な社会の基本的価値との調和的な関係が維持される。グローバル金融カジノにあるいろいろな賭博ゲームのテーブルは、閉鎖することが可能である。

――国債。すでに書いたように、中央銀行は将来的に、ＧＤＰの５％まで、国債を無利子で融資することができる。欧州中央銀行は、現行の国債購入のプログラムを最大値まで継続することができる。他の半分は、フルマネー改革によって返済することができる。そうすれば、国債は消滅していく。そして市場は、国家に対する権力行使と恐喝のポテンシャルを失う。ダモクレスの剣としての「リスクプレミアム」や、レーティング・エージェントによる（死の）判決は、歴史上の事柄になるだろう。

――株。株式会社は今後も存続していくが、公共善取引市場にリストアップされ、株価の取引は行われない。取引市場は自己資本を仲介する場所になり、企業を取引する場所ではなくなる。配当の代わりに、意義、使用価値、共同決議権、倫理が登場する。公共善取引市場にリストアップされる株式会社は、ある規模（大きさ）を超えてはならない。他企業株の所有や国ごとの納税額を公開し、グローバルなロビー目録に登録し、大きいほど権力（共同決議権や所有権）を分散させ、公共善決算を作成しなければならない。

――デリバティブ（金融派生商品）。ＣＤＯ（Collateralized Debt Obligation 債務担保証券）やＣＤＳ（Credit Default Swap）、原材料や株、インデックスや外国通貨などのオプション取引や先物取引は、将来的に行われるべきではない。なぜかというと、単純に必要ないからだ。古典的な金融市場の機能を超えるような金融商品には、ＥＵの金融市場監督機関によってリスク査定と認可査定が必要になる。一国もしくは連合国の通貨領域で明確に認可され得ない金融商品は、自動的に自由な資本流通から除去される。グローバルな金融監督機関は、システムの安定、公共財としての通貨の簡潔性、並びに公共善を確保する責務を担っているが、ＷＨＯ（世界保健機関）のように、警告機能を持ってもよいだろう。そこで金融商品に対してイエロー（注意勧告）もしくはレッド（禁止の推奨）の警告ランプが出されたら、国の監督機関は相応して対策を取る。

——レーティング・エージェント。株や国債、クレジットやデリバティブが取引不可能、もしくは存在しなくなれば、そのレーティング（評価）も必要なくなる。エージェントは失業するだろう。

——先物取引や原材料市場。エコロジカルで人権にとって繊細な原材料資源の価格は、民主的に決定されるべきだ。持続可能性、グローバルな分配公平性、人間として尊厳ある所得に関する基本的権利、食糧に関する基本的権利などの観点で。国連の相応する委員会で、消費者、原住民、土地の代弁者、次世代が、同じ目線で会合し、すべての該当者にとっての適切な価格、もしくは価格回廊を取り決めることができる。

——外国為替市場。為替相場変動の回避措置は必要なくなる。時代にあった「ブレトン・ウッズ会議Ⅱ」によって、安定した為替相場を持ったグローバルな通貨共同機構が設立されるからだ。これは、安定感があり、計画可能な国境を超えての経済活動を可能にする。

7．協力的な通貨システム

大きな世界恐慌とその元になった金融市場での株価大暴落からの学びにより、1944年に世界50カ国以上が国際通貨の共同「ブレトン・ウッズ体制」を立ち上げた。ブレトン・ウッズとは、その会議が開かれたアメリカ合衆国の場所の名前である。そこでは、2つの異なる提案が議題に上がった。実際に取り入れられたのは、アメリカ合衆国が出してきた悪い提案の方だった。それは、提案者の自国通貨であるアメリカ・ドルを同時に世界の基軸通貨とするというものだった。負債が免除されたり、原材料に値付けされたりする際に使用される通貨を、国際為替市場の基軸にするというものだ。

英国からその会議に派遣されたジョン・メイナード・ケインズ※から出されたより良い提案は却下され

※ジョン・メイナード・ケインズ（John Maynard Keynes）　イギリスの経済学者。通過金融問題の権威。主著『雇傭・利子および貨幣の一般理論』（1936年刊）

た[90]。ケインズのアイデアは、為替相場の不安定性、投機アタック、途上国による不必要に高い外貨保有量、完全にバランスを欠いた取引決算などの問題の観点で、今日とても重要である。ケインズが提案した通貨共同の重要な要素は次のとおりである。

―国際取引に関する中立的な精算単位を創出：世界リザーブ通貨もしくは世界取引通貨（例えば「Globo」や「Terra」）。

―これは幅広の通貨バスケット制※、もしくは原材料バスケット制を基盤にしている。

―各国の通貨はそのまま維持される。世界リザーブ通貨もしくは世界取引通貨に対する個々の通貨の為替相場は、世界中の中央銀行による委員会で決められ、起こり得る残りの投機から守られる。

―生産性、インフレーション、経常収支などのリアル経済の基盤数値の変動の際には、各国の通貨は、世界取引通貨に対して、相応に平価切り上げ、もしくは切り下げ評価され、購買力平価が保護され続ける（「ギリシャの悲劇※」は、平価切り下げ評価されていれば防ぐことができたし、アメリカ合衆国と中国の間での歴史的な貿易不均衡も同様である）。

―平価切り上げ／切り下げに逆らう者は、決済された貿易収支からの相違分の罰則金を支払わなければならない。相違が大きいほど、ペナルティ利息は大きくなる。重商主義的な貿易モデル「Germany first※」を謳歌しているドイツは、もっとも手痛い罰則金を支払うことになる。

―国境を超える支払い取引の処理は、公的な中央銀行のクリアリング・ハウスによって行われる。資本取引の取り締まりに関しては、租税逃避を効果的に阻止することができる。

２００８年の金融危機が起こってから、それまでほぼ完全に忘れられていたケインズの提案が再び政治的な議題として浮上した。中国人民銀行（中央銀行）の当時の行長（総裁）周小川（ジョウ・シャオチュアン）は、ケインズのアイデアがこれまでまったく実践されなかったことを残念に思っている[91]。グロー

通貨バスケット制　自国の通貨を複数の外貨に連動したレートにする固定相場制
ギリシャの悲劇　2010年のギリシャ経済危機
Germany first　「輸出世界チャンピオン」と呼ばれるドイツの輸出超過の経済利益が、複数の他国の損失によって成り立っていることを批判した言葉。

表：意義ある金融市場と金融カジノの賭博テーブル

	意義ある金融市場	金融カジノ賭博テーブル
株	企業への参画	証券取引利益に基づく投機
（不動産の）クレジット	家の建築への融資	確約と転売
公債	国への融資	証券取引利益に基づく投機
資源	生産者と消費者のためのフェアな価格	証券取引市場での変動に基づく投機
為替	輸出／輸入の融資	証券取引市場での変動に基づく投機

バルな金融危機と経済危機解決のための国連専門委員会は、ジョセフ・スティグリッツ座長のもと、ケインズの提案を「時が来たアイデア」と支持している[92]。

これによってグローバルな金融カジノ（グルーバルな金融市場）の重要な賭博テーブルが閉鎖される[93]。金融市場の中枢機能は、民主的な中央銀行、私営と公営の公共善銀行、公共善取引市場、連帯の年金システム、並びにグローバルな通貨共同によって担われる。貨幣はこれにより、その奉仕の役割に戻される。公共善のための手段になる。「怪物」金融システムの慢性的な不安定性は収まる。大々的な銀行救済に関しては、みんな信じられないものとして、振り返るようになる。仕事によって所得が生じる。労働所得は、すべての人々にとって、良い生活を営むために十分なものとなる。

民主的銀行&公共善銀行

クレマティスティケの金融システムの過剰さ、発展不全、システム全体に及ぶ不安定性が露わになるにつれ、しばらく前から世界中で、既存の金融システムに代わる倫理的銀行や取引市場が発展している。ドイツのＧＬＳ銀行とオランダのトリオドス銀行（Toriodos Bank）のリーダーシップのもと、価値を大切にする金融のグローバル連合（GABV = Global Alliance for Banking on Values）が設立された。今日では、40カ国から65の銀行が加盟している。イタリアからは倫理銀行（Banca Etica）、スイスからは自由共同体銀行（Freie Gemeinschaftsbank）とスイス・オルタナティブ銀行（Alternative Bank Schweiz）、フランスからは協同組合銀行（Crédit Cooperatif）、英国からはチャリティ銀行（Charity Bank）とエコロジー・ビルディング協会（Ecology Buidling Society）が参加している[94]。

オーストリアではアタック・オーストリア（Attac Austria）から「プロジェクト・民主的銀行」が生まれ、同時に公共善エコノミー２０１０がスタートした。そして「プロジェクト・公共善のための銀行」が興り、２０１４年には公共善のための協同組合、２０１９年には最初の公共善普通口座が市場に出された。次に描写するのは、公営の「民主的銀行」と私営の「公共善銀行」の典型的な概略的イメージである。

目標と成果

民主的銀行・公共善銀行は第一義的に利益ではなく公共善を優先して営業している。それら銀行の価値と目標は公共善エコノミーと同じである。とりわけ地域経済循環、社会・環境の側面で持続可能な投資を助成している。民主的銀行・公共善銀行は次に挙げられる中核サービスを提供している。

——保証された預貯金
——地域住民に安価な普通口座
——企業と一般世帯に安価なクレジット　(a)十分な支払い能力がある場合と、(b)投資によってエコロジカルで社会的な付加価値が創出される場合

――民主的郵便局や公共鉄道、その他市民サービス機関との相乗作用により、広範で隅々まで隈なくある支店ネットワークで敬意ある対人サービス
――国に安価な補填クレジット（欧州銀行の融資を補充するものとして）と国債の仲介（必要な限り）
――通貨交換

民主的銀行・公共善銀行は、あらゆる形式の金融投機、有価証券取引（トレーディング）、金融派生商品、利回り優先のファンド、資本市場依存の年金商品から、意識的に距離を置いている。これは貯蓄銀行（Sparkasse）や協同組合銀行などの伝統的な経営理念に相当する。

補完性とデモクラシー

民主的銀行は補完的に構成されている。全クレジットの大半は自治体のレベルで授与される。民主的銀行は自治的に決定を行う。自治体のレベルでは役員（理事や監査役）は直接選挙で選ばれる。民主的銀行監査役チームは従業員、消費者、債務者、地域小企業、並びにジェンダー代理人、未来代弁者から構成される。すべての委員会・審議会は女性半数、男性半数から構成される。

大きな投資や国へのクレジット授与は、州や連邦レベルの銀行によって行われる。地域（自治体）レベルの銀行はこれに対し割り当て分の共同融資をする。地域レベルの預貯金の余剰分は、必要な場合、上のレベルに転送される。地域レベルの銀行の役員たちは、自分たちの中から州レベルの理事と監査役（役員）を選出し、さらに各州の役員たちと一緒に、連邦レベルの役員を選出する。中央（州と連邦レベル）の銀行の機能は、流動資本（支払能力）の調整と大きなクレジットの授与のみであり、有価証券や金融

派生商品を使った独自のトレードは行わない。州と連邦レベルの銀行組織は、階級的に自治体（地域）レベルの銀行組織の上に存在しているのではなく、民主的銀行連合体のなかで、地域銀行と同等の権利を持った自治単位という位置づけになる。選出されたすべての役員は、主権者に対して弁明責任を持っていて、いつでも採決によって解任され得る。民主的銀行のすべての委員会・審議会は公開のもとに開催される。

透明性と安全性

民主的銀行のすべての取引は、銀行の決算書に明示される。タックス・ヘブン国・地域での支店や特別目的会社の設立は、禁止になる。

公共善の作用を透明化し、信頼を生み出すために、クレジットは基本的に公開される。私的口座や振込は、データ保護のもとに置かれる。納税に関わるデータのみ、自動的に税務署へ伝達される（今日でもすでに労働所得がその対象になっている）。

民主的銀行の役割は、預金者と債務者の間での金銭の仲介、リース、支払流通、貨幣交換に集束される。銀行は自己資本の法規定を守りながら、ドイツ語圏で定評あるハウスバンク（主要取引銀行）システムの原則に基づいて営業し、経済危機のときには反景気循環的なクレジット授与を行うこともできる。経済危機により、顧客である企業の経営が厳しくなった場合、民主的銀行は、より太っ腹になるということだ。そのようなとき、民主的な中央銀行は、相応するリファイナンス便宜で民主的銀行を支援する。民主的銀行は、十分な自己資本をクレジット授与に当てる。

社会的でエコロジカルなクレジット査定

クレジット授与の際には、その地域の状況と経済プレイヤーに関する知識が重要になる。匿名のレーティングではない。クレジット申請者は、経済的な収益性だけでなく、社会的でエコロジカルな付加価値を合わせて監査を受ける。この「公共善査定」には、「経済的な支払能力（信用度）」の場合と同様に、法的なガイドラインが設けられる。多くの人たちが、「エコ・ソーシャルなバーゼルⅣ国際合意※」を口にしている。公共善査定の基盤は公共善決算と類似の評価手法になるだろう。公共善協同組合は２０１７年から、その評価手法を、独自のクラウド投資プラットフォームにて、すべての融資推奨のプロジェクトに適用していて、２０２１年より、関心を持つ銀行にオファーするために、さらに発展させている。

とりわけ高いエコロジカルで社会的な付加価値を創出する投資事業は、無料（無利子）もしくは「マイナス金利」のクレジットを受けることができる。マイナス金利のクレジットとは、借りた金額を全部返す必要がないということだ。社会もしくはエコロジーの観点で価値のないプロジェクト、例えば1万匹の動物の畜舎や原子力発電所は、経営的に高い収益が期待されるものであっても、クレジットを受給できない。金融市場はこれによってやっと、社会的でエコロジカルである持続可能な発展の制御ツールを得る。「倫理的な投資」が法的なスタンダードになる。

ファイナンス、リファイナンス、倒産

銀行は、クレジット授与による料金、もしくはネガティブな預金金利によって営業する。それらの

バーゼルⅣ国際合意　銀行の健全性を維持するための国際合意の次の改正案。91ページの補注を参照。

収入で営業コストをまかなう（クレジット破綻も含む。破綻するのはクレジット授与総額の1％以下）。公共善銀行で働く人は、社会的な安定性と包括的な共同決議権を享受する。銀行内部での最大所得格差は1：10である。この格差の最大値を、スイスのグラルス州議会は、州立銀行向けに2013年始めに決議した[95]。

銀行は、個人、企業、国の預金からクレジットを捻出する。私的金融資産は、リアルな経済業績（GDP）と比較して、絶えず増産するので（コロナ危機の2020年には、私的金融資産は全世界で8・3％も増産した[96]）、クレジット授与のための十分な貯蓄金が調達される。

ある自治体、地域、または州で、社会的でエコロジカルな意味のあるクレジット申請に対応するための貯蓄金が十分でない場合は、貯蓄金がクレジット総量を上回っている他の銀行が、足りないところに再分配する。調整された銀行間市場金利が、貯蓄金の割り当てを制御する。「最後のクレジット授与者」の役割を務めるのは中央銀行である。中央銀行によるリファイナンスの活動は、リアルで倫理的なクレジット授与の条件と結びついている。投機的なビジネス行為はリファイナンスされない。具体的にいうと、投機的な取引をする、もしくは投機的なクレジット授与を行う商業銀行は、民主的な中央銀行によってリファイナンスされない。

民主的銀行の支店の倒産は、次に上げる理由からほとんど起こらないといえる。

——利益優先の営業ではないので、リスクが少ない。

——「保守的」クレジット授与に限定したビジネスを行い、有価証券や金融派生商品は取り扱わない。

——クレジット授与は法的な安全規定に基づいて行われる。

——法律を守らない場合の責任は理事が個人的に負う。

——理事と同様に民主的に選出された監査役が、理事の行動を監査しチェックする。

――理事は補足的に、主権者に対して弁明責任があり、いつでも採決によって解任され得る。

そうであっても、民主的銀行が倒産することもあり得る。例えば、クレジットの多くが同時になくなった場合である。その場合はしかし、中央銀行がリファイナンスによって倒産を防ぐ。民主的銀行は「倒産するにはエッセンシャル（本質的で不可欠）すぎる」。学校、大学、鉄道もしくは病院と同じである。これらは今日、本質的で不可欠な社会インフラなので倒産させることができない。

利子とインフレ

普通、銀行といったとき、クレジット（貸付）利息による収入から預金金利の支出を差し引いた額で営業費をまかない、利益を生み出す機関というイメージがある。その際、銀行は利息（収入）、金利（支出）の両方でバランスを取らなければならない。なぜかというと、両方に競争市場が作用するからだ。高いクレジット利息と安い預金金利は、顧客が離れていくことを促し得る。しかし以前からそうではなかった。１９６７年まで、ドイツでは、預金金利サイドで、いわゆる基本率があった。銀行が安心して中心的な事業を行うための措置だった。現状のモデルが、いつまでも維持される必要はない。基本的に銀行は、利息と金利の差額から収入を得る場合、次の５つのビジネスモデルを実践することが可能である。

1. 銀行営業コスト（３％）は、クレジット利息による収入から、期待インフレ率（２％）と預金の実質金利（１％）を差し引いたものでまかなわれる。平均してクレジット利息は６％、預金の名目金利は３％となる。
2. 銀行営業コスト（３％）と期待インフレ率（２％）が、５％のクレジット利息によってカバーされる。預金残高は、預金金利2％によって、インフレに対して守られる。

3．銀行営業コスト（3％）は3％のクレジット利息でカバーされる。インフレの際には、預金残高はインフレ度合いに相応して減価する（預金金利は0％）。

4．銀行営業コスト（3％）は、半分は借主（クレジット利息1・5％）、残り半分は預金者（預金金利がマイナス1・5％）によって負担される。預金残高は、インフレの度合いに応じて減価する。

5．預金者がすべての銀行営業コスト（3％）をまかない（預金金利がマイナス3％）、その預金残高はインフレによっても減価する。

おそらく読者は「5番目のモデルはナンセンスだ」というのではないかと思う。しかしながら、5番目は、システム全体で捉えたとき、突出してもっともメリットが大きいモデルである。これに関しては説明が必要だと思う。預金による利子収入（それがただのインフレ還元であっても）を喜ぶ人は通常、その利子が、誰がどう働いたことで生じ、支払われているか、という情報は持っていない。お金は自ら増殖することはないので、誰かが働いて生み出していることになる。この利子のほんの一部は、車や不動産購入の際の消費クレジットを通して、購入者（預金者）によって直接、融資される。残りの大半は、銀行が得る企業向けクレジットの利息によってカバーされている。ただし、企業はその利子をすべて、商品やサービス価格に反映させるので、もとをたどれば消費者が支払っていることになる。消費者とは、利子収入を喜ぶ預金者である。自分で支払ったものを自分でもらって喜んでいることになる。まるで「中立的な分配」をするロータリー交差点のようだ。

ただし、みんなの所得レベルが同じで、みんなが同じ量の消費と貯金をしている、ということが前提条件になる。現実はしかし、そうではない。大衆は比較的に小さい預金しかしていない。彼らは自分の（低）所得の大部分を消費に使っている。ほとんど預金できないか、もしくはやりくりするために金融機関からお金を借りることもある。大多数の人間が、その全収入からの消費を通じ、たくさんの利子を間接的に払っている。それと比較すると、自分のわずかな預金から得られる利息は微々たるものである。それに対して資産のある富裕層は、収入のほんの一部を消費で支出し（そこから企業向けのクレジット金利を支払い）、大部分は預金し、利息で儲けることができる。所得と預金のレベル、消費割合と預金割合に応じて、このロータリー交差点では、一方では、自分が得る利子よりもたくさん利子を払っている人間がいて、他方ではその逆の人間がいる。ドイツの経済評論家ヘルムート・クロイツによると、少なくとも80％の国民が手取り利子損失者で、最大でたった10％の国民が手取り利子受益者である[97]。問題は、誰もこのことを私たちに教えてくれないことだ。私たちの多くは、利子で受益していると信じていて、実は損失を被っている。

だから民主的銀行は、世界勤倹デーに「個人向け利子計算機」を配布する予定だ。これを使うと、自分が手取り利子受益者である少数エリート層に属しているのか、手取り利子損失者である大衆層に属しているのか、簡単に計算できる。そうすれば、憲法改正に必要な3分の2以上の有権者が利子反対者になるだろう。

再分配は利息の最初の10％から始まる。インフレ率による利上げも該当する。例を挙げよう。預金口座に5000万ユーロの資産を持っている人（世界のトップ富裕層はその1000倍の50億ユーロを所有している）は、預金金利1％の場合、年間50万ユーロの利息をプレゼントされる。このお金はしかし、何もしないで樹木に育つ実ではない。大多数の手取り利子損失者によって再分配されたものだ。利子損失者たちは、汗だくになって資産家のためにスコップでお金を盛っている。そうやって、普通の労働では到底得ることができない資産家の利子所得の大きな山をつくっている。

さて、ここからが重要だ。マイナス金利のシステムでは、分配作用が逆向きになる。再分配は、10％

の資産持ちから90％のこれまでの手取り利子損失者への再分配になる。つまり、手取り利子損失者が手取り利子受益者になるのだ。大まかな計算で例を示すとこうだ。私の100ユーロの預金が3％のマイナス金利により溶かされて97ユーロになる。私はつまり、預金サイドでは3ユーロ貧しくなったことになる。しかし同時に、消費での支出サイドにおいて、大資産家の預金利子（とインフレ率による利上げ）を融資する必要がもはやないので、商品価格が安くなり、5ユーロもしくは6ユーロ節約できれば、プラス収支になる。大富豪にとってはそれが逆になる。

最初の前提に戻って論じたい。5番目のモデルでは、銀行営業コストのための3％のマージンは、90％の大衆によってではなく、10％の富裕層によってもたらされる。それによって金融と利子のシステムは公平な分配に貢献する。「ネガティブなフィードバック」として作用し（後で詳しく述べる）、社会はより安定し、より自由になる。20世紀初頭のドイツの実業家・思想家シルビオ・ゲゼルは、だからマイナス金利のことを「自由貨幣」[98]と名付けたのではないか。ゲゼルは学術会の一部で非難されたが、ジョン・マイナード・ケインズは彼を褒め称えた。ケインズは『一般理論』においてゲゼルを「不当に見落とされた預言者（…）彼の著作物には深い認識がある（…）私が思うに、未来はマルクスの精神よりもゲゼルの精神から多くを学ぶだろう」と評している[99]。

世界的に大きな注目を集めたオーストリア・チロル地方の「ヴェルグルの奇跡」は、2つの世界大戦の間に起こったが、シルビオ・ゲゼルの自由貨幣理論に基づいている。ヴェルグル市長のウンターグッゲンベルガーは相互補完的なヴェルグル・シリングという地域通貨を発行した。この地域通貨には、時間が経つと目減りするという性質が与えられ、それによって流通スピードが高められ、経済が活性化した。当時、ヨーロッパ全土で経済が萎縮し、失業率が高まっていたとき、ヴェルグル市は逆の状況であった。失業率は21％から16％に減少した。フランスからは、財務大臣のエドワード・ダラディエが訪れ、アメリカ合衆国では経済学者のアーヴィング・フィッシャーが政府に、経済危機の克服手段として、ヴェルグルと類似の貨幣の導入を提案した。オーストリアではリンツを含む100以上の自治体が、ヴェルグル市のあとに続こうとした。市長ウンターグッゲンベルガーの講演会にはよく、1000人以上の聴講者が参加した。このような圧倒的な成功にもかかわらず、国立銀行は14カ月後に、すべての理性に反し、裁判所を通じて実験の終わりを強要した。理由は国立銀行による貨幣独占に反したからだ[100]。

マイナス金利のもう1つの非常にポジティブな効果は、企業にとってのクレジット金利を基本的に、0%にできることだ。少なくとも、公共善決済の結果が一定レベル以上の場合に。これは企業の業績を正当に評価し、現在支配的になっている「クレジットの留金」を緩めるだけでなく（引き続き、財政上、十分な支払い能力がなければならない）、お金から、さらにお金が生み出されなければならない、というアリストテレスとマルクスが指摘した基本的な問題[101]を解消できる。企業は、金利の支払い義務が生じるクレジットを受給した瞬間から生じる成長圧力から解放される。このストレスがなくなる。マイナス金利のシステムは、企業に取って非常に友好的だ。今日よりも良い条件で自己資本と外部資本を獲得できる（資本は手段になり、公共財に近いものになるので）。社会はこのやり方で、企業の業績に報い、企業にさらなる業績を促す。ただし、すべての業績にではない。すべての投資事業に対するクレジット金利がゼロに低減させられると、投資が有利になり、追加の収入と需要を生み出すので。

私たちの経済活動は、すでに今日、地球の負荷能力の限界を越えてしまっている。人間のエコロジカル・フットプリント※はすでに今、この惑星が長期的に耐え得るものより大きくなっている。システム全体に影響を及ぼす成長促進装置は、経済機構から取り除かれなければならない。であるから、企業への「有利な融資」の作用（成長促進）は、逆方向の作用によって相殺されなければならない。公共善査定と公共善決算によってである。これにより、システム全体で資源の絶対的消費量をさらに増加させるよ

エコロジカル・フットプリント　人間の活動において、地球環境に掛けている負荷の大きさを図る指標

うな投資事業に融資がされなくなり、逆に、脱成長の経済の意向に沿って、資源消費の減退に転じていく。

もちろん、クレジット金利設定の裁量の余地は、そのまま維持される。銀行は、今日すでに使用しているリスクカバー（よりリスクのあるクレジットには高い利子をつけ、リスクが少ないクレジットの利子は低くする）に、倫理的なリスクカバーを追加することができる。公共善査定で卓越した評価がされた投資プロジェクトは、低金利、もしくはマイナス金利で融資され、公共善査定の評価が低い投資プロジェクトのクレジット金利は高くなる。

消費クレジットには、引き続き、プラスの金利がかけられるべきだ。それによって銀行が営業コストをまかなえるようになる（３％の利息マージン）。ただし、預金利子はポジティブにはならない。

この、より意義があり、持続可能で、公平な利子システムのもっとも大きな問題は、移行期間の競争である。銀行が、クレジット顧客は増えるが、預金顧客が離れてしまう、という場合だ。この問題から、銀行間の利子競争に基本的に意義があるのかどうか、公共財としての金銭（クレジットとしての）の価格を規制するほうが良いのではないか、という検討事項が生じる。旧西ドイツでは、１９６７年まで、利子率を制限する規制があった。多くの経済学者は、「世界経済における重要な価格」、具体的にいうと、金銭（金利）の価格、通貨（為替相場）の価格、原材料資源の価格、人間労働の価格（最低価格と最高価格）は、市場で形成されるのではなく、政治的に定められるべきだと主張している[102]。オーストリアの権威ある法・経済学者シュテファン・シュールマイスターは原油価格形成について「これまでの市場に依ったものでなく、それ以外の別のいろいろなやり方が良いように思える」と書いている[103]。古代ギリシャ時代では、お金が商品になるべきではない、という大方のコンセンサスがあった。「市民経済」を提唱するイタリアの経済学者ルイジーノ・ブルーニとステファノ・ザマグニは「古代ギリシャでは、アリストテレスからカトーにいたるまで、お金は果実を実らせないし、それ自体、非生産的なものである、という見解から、金利付きのクレジット授与を、厳しく非難している。だから、本質的に不毛なものから実り（金利）を要求する行為を、自然にもっとも反することだとみなした」と報告している[104]。アリストテレスは金利の受け取りを「すべての経済領域のなかで、もっとも反自然」とみなしていた[105]。インドの「国の父」と称されているガンジーが指摘した現代社会の7つの大罪の1番目は「労働なき富」である。

与説：金利と指数関数的成長

1772年に出されたイギリスの哲学者リチャード・プライスの「ヨーゼフのペンス」の伝説を知っている人は多いと思う。イエス・キリストの誕生日に1ペンス（1／100ポンド）を投じて、毎年5％ずつ利息がついていくと、いつの日か、地球1億5000万個分の純金と同じ価値の金銭に膨れ上がる、というものだ。経済成長率よりも高いレベルで持続的に資本に利息を与えていくことが、数学上、不可能なことの著名な証明である。

フランス・パリ経済院教授トマ・ピケティの代表作である『21世紀の資本』は、2つのアルファベット「r＞g」に還元できる。何を意味しているかというと、資本収益率（r）が経済成長率（g）より高いということだ。この方程式だと、不均衡がどんどん大きくなり、あるときに崩壊する[106]。さらには、それに伴う資源消費の増大が加わる。これはすでに今日、地球の限界を超えていて、人類の生存をますます脅かしている。

「ヨーゼフのペンス」伝説は示唆に富んだ内容であるが、現実は違う。資本の成長率が、何世紀も持続して、経済成長率よりも上のレベルにあることはない。今日、もっとも大きな個人資産は多数の黄金地球ボールではなく、たった1000~2000億USドルである。それでも多すぎであるが。たくさんの黄金地球ボールの像は壮大である。でも、そこまで計算して証明する必要はない。長期的に計算すると、全預金の利子は、インフレの大きさにさえ達することができない。

金融資産が実際の経済業績に対して毎年、増大するということは、毎年、預金率が経済成長率を上回るということだ。金融資産に同じレベルで利息をつけるためには、年間経済業績の大部分が必要になる。わかりやすく説明しよう。金融資産がいつの日か、実際の経済業績より100倍大きくなっていると仮定すると、その金融資産にたった1%の利息をつけるために、名目上、全GDPが必要になる。1・5%のインフレが起こった場合は、その金融資産の価値を得ることさえ不可能になる。数学的にいって、利息要求は、GDPに対する金融資産の比率がある一定倍率を超えると、現金化することができなくなる。なぜに資本所得を根本的に問いたださなければならないか、なぜに公共善エコノミーではそれが除外されているのか。幸福、分配、持続可能性の観点からの論であるが、ここに短く紹介したことは、その論の冷静な計算上の根拠である。

民主的銀行はだから、利子と資本利回り要求が、国民経済的に、全社会的に、どのような結果をもたらすか、啓蒙活動を行う。そして社会を、「労働なき」資本所得の終わりへと準備させる。「あなたのお金を働かせてみませんか」という標語でもって、預金者と投資物件の間に高い霧の壁を築く代わりに、民主的銀行は「あなたのお金で何が起こっているのか見てください」と励ます。

公共善エコノミーでは成長圧力にもはや支配されていないので、インフレが消える可能性が出てくる。アメリカの環境経済学者ハーマン・デイリーは、この状態を「定常経済」と命名した[107]。これによって貨幣価値の下落の問題が解決する(下層市民よりも富裕層によりメリットがあることである)。そして、預金者にインフレの補償をするために預金金利の利上げをする必要がなくなるので、クレジットはより安くなる。

相互補完的な地域通貨

経済危機のとき、大きな経済・金融システムが肥大成長するときは特に、補完性とレジリエンス※原則に従って、毎回、たくさんの相互補完的な地域通貨が土壌から芽生える。既存の通貨と並行して使われるそのようなローカルな通貨（「Globo」はインターナショナルな相互補完的通貨）の確固たる存在意義として、次の4つが挙げられる。

1．レジリエンス※：相互補完的な地域通貨は、経済・金融危機の深刻な被害を緩和する。大不況のときのヴェルグルの実験は世界的に有名になった。しかし、この大成功を収めた実験は、オーストリア国立銀行によって止めさせられた。

2．民主的な制御：地域通貨では、人々は大きなシステムに編み込まれないので、自分で自分の生活を手中に収めることができ、少なくとも自分の直接生活領域において、「公共財」としてのお金を制御する。

3．社会的な結束：通常、相互補完的な地域通貨は、社会のグループや共同体を強化する。連帯性や公平性が促進される。ほとんどの場合、この通貨は利子フリーで、1時間の価値は、そこでどんな業績がもたらされようとも、同価である。または、格差があったとしても、それは少なくとも制限される。

4．持続可能性：相互補完的な地域通貨は地域に限定した購買力しか持っていないので、地域経済循

レジリエンス　回復力、弾性、しなやかさのこと。第2章（77ページ）補注も参照。

環を促し、通例的に、より持続可能な経済構造の構築に寄与する。地域通貨はまた、他のエコロジカルなイノベーションと、よりフレキシブルに結びつけることができる。例えば、企業の公共善決算、投資の公共善査定、もしくは他のコモンズの利用など。

地域通貨はこれまで、自由意志に基づくものであったが、この価値のあるイニシアチブは、公的な通貨の場合と同様に、確固たる法的で技術的な基盤の上に置かれるべきだ。ユーロの基盤はボランティアではない。だからこそ、個々の地域通貨をエリアが限定された有効性のある法的な支払い通貨にすること、地域通貨の受け取り義務を課すことを、地域の主権者が決定できるようにするべきだ。民主的銀行が相互補完的な地域通貨の発行機関になることができるだろう。地域通貨にとってのいわば中央銀行として。

私立のプロトタイプ：公共善協同組合

アタック・オーストリアは、２０１０年4月の活動家総会において民主的銀行に関する戦略的プロジェクト文書を採択した[108]。その文書には、満遍なく行き渡る公的銀行のアイデアが書いてある。でも、それを近い将来に実践するのは、今日のデモクラシーの形態においては、ほぼ期待できないので（このオプションは、民主的な経済コンベントが設立されてはじめて現実的になる）、アタックはオーストリアの市民社会に、私立のプロトタイプを設立するように呼びかけた。それが見本となって、さらなる銀行設立プロジェクトが実行されることを目指した。２０１０年6月には「プロジェクト・民主的銀行」がスタートしたが、同年10月のキックオフ・イベントの後には約２００人の参画者が集まった。これはのちに「プロジェクト・公共善銀行」と改名されたが、最初の3年間は協会（ＮＰＯ団体）として活動し、2014年には公共善協同組合が設立された[109]。協同組合は2017年に、公共善普通口座を提供する銀行としての営業許可を申請した。当時はドイツのGLS銀行との提携による事業が予定されていた。500ページ強の申請書は、2018年にオーストリア金融市場監査機関によって「不完全」という理由で拒絶された。公共善協同組合はその後に戦略を変え、既存の銀行との協働により、その看板を借りて、金融システムにイノベーションをもたらすことを試みている。2019年には、オーストリアで最初の公共善普通口座が市場に出された[110]。2021年春の時点では、602の公共善普通口座と132の公共善預金口座があり、預金総額は1580万ユーロとなっている。公共善協同組合はこのパイロットプロジェクトを基盤に、2021年半ば、約5000人の組合員を有している。組合は、公共善バンキングの総合コンサルティングパッケージを開発し、それをすべての関心を持つ銀行に提案している。普通の銀行は、公共善バンキングの導入により、資産総額の1%くらいの小さな「緑の芽」でスタートし、ゆっくりと100%に向かって成長していくこともできるだろう。このようにして将来、たくさんの公共善銀行が興っていく。

第4章　所有

「所有は目的のための単なる手段であり、それ自体が目的ではない」

ジョン・スチュアート・ミル※[11]

公共善エコノミーは、一方で完全に倫理的な市場経済であり、他方で真にリベラルな市場経済である。それは次の3つのことを意味している。

1．すべての人間と市場参加者は、同等の自由、権利、機会を享受するべきである。

2．ある人間の経済的な権力は、他の人間の同等な自由、もしくは異なる自由を犯すところで制限される。

3．自由、権力、支配、それぞれの共通の基盤であり得る所有の形態に関しては、多様性が尊重される。私的所有、公的所有、共同所有（「コモンズ」、共有地）、社会の所有、使用権である。どの所有形態にも絶対的な優位性が与えられることはない。現代の経済秩序においては、私的所有の絶対化が、デモクラシーにとっての大きな脅威になっている。「所有は神聖なもの」と多くの人は考えている。しかし所有権の無制限により、わずかなエリートの個人や企業が大きな富と権力を持つようになり、メディアを統制し、政治的なプロセスを自分たちの有利なように方向づけている。これは、すべての人に同等の権利、機会、参加の可能性を与える、というデモクラシーの基本原則に反するものだ。

ジョン・スチュアート・ミル（John Stuart Mill）
19世紀のイギリスの哲学者・経済思想家

同様に、1人の自由は、それが他者の自由（同等さ）を制限し始めるところで終わる、というリベラルな基本原則にも反する。

2つの原則は、国や社会、経済における権力が、強く集中してはならないこと、それによって権力が悪用されないようにしなければならない、ということを意味している。数多くの研究者が近年、この問題を取り上げている。例えば、アメリカの法学者ロベルト・ライヒ（『超資本主義』）、ドイツ緑の党の財政学者ゲアハルト・シック（『市場経済－お断り！』）、イギリスの経済学者・公衆衛生学者リチャード・ウィルキンソン（『平等は幸せ』）、フランス・パリ経済学院教授のトマ・ピケティ（『21世紀の資本』）だ。また、スイスの経済学者で、資本の著名な代表者である世界経済フォーラム（ＷＥＦ）の創設者クラウス・シュヴァーブも、拡大する不平等さの危険性に警告を出し、その制限を要求している。「1対20か1対40かは、それほど大きな問題ではないが、1対１００、それ以上の格差になっている場合は、もはや社会的にうまくいくものではない」[112]

ネガティブ・フィードバック（抑制機構）

権力分立の原則は核の部分でこういっている。国家の権力は分立されなければならない（例えば、立法、行政、司法）。これによって、どれか1つの所管が他の所管に比べて権力を持つようになることを抑えている。今日においては、早急にこの原則を経済分野に転用することが必要である。なぜかというと、経済界では権力の集中が進んでいて、過剰な（所有の）自由が、他のすべての人たちの自由に激しくダメージを与えるからだ。権力分立のために、私はいわゆる「ネガティブ（または抑制する）フィードバック」を提案したい。

ネガティブ・フィードバックはシステム理論の概念であり、1つのシステムのなかのある傾向（例えば温まる）が、相反する傾向（冷える）によって相殺されることだ。そうでない場合は、そのシステムはオーバーヒートし、爆発するか、崩壊する。ネガティブ・フィードバックがあることによって、生きている複合的なシステムが安定する。反対に「ポジティブ・フィードバック」とは、2つの傾向が相乗的に強化されることだ。例えば、北極の氷床が解けることで、黒い地表が現れ、それによってさらに地球の温暖化が促進される。気候変動は加速する。

資本主義はポジティブ・フィードバックのシステムである。富を獲得するにつれ、大きくなるにつれ、個人にとっても企業にとっても、よりお金持ちに、より大きくなることが容易になる。最初の100万ユーロに到達することは難しいが、そこから次の100万ユーロを得ることは、かなり簡単になる。1億100万ユーロになると、そのためにどれだけ成し遂げたか、もうわからない、という場合がよくある。10億ユーロを集め持っている人は、それよりお金持ちにならないために、過去10年間の平均的な利息に基づくと、毎日、22万ユーロを費やさなければならない[113]。ネガティブ・フィードバックでは逆に、最初の100万ユーロは容易く獲得できて、だから大多数の人々にとってそれが到達可能になる。そして、それ以上、富を増やし、または大きくなることは、より難しくなり、あるところまでいくと、それらが不可能になる。次にあげるネガティブ・フィードバックが抑制機能を発揮する。

——所得格差の相対的制限
——私有資産の先占権の制限
——私的所有になっている企業資産の大きさの制限
——相続権の制限

所得格差の相対的制限

私が講演会で、とても多様な人々からなる聴衆に、人が1時間で達成できる業績にどれくらいの違いがあるか、と質問すると、大半の人が、2倍、3倍、5倍、ときには10倍と回答する。でも誰かが20倍というと通常、みんな、そんな差はない、と首を横に振る。次に、1人の人間が、同じ労働時間で、他の人間と比べて、最大でどれだけ多く報酬を得て良いか、という質問をすると、参加者からは、3倍、5倍、7倍、10倍、20倍という提案がされることが多い。少数であるが、100倍や1000倍を要求する人、反対に2倍、1倍（時間当たり同じ苦労に対して同じ報酬）を求める人もいる。

今日の世界では、アメリカ合衆国のトップマネージャーは、法的な最低賃金の35万倍のお金、年収50億ドルを稼いでいる。ドイツでは、ポルシェの社長ヴェンデリン・ヴィーデキングが2007／08年に、トップマネージャーとして年収1億ユーロを稼いでいる。最低賃金（月1000ユーロ）の8000倍に相当する[114]。

このテーマに関しては、たくさんの研究があるが、そこから、次のことが読み取れる。そのような極端な格差は、

- 業績も責任感も促進しない。
- お金持ちを幸せにせず、逆に貪欲にする。
- 貧乏人に（あらゆる意味において）劣等感を抱かせる。
- 不快感、ストレス、病気、死亡数を促進する。

そしてこれらは、不信感、攻撃性、犯罪の増加を生む[115]。

格差は、あるレベル以上になると、社会にとって有用でなくなり、逆に損害をもたらす。外気温が13℃から26℃へと2倍に上昇するのは快適であるが、そこからさらに39℃に上昇するのは不快である。1℃上がるごとに不快感は増す。温かくなることは、それ自体が目的ではない。それぞれの最適な状態（健康、生活の質の最適ポイント）に達するところまでは快適である。

経済的な格差に関しては、「ナチュラル」な最適ポイントというのはないが、人間は直感的な公平性のフィーリングを持っている。最低賃金の35万倍の報酬や、同じ労働時間で８０００倍の稼ぎが、人々の直感的な感情を傷つけることは明白である。ファイナンシャル・タイムズとハリス世論研究所のアンケート調査によると、スペインでは76％、アメリカ合衆国では78％、中国では80％、ドイツでは87％の被験者が、格差が大きくなりすぎている、と回答している[116]。この結果は、すべての大きな政党の支持者で共通している。他の調査では、81％のＣＤＵ（キリスト教民主同盟）の政党会員が、マネージャーの給料が高すぎると感じている[117]。

公共善エコノミーの提案はこうだ。民主的な経済コンベントが、所得の格差に関する複数の可能な制限値の規定を作成する。例えば、5倍、7倍、10倍、12倍、20倍、30倍、50倍、１００倍、１０００倍など。国民は「システミック（全身的・系統的）なコンセンサス形成」の手法により、制限値を票決する[118]。野心的な人間が、よりたくさん稼ぎたいと要求し、それが認められることもあり得る。ただし、最低賃金も一緒に上昇しなければならない。貧乏人もお金持ちも、運命的に鎖でつながれている。重要な付加事項がある。それは、最低賃金が人間として尊厳ある生活を保障しなければならない、ということだ。それは「良い生活の籠」を基準に考えることができる。大まかな指標は、月収が手取り１２５０ユーロである。

公共善エコノミーにおいては、資本所得がほとんど無いか、まったく無いので、労働所得と資本所得の足し算の問題はない。家賃所得と贈与が個人所得に加算され、これは最低賃金の10倍に制限される。企業は理論的には、従業員により高い給料を支払うことができるが、民主的に確定された最低賃金を基準にした最高倍率を上回る部分の税率は１００％になる。税務署に対して所得や財産隠しをすることは不可能になる。なぜかというと、（公共善に沿った）銀行が、全収入を自動的に税務署に報告するからだ。国際的な資本取引は、民主的中央銀行の制御下に置かれる。そうなると、脱税は、何億ものお金を現金で手渡し受領し、それを枕のなかに詰めるしか方法はなくなる。枕はそのうち部屋半分くらいの大きさになって…。

私有財産の制限

あなたは10億ドルを費やすということを想像したことがありますか？　この怪物のような課題に対処するのに、たくさんのスタッフが必要になるでしょう。あなたは、あなたの人生の多くの時間を、あなたの財産を「管理」するために費やさなければならないでしょう。あなたは、あなたの財産の従業員になる。たくさん所有しすぎている者は、それに取り憑かれる。

幸福度調査では、物質的豊かさが、比較的低いレベルまでしか生活の満足度を上昇させない、という結果が出ている。しかしこれは大した問題ではない（リベラルな社会では、自業自得の非幸福感を奪い取る権利は誰にもないので）。主要な問題は、何十億ものお金を蓄積する個人が、巨大な権力を持ち、社会に大きな影響力を及ぼす巨大なレバーを手に握っていることだ（そしてそれは、他者の幸福に損害を与えることにもなる）。億万長者がどれだけ影響力を行使できるかは、ドナルド・トランプ（アメリカ合衆国の大統領職を買収して自分のものにする）、シルビオ・ベルルスコーニ（メディア寡占）、ジョージ・W・ブッシュ（原油帝国）、ジャイル・ボルサナロ（ブラジル大統領）またはフランク・シュトロナッハ（オーストリアの政党を買収）の事例から知ることができる。

個々人に所有の自由を無制限に保証すると、大多数の自由が被害を受けるか、もしくは失われる。なぜかというと、極端な格差社会では、不信感、不安、暴力、犯罪、汚職が増加するからだ。公衆衛生学者のケイト・ピケットとリチャード・ウィルキンソンは、このテーマに関するたくさんの研究を集めている。彼らが行き着いた1つの結論はこうである。「アメリカ合衆国が自国にある所得格差を、先進工業国のなかでもっとも格差の少ないと断言できる日本、ノルウェー、スウェーデン、フィンランドのレベルまで縮めることができれば、他人を信頼できるというアメリカ人の割合は現状から75％も上昇するだろう。精神的な障害または肥満という問題を抱える人間は、それぞれ3分の2も減少するだろう。未成年の妊娠は半分に減るだろう。受刑者の数は40％減るだろう。人々は長く生き、労働時間は年に2カ月間、短くなるだろう」[119]。

だからこそ、公共善エコノミーでは私的所有の最大限度について議論されなければならない。例えば、1000万、2000万、3000万ユーロなど（コンベントで取り決める）。1000万ユーロは、その所有者がそれで贅沢ができる結構な資産であるが、政府を買収する、社会を自分の意図に沿って形作るには不十分である。所有権はそれによって、よりリベラルになるだろう。

大企業の民主化

誰かが私的所有の権限を批判すると、批判した者はすぐさま、私的所有を撤廃してしまいたいのか、と非難を受ける。現代社会に根深く定着した、もしくは徹底的に訓練された条件反射的なリアクションだ。しかしこれは、仕事の休憩をしている人物に、仕事を手放したいのか、と非難を浴びせる、もしくは速度制限を訴えるモビリティ研究者を、人々が移動するということ自体に反対しているのか、と非難することと同じである。

家具職人、手工業者、飲食店経営者、ソフトウェア・プログラマー、建築家、もしくは花屋は、私的所有物を持っているが、誰の自由も損傷しない。なぜかというと、彼らはそれをやるための政治的な力を持っていないからだ。であるから、中小企業は、今後もすべて、もしくはほとんどが、私的所有であって良い（その公共善を促進する行動、共同の所有形態、そしてまたは「コモン化」で報われていても）。中小企業は全企業の大多数を占める。オーストリアでは99・6％の企業が従業員５００人以下である。

大企業は中小企業とは大きく異なる。グローバル大企業は多くの国の政府よりも大きな権力を有している。彼らの決断は何十万人もの人間に影響を与える。またメディア、政党、学術会、司法に過度な影響力を持っている。わずかな個人がこの巨船の進路を決めることができて、一方でその進路決定に影響を受ける企業の内部と外部にいるすべての人々は、共同決定権は持っていない。極めて非民主的である。

この状態というのは、西側の文化、デモクラシーの基本原則とまったく調和しない。であるから大企業は、大きくなるにつれ、民主化されなければならない。社会の共同決定が拡張されなければならない。例えば次のように。

——従業員２５０人以上の企業では、従業員と社会が25％の決議権を持つ。
——従業員５００人以上の企業では、従業員と社会が50％の決議権を持つ。
——従業員１０００人以上の企業では、従業員と社会が３分の２の決議権を持つ。
——従業員５０００人以上の企業では、所有者、従業員、顧客、ジェンダー代弁者※、環境弁護士に、それぞれ5分の1の決議権が分配される。

大企業の監査役会における従業員の共同決議権の義務付けは、ドイツでは1976年からある。この制度が今後、多角化、拡張されると良い。大きな課題は社会の決議権である。これは実はすでに存在しているのであるが。ニーダーザクセン州は、フォルクスワーゲン社に対して20％のブロッキング・マイノリティ（阻止少数）の決議権を持っている。しかし、州（国）の所有物が政府によって管理されるという形態は、当然のこととして多くの人々に不快感をもたらす。政府の性格に応じて、企業がある方向に行ったり、または別の方向に行ったり、最悪の場合、悪利用されたりするからだ。

より良い形態は、政府から独立した社会の組織が企業の共同舵取りをすることだ。考えられるのは、主権者の代表によって運営される地域経済会議だ。この会議のメンバーが、地域のすべての大企業の監査役会で議決権を所有する。「主権者の代表である監査役員」は、企業経営、倫理、エコロジー、ジェンダー・スタディと幅広い分野の高い資質を備えていなければならない。すべての主権者の福祉のために自分の議決権をどのように行使しているか、定期的に報告書を提出する義務も負う。これによって、経済政治的な公共が創出される。株式相場の発展ではなく、主権者の需要充足と、そのための投資の舵取りに従事する、公共の監査役である。

企業の規模が大きくなるにつれ、公共（社会）と従業員の決議権も増大するのであれば、損失があった場合にそれを共同負担することが公平だろう。自由と責任は相並んで結び合わさっているべきだ。2008年の銀行・経済危機のときは、私的所有者が決定をし、公共が損失を負担した。これも、その反対の場合も、公正ではない。だから、公共の手も、適切な大きさで、金銭上の責任を負わなければならない。公共がそれをやりたくなければ、企業を再び小さくし「完全私有化」すれば良い。この自由は、私的所有者にも与えられる。企業を相応に小さく維持していれば良いわけだ。オーストリアでは、50

0人以上の従業員を有している企業は1000社に1社である。ここで提案した制限値においては、1000社のうちの999社は、決定権限と所有権で私的割合が大半という構造が維持される。

従業員の経営参加

公共善エコノミーの長期的な目標は、できる限りたくさんの人が会社の共同所有者になり、共同の責任で会社を舵取りし、損失のリスクも一緒に負担することだ。デモクラシーとは、みんなが共同決議権を持っているだけでなく、みんなが共同責任を持ち、共同でリスクを負うことだ。であるから、小さな会社でも、従業員が義務でなく自由意志で会社の所有に参加し、責任とリスクを負うことは、報いられるべきだ。

従業員の誰もがそれをやりたいわけではないし、やる義務もない、という意見をいう人がよくいる。しかし他方で、所有に参加して、経済的な責任を共同で負いたいという意志を持った従業員がまったくいない、と主張する人はいない。そのような意志を持った従業員に何が提供できるか。例えば、年々、会社所有の1から数%が「従業員ファンド」に書き換えられることで、それを通して意思のある従業員が、等価の所有者として共同決議をすることができる。これを行う企業には、公共善決算でプラスのポイントが授与される。

会社利益の分配

今日の法律では、企業の所有者は、従業員が稼いだすべての利益を自分のものとして横領することができる。この権利は、所有の自由とともに、企業家による資本の初期投資とそれに付随する資本損失のリスクに根拠がある。さらに法的な責任と損害賠償債務も加わる。企業家が従業員よりも多く働くこともよくあるが、少ない場合もある。

ただし反論の余地がないことがある。それは、企業の規模が大きくなるにつれ、創業者以外の人間の、利益への貢献度が高くなることだ。であるから、利益がいつでも創業者だけに流れるべきではない。企業の規模が大きくなるにつれ、創業者以外の人間の成功への貢献度が増えて、同じ量だけ創業者の貢献度が縮んでいくことを反映すると、例えば次のような利益獲得のモデルが考えられる。

- 従業員が10人以上から、創業者に配当される利益の割合が年々１％減少する。
- 従業員が20人以上になると年々２％減少する。
- 従業員が30人以上になると年々３％減少する。
- 従業員が40人以上になると年々４％減少する。
- 従業員が50人以上になると年々５％減少する。

理論的な計算上、従業員１００人の企業の創業者は20年後に利益の配当を受けられなくなる。ただしここで大切なことは、これは決算上の利益の配当であり、企業家の所得ではない、ということだ。これまでと変わりなく、創業者は報酬や給料を自分の会社から受けることができる。その額は、例えば法的な最低賃金の10倍だ。ここで考案している構想は、ほとんどの中小企業においては、何ら影響はない。これは大企業を過剰な利益すくい取りから保護するためのものだ。企業が自ら構築したものではないが所有している相続財産もある。企業家は会社からの報酬だけでなく、その相続遺産からも利益の分け前をもらうことができる。そういう背景から、多くの家族企業は今日、信条として、所有者への利益の配当をまったく行っていない。そのような家族企業は、ここで提案したことの最高レベルのことを、すでに自発的に実践している。なぜかというと、(a)利益は企業に留まるべき、という価値観を体現しているからだ。(b)すべての労働者は、その労働に対してのみ賃金を得るべきで、会社の創業者も同じである、という価値観を体現しているからだ。

他方で、多くの人間が、老後の備えとして企業を創設している。これを踏まえて、「資本所得はない」というルールの例外を考えてもいい。例えば、企業の創業者は、引退して年金生活に入ってから、創業から引退までと同じ年数、制限された額の年金を、自分の会社から取得することができる、というルールだ。25年間、会社を構築した創業者は、引退後25年間、「創業者年金」を享受することができる。この年金は、国の年金（人間として尊厳ある老後を送るのに十分なお金）や、企業を構築してきた期間に節約して貯めたお金に追加されるものだ。創業者年金は、どれだけのお金を企業構築期間中に取り出したかによって決められるべきだ。これは核になる大切なことだ。企業構築の期間中、切り詰めて倹約した創業者ほど、高い創業者年金をもらえる。創業当初から、自分の報酬に対して寛大で、大きな貯蓄を形成することができた創業者は、それで十分な老後の蓄えがあるので、創業者年金は少なくて良い。

相続権の制限、世代ファンドと民主的持参金

「相続税は個々人の手に大きな資産が集積することを防ぐ目的に寄与する」

バイエルン州憲法123条

無制限の相続権は、構築され、集中した資産を、分散し、分解させるという資本主義の唯一の「自然」なネガティブ・フィードバックを、無効にしてしまう。これはおそらく、機会均等で平和で民主的な社会へ向かう途上にある、もっとも大きな単独障害物だろう。

無制限の相続権があると、私たちのうち幾人かが数十億ユーロのスタート資金で仕事を始め、他の多

くの人間はゼロ（状況によって心理的なトラウマと自尊心の欠損を持って）から始める。2017年までドイツでは、おおよそ、たった3分の1の成人が贈与と遺産を享受できた[120]。大多数は相続権から事実上、排除されている。所有の高度集中は権力ファクターであるので、経済的な不公正さは政治にも影響する。Hartz-IV（ドイツの失業手当）世帯の子孫とアルディ（大手スーパー）、ポルシェまたはBMWのマネージャーの息子や娘の政治的関与の可能性を比較してみると良い。誰が人生でより「前進」できるか？　エリート研究が示すのは、明日のマネージャーは、通例では今日のマネージャーの息子や娘であり、もっとも才能があって知的な人間ではない、ということだ。規模でトップ100に入るドイツ企業の80％のマネージャーは、上流階級3％の出身である。2003年は、DAX（ドイツ株価指数）30企業の社長のうち、労働者の家系出身者はたった1人である。エリート研究者のミヒャエル・ハルトマン（社会学者）は「マネージャーに生まれる」といっている[121]。封建時代のように。

みんなが同じ条件でスタートできたほうが、より公平で業績を促進するのではないだろうか？　相続権に関しては、冷静に考察すると2つの極端な立場がある。

- 封建的な立場。出生だけが、誰が何をどれだけ相続できるか、誰ができないかを決める。才能や業績、機会均等は何も意味しない。これは今日の、ドイツとオーストリアにおける無制限の相続権である。
- リベラルな立場。みんな同じ条件でスタートする。業績だけが、誰がより大きな財産を獲得し、誰がしないかを決める。この立場は、相続権の完全な廃止、もしくは相続物をみんなに平等に分配することを前提にする。

公共善エコノミーは極端なことを避ける。封建的な原則が無制限に保持されることも、相続権が全部撤廃されることもない。解決策は中庸にある。相続権は、民主的に定められたレベルまで維持される。

それ以上の相続財産は公的な「世代ファンド」に移譲され、そこから、次世代の子孫に均等に「民主的持参金」として分配される（スイスの農業経済学者・評論家ジル・ドゥコムン[122]のアイデア）。相続権の制限値は、金銭と不動産資産が1人当たり50万から75万ユーロになる（コンベンションの模範値）。

相続財産は、ドイツでは毎年、2000億から4000億ユーロずつ増えている[123]。財産総額11兆ユーロのおよそ50分の1である[124]。この増産額が仕事を開始する人々みんなに平等に分配されたら、1人当たり20万ユーロになる。スタート資金としては悪くない。

ただし、1人当たり50万または75万ユーロまでの相続財産が切り刻まれず、「民主化」されないのであれば、スタート資金はそこまで多くない。実際の「民主的持参金」は分配によって決められる。財産が集中していればいるほど、数少ない大きな財産は「分散」され、分配される。例えばある人が1500ユーロを相続すると、平均的な「民主的持参金」との差額を「マイナス相続税」として受け取る（最低賃金に達するために賃金手当を貰うのと同じである）。毎年、国民経済的な財産が上昇すると、平均的な「民主的持参金」も上昇する。無制限の相続権が保持される場合は逆に、スタート条件と権力関係は、年々、不平等になっていく。やがて10兆ユーロ以上の相続（イーロン・マスク、ジェフ・ベゾス、またはビル・ゲイツの子孫）か、何ももらえないかのどちらか、という状況になるかもしれない。そうなったら大多数にとっての自由は終わる。

相続権の制限のアイデアは新しいものではない。イギリスの経済思想家ジョン・スチュアート・ミルは1848年に『政治的経済の原則』で「大きな財産が、自分の力で稼いだのではない人物に集積するのを制限する可能な形態として、贈与や遺産、相続財産を受け取る額の制限を、私はすでに提案した」と書いている[125]。ウィンストン・チャーチル（元英国首相）は、相続税を「怠慢な金持ちという階級ができるのを防ぐための確かな調整剤」と表現した[126]。この明快な表明はしかし、アングロサクソン文化圏においても、相続税の弱化を防ぐことができなかった。

不動産

およそ半分の私有財産が不動産であるという状況は、私有財産の相続権をある制限値まで保持するということの、唯一の重大な根拠になる。これがなければ、相続権はすべて撤廃することもできる。そして、すべての人々に同等の「民主的持参金」を支給し、少なくともスタート時点での金銭的な機会均等を与えることができる。しかし、不動産でこれをやることはあまり良くない。住んでいるアパートメントや家を手放さなければならなくなるのは、人道的ではないからだ。

50万ユーロまでの相続の自由というルールのもとでは、この問題はほぼ解決できる。オーストリア国立銀行によれば、(a)50％の世帯が不動産を所有していて、(b)全人口の5％が45万ユーロ以上の価値がある家を所有している[127]。よって、制限された相続権のルールのもとでは、わずか5％の国民に次の2つの選択肢が与えられる。1つ目は、50万ユーロ以上の相続する家を、もう1人の相続人（こちらも同様に50万ユーロまでの相続権がある）と分割することだ。例えば不動産価値85万ユーロの家であれば、2人の子供が相続することができる。もう1つは、1人で大きな家を相続したい場合は、50万ユーロを超える部分を「世代ファンド」、すなわち公共に移譲することだ。今日において、よく実践されていることだ。複数の子供に均等な相続権がある不動産を1人が相続する場合、その1人は、他の権利者の相続分を償還しなければならない。もちろん、相続権の制限値は、任意に設定することができる。主権者は自由なので。

企業の継承

企業の相続に関しては、大きな挑戦である。今日、ある国では、巨大な世界企業を含むすべての企業が、相続税なしで子供に相続させることができる。教育、才能、業績、社会的な責任はほとんど意味をなさない。これは極端な例だ。

企業の相続権に対する著名な批判者であるアメリカの大富豪・投資家ウォーレン・バフェットは「今度のオリンピックのすべての出場者が、20年前の勝者の息子や娘たちだけで構成されているとしたら、あなたはそれを良いと思いますか」と挑発している[128]。相続権は残念ながら、そのように機能している。今日、企業家が構築したものが、明日は、前所有者の息子か娘かということだけで「資格」を与えられた人間によって引き継がれる。無制限の相続権は、ほとんどの企業を、そのように導いている。前所有者というのは、企業の創設者でない場合もある。企業を相続したか、買収した人物であることもある。これは、自らの力と勤労により財を構築できる業績社会、すべての人間に均等な参加の可能性と均等な社会的保障が与えられるべき民主的社会のどちらにも、まったく合致しない。

公共善エコノミーは、企業の所有権ができるだけ多くの人間によって保持されることを目標としている。できるだけたくさんの人間が共同責任を取れるように。自由の1形態として。であるから、民主的な企業の構造が促され、協同組合やそれと類似の形態の企業の割合が増えることになる。そうなれば、相続問題はなくなる。協同組合の1人当たりの持株は、通例的に小さいので。

株式会社においても、株は金融資産として評価されるので問題はない。私的に相続される持株で制限値以上の部分は世代ファンドに移譲される。自身の親によって創設された株式会社を相続する場合はしかし、特殊ケースとして扱われなければならない。

家族企業の場合だけ、「面倒」なルールが必要になる。そこでの相続権は、リベラルな立場（機会均等）と（ほとんど封建的な）家族の伝統の狭間で、次のように具体化することができる。家族のメンバーは、１人当たり例えば最大１０００万もしくは２０００万ユーロの価値の企業株を相続できる。それ以上の株は、次のように分配される。

——企業をともに支え、ともに構築した従業員の共同所有へ。これに関しては公共善ポイントがつく。

——企業の運営に責任を負う意思がある選ばれた非家族の人間へ。ここでの分配額は、５０００万もしくは７５００万ユーロに制限され、「民主的持参金」として評価される。

——世代ファンドへ。そこから「民主的持参金」として、この企業で一緒に働き、同時に小さな所有権を持ちたい人へ。

——農的財産は特別なルールが設けられる。これに関しては後述（「自然に関する所有権」）。

家族メンバー５人で経営する家族企業であったとすると、子供１人当たり、例えば１０００万ユーロまで、相続税なしで相続することができる。この妥協制限値であっても、未だに強い感情的な反応がある。よく返される反論はこうだ。自分が構築したものを全部、子供に遺贈することができないのであれば、親には頑張る意味がなくなってしまう。かりにそうだとしたら、人間は自分のためだけに行動する、という通説が否定され、他者、自分の子供のために頑張る、ということになる。子供がいない人間には、何かの業績を残すモチベーションはない、という理屈になる。この反論は、各人が自分の利益とメリットのために努力して、それによって最大のモチベーションと効率が生まれることを期待する、という過去２００年の市場経済のイデオロギーと正反対の論である。

企業家に子供がいない、もしくは子供がいても、企業を継ぐ気がない、というのは別に新しいことではない。企業の後継者のことで、全家族もしくは全親族が分裂することは稀ではない。そのような場合、企業で一緒に働き、責任（場合によっては負債の責任も）を持って引き継ぎたい人物に委譲することもできる。子供がいて、その子供が企業継承に参加しない場合は「民主的持参金」全額をもらう権利がある。企業株を相続したものは、3年以上そこで実際に働かなければならないという条件をつけることで、投機的な「相続後すぐに個人に売却」は阻止することができる。企業はオモチャではない。個人的な責任を持って、自身の労働力と人生のエネルギーで価値創出を行う意思がある人間が舵取りするべきだ。

この提案の目標は何か？　企業所有権の公正な分配、企業の民主化、民主的でリベラルな構造によって資本主義的な状況を解消することだ。これによって、個々の人間の自由は、全体として、制限されるのではなく、向上する。パパやママの大企業を、適正な資格に配慮することなく、子供が1人で継承してはいけない、という1人の「自由の損失」が、遺産相続も手段もなく（彼らの親が何十年もの間、その勤勉な労働によって企業の構築に貢献した場合も）仕事を開始する大多数の人間の自由の獲得を生み出す。

大多数の人間は今日、企業相続者のもとで仕事を見つけることができる。その相続者の多くは、企業の構築に貢献したのではなく、相続権によって企業を所有している。そして彼らは、相続できない人々、だから他人のために働かなければならない人々が、労働で生み出した付加価値を着服している。構造的な奴隷制である。今日、自分の労働を売ることをやらないための唯一のオルタナティブ（代価案）は、自分で良い企業を創設することだ。これは、誰でもできるものではない。やれない理由はいろいろあるが、その理由は自分のせいでないことが多い。また、資本主義においては、新参者が既存の強い雄ジカがいるなかで活躍するのは、簡単ではない。だから多くの人間が他者のために働いて、他者に仕事の付加価値を引き渡すことを強いられている。資本主義はシステム全体として、不自由で搾取的な構造体である。

みんなに起業する機会が与えられているのだから、その機会を行使しようとしない者は、自発的に他者のために働くことになる、という反論もあり得るが、これは現実を反映したものではない。なぜかというと、すべての者が会社を設立するための前提条件を持っていないからだ。人間はそれぞれ、健康状態も、才能も、教育も、財産状況も違っている。これらはすべて「罪のない」差異である。「やろうと思えば、みんなができるのだから」という論は、最後までよく考察すると、まったく論理的でない。実際にみんなが企業経営のリスクを負って自立したらどうなるか（それはよく自由意思だと主張されているが）。「非自営」の人間は誰もいなくなる。誰も労働力や実習生を雇えなくなる。分業労働の市場経済は崩壊する。だから、経済的商品に対する「非自営者」の功績は、自営業者のそれと同様に欠かせないものである。よって、この2つは、同等に評価され、類似に対価が支払われなければならない。

もっと良いのは、組織的に変えることだ。すべての意思がある従業員に、共同決議権と共同所有権を与える。少数に決定権があり、他の大勢がもたらした付加価値を横領することが許される、という構造の変換だ。既存の構造は、決定権を持ち、利益を享受できる少数派が、より多くの功績があり、より高いリスクと責任を負っている、という言い分がある。これは、状況によっては該当することも、ほとんど、もしくはまったく該当しないこともある、という論拠によって正当化されているが、次の代案のほうが、システム全体として、より論理的で、公平である。

――決定は、少なくともすべての従業員と投資家によって共同で行われる。

――収益はすべての従事者／付加価値創造者に分配される。

――可能な限り多くの人間が会社の所有に参加する。ということは同時に、企業経営のリスクと責任も一緒に背負う。

企業により多くのデモクラシーを取り入れる、と提案したとき、条件反射的に返される反論がある。それは「多くの人間は責任を取る気はない」と「みんながみんなそれをやることはできない」である。みんながそれをやる必要はない。誰が企業を統率するべきか、みんなに共同決定する権限を与えるべき、ということだけを提案している。直接民主的な企業運営は、従業員5人くらいの典型的な小企業であれば、問題なくできる。従業員300人の大企業においては、自分の仕事だけしたい、という人間も必ずいるだろう。それは許されることだ。しかし企業で決定を下す人物を一緒に選ぶ権限は、従業員誰もが持つべきだ。そうすれば企業は、資本ではなく人間が統治するものになる。

家族企業の話に戻りたい。経営者の息子や娘だけに会社が継承されるのでなく、民主的な所有者にも継承されるということは、決して息子や娘が（共同）統率者になれないということではない。彼らは、王位継承権や類似の王朝的な継承権を、自動的にもらうことはできない。彼らも、他の候補者と一緒に立候補して、従業員たちから賛同を得ることで、責任ある職にふさわしいと承認されなければならない。すなわち、公共善エコノミーにおいては、経営者の息子や娘は、投資家ウォーレン・バフェットがいうように、その職にとってベストな人間である場合に、親や祖父母によって創設された会社の経営を引き継ぐことができる。もし他者がより適しているという場合はそうはいかない。相続権によって自動的に所有と統治権が認められることはない。これは、本質的には、封建時代から長く滞っている1つのステップである。強力なイデオロギー教化活動と、よく組織された財産保持者のせいで、私たちはこれまで、この1歩をまだ踏み出すことができていない。

ここに提案した措置によって、資本の不公平な分配と、それに付随する世界企業と少数の個人による大きな経済的・政治的権力の所持という、現代社会の中心的な問題の1つが、二重にネガティブフィードバックされる。企業内部の民主化と、企業規模に応じた所有権の累進的な分散という抑制によってだ。

その結果、民主的で自由な経済が生まれるだろう。多くの人間が共同で決定し、共同で創造することができるようになる。たくさんの人間の考えや能力が求められ、個々人の価値が、これまでよりもより高く評価される。肩を叩いて誉められるだけでなく、物質的な所有権と共同決議権によって。

贈与

ここに提案した相続権の制限に関しては、親が生きているときに子供に何百万ユーロもの金銭の贈与をすることで回避することができる、と異議を唱えることもできる。この回避行為は、相続フリー額に並行して、同じ額で贈与フリー額を設定することで、簡単に防ぐことができる。死ぬ前に子供にいくらかの財を与えるかどうかは、親の判断に委ねられる。ただし、贈与は相続財産として勘定される。これができないとなれば、親が子供を自分の会社で雇い、過剰に高い給与を与える、ということも考えられる。この回避行為はしかし、ほぼ起こり得ないと私は見ている。次に挙げる障害物や遮断機によって阻まれるからだ。

――給与は、例えば法的な最低賃金の10倍に制限される。

――最大の私的所有物は、例えば１０００万または２０００万ユーロに制限される。

――親は子供に過剰な高給を与えることを、共同決議権を持った人々に対して押し通す必要があるが、これは企業の民主化が進むほど難しくなり、起こり得なくなる。

――企業の所有株を「自由に使える」給与として使うことは、基本的にできない。これをやるには企業が買収されなければならない。買収も、企業の民主化によって起こりづらくなる。

もちろん私たちは、新しい社会・経済規範の導入に際し、これらの規範の回避行為に対してどのような制裁を行うかも考えなければならない。それは現在の所有権に関する制裁をみれば、わたしたちがそれを行使することができることがわかる。今日、私的所有権の保護を回避しようとする者は、厳しい罰則や司法による訴追、または禁固刑を覚悟しなければならない。従って、公共善エコノミーでは、所有権を守るルールや法律だけでなく、別のものを守ることも重要になる。すべての人々の最低限の関与と分け前が徹底して保護されなければならない。今日、少数の無制限の私的所有物が保護されていることと同様な徹底さで。

民主的アルメンデ（共有財産）

大多数の中小企業とわずかな大企業における様々な私的所有形態とともに、公共善エコノミーでは、社会的市場経済の場合と同様に、３つ目の所有カテゴリーがある。公的な共同所有だ。ただし、通例的な形態ではない。

戦後は、道路、鉄道、電力系統、水道やガス供給インフラ、学校、大学、病院、郵便局、電話線などが国によって建設され、運営されてきた。「生存配慮※（Daseinsvorsorge）」もしくは「公共サービス」として。しかし１９８０年代になってから、この公共セクターが再びリベラル化、民営化され始めた。このプロセスは１９９０年代と２０００年代にピークを迎え、民営化による苦い経験や抗議運動などから、その後、再公有化の動きが生じている[129]。私は、私たちが知っている従来の公営サービス事業体に戻すのではなく、生活にとって本質的な経済部門を、国民が直接的に監視、制御するということを提案する。

私は、このアイデア、「モダンなアルメンデ（入会地・共有地）」という概念を、議題にあげた[130]。英語

生存配慮　現代の大衆的な生活様式を余儀なくされた人々にとって生活に必需的とされる諸給付の提供

圏では「コモンズ」とも呼ばれるが、アルメンデは「コモン」と同様に、伝統的に、みんなに属する共有財産である。中世時代は、すべての村人が共同で使うことができた森や牧草地だった。そこから着想を得ると、「モダン」もしくは「民主的」なアルメンデは、鉄道、郵便局、大学、シュタットベルケ（公社）、幼稚園、または銀行である。主権を持った所有者（市民）は、これらの事業体に対して、その営業の舵取り役を務めることによって、責任を遂行する。

世界各地にある成功事例を研究すれば、このモデルは上手くいくということができる。カリフォルニア州の州都サクラメントでは、エネルギー供給会社ＳＭＵＤが１５０万人もの市民に電力を供給している。この会社の指揮を執る幹部役員は、直接民主的に選出される。彼らはだから、市民が考える優先項目に沿った経営をしなければならない。それは素晴らしく上手くいっている。ＳＭＵＤは、市民が優先する環境保護と高品質のサービスにおいて、アメリカ合衆国のなかで恒常的にトップにいて、カリフォルニア州の法的な最低基準の遥かに上をいっている。重要な案件は、所有者（市民）が直接、決議することができる。この企業内部の直接デモクラシーは、これまでに1度、適用された。１９８９年にＳＭＵＤは市民に、唯一稼働していた原子力発電所を継続するか、もしくはオルタナティブ（代価的）なエネルギーの方向にハンドルを切るべきか、意見を求めた。電力受給者の大多数は、原子力発電所を廃止し、グリーンエネルギーを強力に推進することに賛成の意を表した。主権者によるこの決議の素晴らしい成果は、今日、見てとれる。

環境に関する類似の成功は、スイス国民も、直接デモクラシーによって手に入れている。スイス政府は１９８０年代に、国営鉄道の経営から手を引いて、高速道路の方を優先する意向を示した。ドイツと同じように。しかしスイスでは、主権者たちが異議を申し入れた。道路建設のために準備されていた数十億スイスフランは、国民の大きな圧力によって実施された国民投票によって、鉄道建設の方に回された。これがあったからスイスは今日、世界で最良の、もっとも人気がある鉄道網を有している。

3つ目の事例はブラジルの100万都市ポルト・アレグレだ。ここでは、自治体の予算が市民参画のもとで作成された（「参加型予算」）。そして都市の飲料水供給事業が「公民連携」で組織された。このオルタナティブ（代価的）なPPP（パブリック・プライベート・パートナーシップ）では、自治体行政と市民が共同作業している。結果は、カリフォルニアと同様にセンセーショナルなものとなった。99％の市民が飲料水供給網に接続された。下水道接続は70％に達した。なぜかというと、ゴルフ場に水を撒いたり、プールを水で満たしたりして大量に水を消費するお金持ちが、強度に累進的な高い料金を払う仕組みがあるからだ。この市民企業は、その収入によって貧しい人々に安価に飲み水が供給できるだけでなく、まったく税金を使わずに経営することができている[131]。

民主的アルメンデの組織に関しては、直接選挙で選出された行政（公）の代表と、従業員の代表、利用者の代表、ジェンダー代弁者、未来弁護士から理事会を構成することができる。政府や市長が監査する「古典的な国営企業」は、公共善エコノミーには必要なくなる。生存配慮コンベントが、公的な公共善セクターに属する経済領域を定義し、その組織の運営ルールを決めることができる。

自然の所有

人間が自然を創造したのではない。森も動物も植物も。人間はそれを利用することができる。しかし、配慮しないと、自らの生存基盤や自分自身をも破壊することになる。私たちは、エコロジカルに感情移入して表現すると、ある限定された条件のもとでのみ、地球上で許容される客である。この自然に対して持つべきリスペクト（尊重）から導かれる結論は、いかなる人間も自然を所有してはいけない、生物の精神的な所有権も土地の所有権も持ってはいけない、ということだ[132]。

ただし、土地が具体的な利用目的のために必要で、そこで生産活動をする者は、限定された土地を無料で利用して良い。所有に関するこのスタンスは、1ピースの地球を「占有」することになれた農家においてはとりわけ、自分の有益な仕事を自ら過小評価してしまう可能性もあるかもしれない。しかし占有はそのままである。所有だけが自然に戻される。農家の仕事と栽培には変更は生じない。いや、土地税がなくなるので、かえって安くなる。これは、彼らの価値ある仕事に対する、共同体による最高の評価である。その代わり、1人に利用土地として割り当てられる面積は限定される。具体的に次のように分けることができる。

――自治体が利用面積の分配のルールを決める。

――誰もが、例えば最高1万㎡まで、居住フロアを有する権利を持っている。この利用フロアは、一定の1㎡当たりの料金を支払って取得することができる。このフロアは、一定の領域内で別のフロアと交換することができる。ただし、利用目的は居住に限定される。

――農業事業体はある限定された大きさの土地面積まで、保全的に農耕するという前提条件で、無料で手に入れることができる。ここでも、公共善決算が影響力を及ぼすことができる。例えば、決算の数字によって無料で占有利用できる土地の大きさが決められるなど。公共善決算のさらなる制御作用だ。

――他の分野の企業は、個人と同様に、事務所や製造工場のために必要な土地を、利用料金を支払って取得することができる。その代わり、土地税がなくなる。

この措置の効果は、自然への価値評価が促進されることだ。国際的には、自然を、人間の所有物から保護義務がある法的主体へと解放する傾向が強まっている。国際連合においては、「地球憲章※」という

地球憲章　国連が2000年に定めた、持続可能な未来のための価値や原則の明文。人々の行動規範。

プロジェクトが成長した。エクアドルは世界で最初の国として、２００８年に改正された憲法で、自然に「パチャママ（母なる大地）」として、独自の権利を付与した[133]。自分の権利を持っているモノが他者の所有物になることはできない。ヨーロッパでも、「自然の権利」というEUガイドラインのイニシアチブがスタートした[134]。人が自然を所有することがなくなれば、次のような効果が生まれる。

――不動産所有の極度に不公平な分配が少なくなる。今日、オーストリアでは人口の10％が、全不動産の3分の2を所有している。オーストリア国民の半数は、まったく不動産を所有していない。

――農家の相続が簡単になる。土地の所有権がなくなり、土地の分配が耕作と結び付けられるからだ。土地所有を、共同相続者に償還する必要はなくなる。固定資産税もなくなる。

――不動産投機やランドグラッビング（土地収奪）というリベラルな資本主義における当然の現象は、過去の歴史になる。

この考えも、ジョン・スチュワート・ミルの言葉のなかに見られる。「所有の原則は、労働の生産物でないものには適用され得ない。それは地球にある原材料だ」[135]。聖書には、原住民の世界観と同じような精神で、こう書かれている。「土地は撤回できない形で売られることはありません。土地は私のものです。あなたたちは、私のもとでは異邦人で賃借人です」[136]。

自由と平等

新自由主義では、所有の自由がもっとも大切な自由の1つとして見られていて、絶対化されている。だから「所有は神聖なもの」という言葉をよく耳にする。しかし神聖なのは生である。所有であってはならない。

表：多元的な所有形態

公的所有	私的所有	共同所有	社会所有	利用権（非所有）
学校、役所、中央銀行、貨幣	自転車、自宅、企業	牧草地、漁場、種子、ソフトウェア	大きな製造企業	水、土壌、種子、DNA、種の多様性
インフラストラクチャー	消費財、企業	アルメンデ／コモンズ（共有財産）	消費財の生産	自然
戦略的財産とサービスのみ	大きな制限、公共善決算	明確な規則と制裁措置	社会システム上重要	エコロジカルな人権

すべての人間が同等の権利、同等の機会、同等の自由を持つことは、自由よりも高い価値である。なぜかというと、１人の人間の大きすぎる自由は、他の人間の自由を傷つけるからだ。私が車でスピードを出しすぎたり（運動の自由）、他者を侮辱したり（言論の自由）、傷を負わせたり（乱暴の自由）、強姦したり（欲動の自由）、もしくは何百万ヘクタールの土地を買うと、他者の自由を制限する。生存の危機に晒すこともある。平等はだから、絶対的な原則であり、自由は相対的な原則である。自由制限の原則はあるが、平等制限の原則はない。

所有においては、すべての人間が制限された（良い生活をするために必要な）所有に対する同等の権利を得るべきだ、ということがいえる。いかなる人間も、無制限の所有の権利を持ってはならない。遅くとも、不平等な分配が極限に達したとき、最後の人物も、この考え方に同調するだろう。１人の人間が全世界を所有し、他の人間には一切何も残らないという状況になったときに。自由は重要である。しかしもっと重要なのは、みんなが自由に対して同等の権利を持つことだ。だから、所有権は相対的に制限されなければならない。

所有形態の多元性

資本主義と社会主義という２つの大きな物語が、私有（私的所有）

か国有（公的所有）のいずれか1つに賭けたのに対し、公共善エコノミーは多様性のアプローチをし、同時にすべての所有形態に制限と条件をつける。公的所有、私的所有、共同体所有（コモンズなど）、並びに非所有（自然）は、利用権においても、保護権においても、合法的に保護されなければならない。

同時に公共善エコノミーは、すべての所有形態に制限と条件をかけることで、それぞれの居場所を割り当てる。例えば、私的所有に関しては、（大きな）制限が企図され、私企業には公共善決算が義務付けられる。国有も同様に、戦略的財産、インフラストラクチャーと生存配慮だけに制限され留まるべきである。生産的なエコシステムと再生可能な資源は、労わりながら大切に利用され、危機に瀕しているエコシステムや生物種は保護されて、人間の利用から除外されなければならない。自然と次世代にも、効果的な保護法が与えられなければならない。例えば、「エコロジカルな人権」として（後述する）。

第5章　モチベーションと意義

「経済はそれ自体が目的ではない。良い人生を送るための手段だ」

ペーター・ウルリッヒ※[137]

モチベーション

公共善エコノミーのことを最初に聞いた多くの人が抱く保留事項がある。それは、企業が無制限の金銭的利益を追求できず、個人が自分の得を優先して努力できないのであれば、経済は麻痺するのではないか？　競争が「廃止」されてしまったら、どうやって業績を伸ばすためのモチベーションを得て、イノベーションが生じるのか？　私たちの豊かさはどうやって創出できるのか？　といった疑問だ。

これらの懸念は、資本主義的＝社会ダーヴィニズム的な人間観に起因している。人間は、エゴイズムと競争によってモチベーションを得る、という人間観だ。競争に脅されなければ、人間は仕事で半分の力しか出さない、もしくは横になって怠けてしまう。他者に照らして自分をはかり比べることができなければ、自分の社会的地位を失う不安、もしくは認められたい、優越感に浸りたい、といった衝動に駆られなければ、人生で何をやったら良いかわからなくなる。内在的なモチベーション、子供的な好奇心、インスピレーション、もしくは自然発生的な創造性は、この人間観にはほとんど、もしくはまったくない。実際にこの人間観のように思考し、相応に行動する人々（人生のなかで、別のやり方を学ばなかっ

ペーター・ウルリッヒ　スイスの経済学者。統合的経済倫理の創設者

たか、もしくは教えてもらえなかったから）を、私たちはたくさん知っている。その人間観から来る、学術的には根拠のない前述の懸念について深入りする前に、まず実用的なことを述べたい。

1．公共善エコノミーのなかで、企業に参加したり、企業を設立したりする人々の単純な動機は、人間が相変わらず金銭的な収入を必要とするからであり、所得を得なければならないという重圧は取り除かない。「民主的持参金」と労働時間の減少に追加して、4年間の自由年（ベーシックインカムが得られる）があるが。これら社会連帯的所得は、尊厳ある生活をして生き延びるためには十分であるが、「良い生活」を送るためには不十分である。良い生活をしたい人は、そのために何かしなければならない。その枠組みは、今日とは異なる。仕事を見つけ、引き受けるのは、今日よりも容易くできるだろう。なぜかというと、公共善エコノミーでは人々は、(a)共同で創造し、決議することができる。「企業家」と「労働者」の役割がぼやけてくる。そして、(b)企業同士は、競合関係のもとで、他の企業より高い利益を生み出さなければならない、その競争のために雇用を削減しなければならない、ということがなくなる。市場構造的な理由で失業者が出る場合には、補足的に雇用を創出した企業は、公共善決算で高く報われる、というふうに調整機能が働く。

2．私企業での給与・賃金は、法的な最低賃金の決められた倍数まで許される。そのレベルは、主権者が決定する。これによって、お金を稼ぐことが大切な人間は、これまでと同様に、高給の仕事に就いたり、会社を起こしたりすることができる。最低賃金は、人間として尊厳ある生活をするために十分な額として算定される。例えば中央ヨーロッパでは1人1月当たり1250ユーロ（税抜）である。相よりお金を欲する人間は、例えば、最低賃金の10から20倍稼いで、良い生活を送ることができる。

続権が制限され、所有がもはや報いられず、労働だけが報いられるのであれば、実際の業績に応じた所得になることが確保される。より高い所得を得るためには、実際により高い業績を上げなければならない。所有だけでは十分でない。

3. 幸福研究は、高所得はあるレベル以上からは、人々をより幸せにはせず、所得を上げることが有意義なモチベーションではない、ということをいっている。複数の国際的な研究によると、そのレベルの敷居は年所得2万USドルという低いものからある。これは、法的な最低賃金である月1250ユーロの2倍にも満たない数字だ[138]。私が知っている研究のなかで、示されているもっとも高い敷居は年収29万USドルで、これは提案されている最低賃金の20倍である[139]。その敷居以上のレベルで所得が上昇しても、人生の幸福感を高める効果は学術的に確認されていない（所得の上昇は業績の向上とも関係ない：トヨタ自動車の社長である豊田章男は2015年、140万ユーロの年報酬をもらっている。これは日本の大企業CEOの平均を明らかに上回る数字である[140]。彼が1400万ユーロ、または1億4000万ユーロ稼いでいれば、生産される車はより良いものになる、と主張できる人はいるだろうか？）。

4. 幸福研究だけでなく、社会心理学的研究や脳神経学的研究においても、人間は、お金という外因的なものよりも、他の要因によって、より内因的にモチベーションを得ている、という結論が導かれている。他の要因とは、自律、アイデンティティ、能力、貢献、共同体、関係などである。この内因的なモチベーションの要因を、ここで順番に見ていこう。

——自律。人間は自由への憧れを持っている。自身の感情、欲求、考えを自由に知覚し、表現してよい、という自由の意味において。人間は誰しも、この人間であることの根本を制限されたくない。「お金」は誰にとっても人間固有のものではない。なぜかというと、お金は個人の感情でも、基本的欲求でも、創造的な考えでもないからだ。

——アイデンティティ。すべての人間は比類なき存在で、人生の1つの意義は、その比類なきものを見つけ出し、それを開花させることである。他人より優れている、ということではなく、他人と違う、ということだ。同じなかでより優れていることではなく、比較できないもののなかで個性的であることだ。

——能力。自分のなかに潜む能力を認識し、促進、発展させることは、基本的欲求である。私たちは、それが満たされるような環境であるべきだ。それは、競争でも協力の構造でも同様に良い。

——貢献。人間は誰しも、全体に貢献できるものを持っているし、それを行いたいという思いも持っている。みんなの貢献によって、豊かな共同体が生まれる。

——共同体。人間は社会的な動物である。人間は、他の人間から孤立して1人だけ生き残るよりは、死ぬことを選ぶ[141]。私たちの脳は、複合的な協力に向けてプログラミングされている。共同体は、安心、安全、尊敬、是認、傾聴といった人間の基本的欲求を満たしてくれる。

——関係。「良い関係を築くことは、すべての人間の努力の背後に隠れている無意識の目標である」とドイツの著名な脳神経学者・心理学者ヨアヒム・バウアーは書いている[142]。これは、現代の脳神経学研究の結果である。私はこの学術的知見を、講演会のたびに聴衆に「あなたのこれまでの人生のなかでもっとも幸福だった状況を思い起こしてください」と質問を投げかけることで確認している。すると聴衆は常に、結びつきの瞬間を挙げる。次の4つのレベルでの上手くいった関係の体験だ。

1．自分自身と築いた良い関係。
2．他の人間と築いた良い関係。
3．自然と築いた良い関係。
4．全体と築いた良い関係。

砂浜、日没、山頂、庭仕事などの鮮烈な自然体験とともに、もっとも頻繁に出てくるのは、「出産」「喜び」「パートナーシップ」「愛」といったキーワード、すなわち上手く行った人間関係である。この経験は、経済活動においても目標として定義、評価し、法的に報いることが可能である。幸福感や上手く築かれた共同体について学術的に確証している「専門鑑定書」や集団的経験を、経済活動のなかで活用しないのは、まったく賢いことではない。

人間同士やエコロジカルな関係を上手く築くことが、公共善エコノミーにおいては、成果や経済的な成功に新しい意味を与える。そうすれば私たちは、意義ある目標のために努力するだけではなく、現在の構造的な相対関係や他者を犠牲にした個人的メリットの追求よりも、より高いモチベーションを持つだろう。学術的に証明されているように。企業の民主化は、すべての関係者のモチベーションを向上させるだけでなく、企業をより繁栄させることにもなる。イギリスの公衆衛生学者・不平等研究者のリチャード・ウィルキンソンは、「ある会社がより大きな共同決議権の導入によって共同体に変身すると、生産性も向上する」という法則を、数々の研究から導き出している[143]。

なぜに人間が、公共善エコノミーのもとで、すなわち、利益の最大化でなく、公共善の最大化という条件のもとに、独自のイニシアチブで、高いモチベーションを持ってプロジェクトを始めたり、会社や組織を設立したりするのか。まとめると、それには広範な理由がある、ということだ。

まだ道は遠いかもしれない。今日、資本所有者はまだ高い社会的名声を享受している。彼らが個人的なリスクを覚悟して投資をし、たくさんの職場や国民経済的な繁栄をもたらす、と信じられているからだ。では、公共善エコノミーではどうだろうか。まず、よりたくさんの人間が会社を設立する。かなりのスタート資本で職業人生を始めることができるからだ。彼らはすぐに企業に投資参加することができるし、自分で新しい会社を設立することもできる。たくさんの人々が、それぞれの「民主的持参金」を一緒に出し合えば、すぐさま数百万ユーロの設立金が集まる。起業家のほとんどが、銀行クレジットを必要としないので、事業家としてのリスクはかなり少なくなる。

それから、すでに提案した次の措置もある。

――企業の所有に関する累進的な従業員参加。

――配当金に対する利益の累進的な保護。

――大企業における従業員の共同決議権確保の義務。

資本と決議権のより公正な分配は、リスク請負の心構えが、国民により平等に分配される作用を生む。共同体は、捕らえどころのない数少ない人物に頼る必要がなくなる。現在の資本主義システムでは、大きな資産の大部分を単に相続し、自分で構築したのではない人物、ポジティブなフィードバックの効果によって他人を犠牲に資産を獲得した人物が、貢献度が特別に高い人物として様式化されている。ほぼすべてのケースでは、そのような人物は、女性による目に見えない関係構築の仕事に頼っている。女性によるその本質的で、生活を支え、幸福をもたらす業績は、日の目をみず、感謝もされず、報いられもしない。とりわけ男性によくある、会社は「自分1人の責任」の下にある、という職務意識からの静かな解放は、今でも残る家父長制的な社会構造、より良く表現するなら「社会のしがらみ」をゆっくりと解消していくだろう。

意義

公共善エコノミーの大きな強みは、お金を稼ぐことが目的ではないことだ。お金を稼ぐことは、副次的な効果として、需要を満たす、繁栄、意義深い行いにつながることがあるが、必ずしもそうでなければならないわけではない。逆である。需要を満たすこと、公共善、意義深い行いが目的であり、会社の設立やマネージメントは、そのための手段である。生産プロセスへの参画、仕事に取り組むことが、系統的に容易になれば（起業家としても、非自営業者としても）、さらに物質的な富の蓄積が制限され、社会的な、雰囲気が良い関係の構築を促進すれば、より多くの人間が意義をもたらすポテンシャルから職場を選ぶだろう。もしくはそのように仕事を形成することに希望が与えられるだろう。意義はモチベーションの強大な泉である。もっとも強大ではないにしても。

意義は内因的にモチベーションを与える。内因的なモチベーションは内側から来て、外的な刺激、褒美、または罰（制裁）によって行動を促す外因的なモチベーションよりも強力に作用する。私が、ある事柄を、それが有意義に思えるからと自由意志で判断した場合、通常、私はそれを快く行うだろう。すべての力と注意力を注いでそれに専念し、没頭するだろう。私に内因的なモチベーションがある場合、私はその仕事（行い）に熱中し、私の「競争相手」がどこにいるか、右左、覗き見しようとは思わないだろう。そんなことをやったら、私の気が散るだけで、集中力が鈍り、それによって私の仕事の性能が落ちてしまう（私が不安から最高の性能を鼓舞する人間か、他者に勝ることで自尊心を得る人間であれば、別だが）。

外因的にモチベーションを得る者は、他律的で、競争における相対的な立ち位置に依存する。競争相手に対して優位な立ち位置に立ったとき、モチベーションが低下する。モチベーションの源泉がその行為事態にあるのではないので。もしくは、頻繁に慢性的に負けてばかりいる人間も、モチベーションをなくしてしまう。そのような人間は、屈辱的に競争から除外され、意気消沈して、失業者、浮浪者、鬱病者になり、貧困の泥沼に落ちる。ドイツの大都市では今日、25％の子供がHartz-IV（失業手当）をもらっている家庭で育っている。ライプツィッヒではそれが36％、ベルリンでは37％にもなる[144]。9つのEU加盟国で2021年半ば、青少年の失業率が20％を超えている[145]。フランスでは、若干それを下回っているだけである。

資本主義の市場経済は、すべての人間に意義をもたらす、人間的な職場を提供する、という観点で測ると、非人間的であり、同程度に非効率なシステムである。なぜに、競争が祝福的に作用をするという信仰がこれほど深く根を張っていて、問いただすことがほとんどされないのだろうか？

その答えは、私の観点からは、分析のもっとも不快な部分だ。なぜに競争が私たちの価値システムの王座にしっかりと居座っているのか、その理由である。多くの人間、おそらく私たちの大多数は、内因的にまったく、もしくは少ししかモチベーションを得ていない。それは、競争なしで最大の成果を生み出すことができるということをよく知らない、有意義なことを経験していないからだ。私たちの大半が、内的に空っぽで、意義を外からしか取り寄せることができない。そして、お金、キャリア、成功、権力が大切な「価値」であると、外の世界がひっきりなしに叫び続けると、私たちの多くは、これらの価値を「内面化」してしまう。これらがこれまで、誰も幸せにしていなくても。多くの人間がそれに加わって一緒にやり、メディアはそのような個人を紹介し、際立たせるので、自分自身を感じることができない多くの人間が、見習おうとする。

問題の根っこにあるのは内的に貧困な人間である。自分の人生に固有の意義を与えることができない、自分を、自分の人生の、自分の決断の最後の責任者であると認識できない、自分に対する自信が不足している人間である。

決定的問いは何かというと、内的に空っぽなことはどこから来ているのか、だ。どうして多くの人間が自分の人生に固有の意義を与え、幸福を見つけることができないのか？ その鍵は、私の考えでは、教育にある。私たちの大半は、先入観なく「認識」されたり、無条件に愛されたりした経験がない。そうされていれば、固有の私を見つけ、愛情を込めて自分を受け入れ、他者に対する深い尊敬心を持つことが可能になっていたはずだ。しかしそうではなく、多くの人々、少なくとも親世代は、従順であるように、そして成果を上げるように教育されて育った。親がある特定の像、私たちがどうあるべきかの具体的なイメージを持っていれば、私たち個々が実際にどんな人間なのか、という視線を失ってしまう。子供は、自分の独自性を認識できない。なぜかというと、それが親によって映し出されない、もしくはもっと悪いケースでは、独自性を発揮しようとすると親に罰を与えられるからだ。親の愛を失わないために、大半の子供は従順になる「決断」をする。そして大多数の親の子供への最初の「命令」は、業績（成果）である。これは自己否定につながる。そのようにして子供たちはかなり早い時期から、自分の感情や欲求、考えを抑え、その代わりに、こうあるべきという方向で感じ、考え、意志を示すことを学ぶ[146]。

一方の子供は、自分を感じ、内因的にモチベーションを得て、メディアや流行り、慣習に惑わされないで人生を送る。他方の子供は、内的なものを抑圧し、外的な価値だけを受け入れ、この「内面化」した外的な価値が幸せに導く、という幻想に捕らえられたまま人生を送る。もちろん、このような両極端なことが起こっているわけではない。しかし、社会的な傾向としては、後者の方向に進んでいる。ある文化が、競争、利益追求もしくはキャリア志向という「外因的」な価値を、世代から世代へ手渡しするだけで十分に事足りる。同世代の仲間の大半が、そのように教育されて、実際にそう振る舞っているというだけで、人間の本性がそうであると、今日、大多数の人々が信じている。

自分の感情、欲求、考えを知覚し、真剣に受け取ることを学ぶことができず、その代わりに、従順さと業績（成果）が「愛」とともに報いられた子供は、人生でずっと、業績によって他者の愛を求めることを続ける。自分が本当は何をしているのか、問いただすことはまったく、もしくは心半分にしかしないだろう。そして、親の愛の代わりに、自分の業績によってお金を受け取るようになり、そのうちに、すべて物質的な報酬のためにしかやらなくなる。そのようにして、内的に貧困な人間にとって、お金がもっとも高い財になる。これは、多くの、とりわけたくさんお金を持った人間が、内的にとても貧困であるということの、最初の重要な解説だ。

さらなる帰結として、自分を感じることができない人間は、他者、そして環境も感じることができない、ということもいえる。他者への共感は、愛情のこもった自己知覚を前提とする。これが、なぜ成功を収めた男性や女性が、社会的でエコロジカルな損傷を犠牲にして経済的な「成功」を押し通すことに、わずかしか良心の呵責を持っていないか、ということの重要な理由である。内的な空虚は、人の感受性を喪失させ、人を冷酷にする。資本主義のシステムに内在する価値が、彼らを、資本を増殖するというシステム目標を達成するためには犠牲がどんなに大きくても関係ない、という冷徹な遂行者にしてしまう（彼らは裸の数字以外には何も拠り所を持っていない。すべて計算可能なものだけに還元しなければならない）。

社会医学的な研究は、高位の経済的決定を下す階級には、国民の平均と比べて、社会病質者、共感能力がない人間、ナルシスト、中毒者の割合がとりわけ多いことを明示している[147]。私たちの現経済システムの致命的な淘汰（選別）作用である。当事者自らが、そのことを悟ったり、白状したりするケースが増えている。「20年間、最高経営責任者として私が学んだことは、市場は原則的に心がない、ということだ」と当時のドイツ郵便局の社長で脱税者であるクラウス・ツーヴィンケルは告白した[148]。オーストリアで数少ない女性トップマネージャーのブリギッテ・エデラーは、自分の仕事が自分に及ぼす影響について、こう報告している。「冷酷さが増していく。自分に対しても、他人に対しても」[149]。これは破局といえないだろうか？

この選別作用を逆転させるためには、市場の刺激への反逆が必要だ。協力的、連帯的、共感的で、責任ある寛容な行動を認識し、計測し、報いることだけでなく、親が子供を無条件に愛し、子供をそのまま受け入れ、尊重するという基本的な前提条件が必要である。それは決して、子供にすべてを許す、境界線を設けない、指揮なしに成長させる、もしくは絶えず子供に賛成する、ということではない。それは、子供の感情、欲求、考えを、(a)認知し、(b)真剣に受け止め、(c)それを自分に対しても行うよう支援することだ。それが与えられて初めて、親の気持ちや欲求、考えが何であるかを問うようになる。それは、自分とはまったく異なるものであることが多い。しかし、リスペクト（敬意）のある、暴力のないコミュニケーションによって、異なった、時折、相反する欲求もしくは考えが、共同生活や関係構築にとって、克服できない障害ではないことを学ぶことができる。

私たちはみんな、固有である。だから原則的に相違があり、異なった欲求や考えがない人間関係はあり得ない。だから、私たちはいつも、私たちの同僚、パートナー、友人、子供が、異なる欲求、感情、考えを持っていることを意識し、それらを真剣に受け止め、尊重する努力を惜しんではならない。また、自分の考え、欲求、興味、関心を、他人のそれらに対して押し通すことをしてはならない。この本の最初で述べたことに戻ってきた。自分の利益を優先的に追求する代わりに、人間尊厳という北極星の下でお互いに出会い交流する、ということだ。

教育

公共善エコノミー成長のためのもっとも重要な前提・枠組み条件は、新しい価値の仲介、固有の人間であるための感受性の強化、社会的コミュニケーション能力、自然に対して敬意を持った生活である。であるから私は、すべての学年に次の7つのベース教科を提案する。これらはすべて、今日、学校で教えられている大半の教科よりもより大切に思える。感情学、価値学、コミュニケーション学、デモクラシー学、自然体験学、美術工芸、体の感性（身体的な感受性）である。

a．感情学

ここでは子供たちは、感情を知覚し、真剣に受け止め、恥ずかしがらず、オープンに話すことを学ぶ。非暴力コミュニケーションの実践でわかったことは、多くの人間が自分の感情や欲求について話す、ということを習ったことがないため、無数の人間関係摩擦が解消されない、ということだ。その代わりに、自らの欲求を満たしてくれない他者の頭にあらゆるものを投げつける。そうやって問題の根本にある自分の欲求や感情から気をそらし、他者を傷つける。終わりのない心の損傷の悪循環が始まる。問題は留まったまま、解決のチャンスはない[150]。

b．価値学

ここでは、異なった価値観を学び、批判的に理性を形成することについて議論するだけでなく、とりわけ無意識の価値観を意識化する。例えば子供たちは、お互いに競争し合うことができて、それがどのような影響を及ぼすかを学ぶ。もしくは協力し合うこともでき、それがどう作用するかも。様々な哲学的な潮流と宗教の概観から倫理的な基本原則を学ぶ。「プロジェクト世界エトス」では、すべての文化圏で大切に守り維持されているユニバーサルな基本価値が存在し、それらが良好な共同生活と平和の維持に寄与することを学び、勇気づけられる[151]。また子供たちは、経済活動において、民主的な憲法で定着しているものとは別の価値観が用いられていることについても、感受性を高める。「ホモ・エコノミクス※」は、民主的な基盤と資格も、倫理的なそれらも有していない、経済学の狂った生産物である。私たちは、批判的な沈思や解体作業によって、この生産物を魔力から解放することができる[152]。

c．コミュニケーション学

ここで子供たちが最初に学ぶのは、傾聴する、尊重する、真剣に受け止める、個人的な侮辱や価値査定なしに客観的・公平に議論することだ。これは平凡なことのように思えるかもしれない。しかし、私たちの社会は、お互いに敬意を払った、非暴力的でオープンな議論の文化からは、まだ遠くかけ離れている。

これは、インターネットによって起こっている現象「ヘイトスピーチ※」に限ったことではない。著名な世論指導者（オピニオンリーダー）たちの多くも、客観的で公平な論拠をいう代わりに、「ナイーブ」「極端」「原理主義的」「夢想的」「共産主義的」「全体主義的」といった言葉で、人や物にレッテルを張りつけている。中立的な論拠の代わりに使われるレッテルのリストはほぼ無限にある。論者がそれらレッテルを使用するのは、一方で、自分の論拠の弱さを明らかにしていることであり、他方では、他の意見や考えを我慢できないということの表現である。

真の民主的で寛容な議論の文化においては、とりわけこの点、異なった意見や考えに対してリスペク

ホモ・エコノミクス　経済人。自己の経済利益を極大化させることを唯一の行動基準として行動する人間の類型

ヘイトスピーチ　人種、民族、宗教などの違いに基づき、特定の個人、集団、団体などを、差別的意図をもって攻撃、脅迫、おとしめる言動。

ト（敬意）を持って対面し、客観的で公平な議論をすることが重要である。どんな会合であれ、客観的で公平な論拠の代わりに、自分の価値判断を持ち出したり、もしくは個人的な侵害をしたりするような人間が、すぐさま会合から除外されることを、私は夢見ている。私たちは過去数十年の間で、性差別的なジョークに対して笑わずに、立ち上がって抗議し、もしくはジョークをいった人間を「切り離す」ということをゆっくりと習得してきたが、いずれ、コミュニケーションにおけるいかなる形態の暴力にも制裁が加えられ、そこから締め出されるようになるだろう。

コミュニケーション学で子供たちは、男性と女性の異なったコミュニケーション行動についても学び、既存の男女役割の雛形を意識し、それを取り除ける術を習得する。もしくは、誤解があるのは普通であり、理解し合うためにはいつでも労力が必要であることも学ぶ[153]。

d．デモクラシー学

デモクラシーは、西洋社会においてもっとも高い価値である。しかしデモクラシーにどうやって生命を与え、維持させていくことができるか、公的な生活のすべての分野における責務、共同責任、共同決議、共創によってそれを行っていくことについては、学校でのデモクラシーの啓蒙活動において、ほとんど学習の対象になっていない。学校では、デモクラシーは確立された歴史的な事実として教えられている。それが実際には、もろく壊れやすく、傷つきやすい成果物であって、常に喪失の危険にさらされていて、スウェーデンのゴーテバーク（イェーテボリ）大学のデモクラシー価値研究所のV-Dem（Value of Democracy）－レポート2021が証明しているように、事実上、侵食していることについては、教えられていない。

多くの国では、大多数の人間が実質的な参加の機会を持っていない。どうやって効果的に社会に貢献すれば良いのかアイデアがなく、失望感のもと、「ポリス（市民主体の都市国家）」に背を向けている。失望感からだ。なぜかというと、その他の生きがいである消費、娯楽、薬物が、反公共的で反民主的な精神殺害産業によって無理に押し付けられているからだ。

子供たちはデモクラシー学で次の事柄について学ぶことができる。

——たくさんの興味関心から、どうやって1つの規則ができるか。

——みんなができる限り良い生活をするために、どのように物事を決めていくか。

——異なる欲求を持った人間同士がお互いに敬意を払った交際をすることが、大多数を満足させ、支持される意志形成の基本的な前提条件であること。

——局所的な関心が押し通されないように、すべての人間の注意深い責務が重要であること。

——民主的な責任は誰かに委ねられるものではなく、委譲できるのは実践の権限だけであること。

そして、とりわけ次のことを学ぶ。デモクラシーはまだ始まったばかりだということを。私たちはおそらくこれまで、デモクラシーのポテンシャルの10分の1程度を味わっているだけだ。「真のデモクラシー」の大きな経験、占拠運動、もしくは「より主権的なデモクラシー」は、まだ滞っている。詳しくは次章で。

e．自然体験学と野生学

お金、収入、資産、物質的財の絶え間ない増殖に基盤を置く経済は、個々の関係性のバランスを崩しているという意味において、病気である。すべての他の価値と自然的基盤である地球のエコシステムから切り離された経済が病気であるということに、議論の余地はない。教育の弱さ、そして多くの人間の自分自身、他人、自然環境、そして共同体との関係性構築力の弱さが、この病気の核である。根本的に必要な治療は、関係性を再構築し、ケアし、バランスを取り戻すことだ。これは幸福への確かな道でもある。環境、生物、川、森、山、天界現象と、内向的で敬意ある関係性を持つことが、人間を元気にする、と全文化圏の無数の人間が報告している。数時間、集約的に自然のなかで過ごすと、その日は高い確率で良い気分で終わりを迎える[154]。

この教科で子供たちは、植物、動物、川や湖や海、石のことを学ぶだけでなく、自身の身体と魂で、自然の治癒作用を体験する。風、雨、雲、水、石、花、山、そして静寂を心と体で感じる。自然との深い結びつきを体験した者は、おそらく、ショッピングモール、株式市場、または車に対してあまり魅力を感じなくなるだろう。確実にいえることは、1年間、物質的な消費を少なくすることは、生活の品質と内的濃さをもたらすだろう。新古典派経済学者※たちは、これに対して反射的に、不景気、後退、貧困を連想するだろうが。

f. 美術工芸

「長時間椅子に座っている世代」は、生活の大部分をバーチャルな空間で過ごしている。コンピューター、携帯電話、テレビ、その他の電気機器や、メディアである。このバーチャルな世界は、人間を自然素材とそれを使った手作業から乖離（かいり）させる。包括的な生活にはしかし、マテリアルや素材、形、色、匂いに従事することが欠かせない。みんながみんな工芸マイスター※になる必要はない。しかし、みんなが、手作業で工芸品を作ること、それを有意義な用途のために他者にプレゼントすることの喜びを、感じ取るべきだ。

人智学（アントロポゾフィー）の創設者であるルドルフ・シュタイナー※は、学校の子供たちが、生活の「実務」のなかで、包括的にモノを触ることを推奨した。であるから、シュタイナー教育を行うヴァル

新古典派経済学　「まえがき」の補注（3ページ）を参照
工芸マイスター　「マイスター」は職人の最高資格。ここではプロの工芸家のことを指している。
ルドルフ・シュタイナー（Rudolf Steiner）　20世紀初頭、オーストリアとドイツを拠点に、アントロポゾフィー（人智学）という精神運動を立ち上げた人物。教育、農業、建築、医療など、幅広く影響を与えた。

ドルフ学校※では、農業、林業、工業、社会事業の研修を助成している。重要なのは、十分な時間とやる気が与えられていることだ。作業と魂が結びつき、若い人間のクリエイティブなポテンシャルが花開くために。

有用なモノを自分で作ることは意義をもたらす。またそれを誰かにプレゼントすると、幸福な気持ちになる。そしてその素人芸術家のなかから、プロのマイスターが生まれれば、社会にとって大きな利益である。

g．体の感性（身体的な感受性）

「連帯は国民の愛撫である」とチェ・ゲバラ※がいったそうだ。しかし、私たちが自分自身に対しても優しく愛撫できないなかで、どうやってすべての国が優しく労わりを持って交際できようか？　私たちの多くは悪い食事をし、あまり体を動かさず、お互いに抱き合ったり、触ったりすることが少なくなっている。自分、もしくは他人にマッサージすること、マッサージされることはほとんどない。これらのことが、私がこれまで知り合ったすべての人間にとって、もっとも早く幸福になるための道であるにもかかわらず。

私たちが、一方で、買い物、テレビ鑑賞、お金を稼ぐのに費やす時間と、他方でマッサージや心身気くばり、意識的な性生活に費やす時間を比較すると、触ったり、優しく愛撫したりすることが、残念ながら、後回しにされていることが明るみに出てくる。人間の体は、無限に感受性が豊かな、繊細な神経系を持った有機的組織体である。私たちはみんな、繊細に感じる能力を持っている。個々の足踏み、個々の接触は、深く感性的な魂の体験、もしくは魂のマッサージになり得る。生活の内的濃さと品質は、感受性の高まりに伴って上昇し、非感性的な体験の時間はほとんどなくなってしまう。感性的な体験、

ヴァルドルフ学校　シュタイナーの人智学の思想を基盤にした教育を行う学校。世界60数カ国、1000校を超える。
チェ・ゲバラ（Ernesto Che Guevara）　アルゼンチン生まれのラテンアメリカの革命家。キューバ革命に参加し、フィデル・カストロと協力して成功させる。

物理的な自己知覚が弱ければ弱いほど、その感覚的な無機能性は、お金や偶像という代償によって補充されなければならない。

だから子供たちに、できるだけ早期に、繊細で、注意深い、リスペクト（敬意）を払った、信頼性と創造性を促進するような自分の身体との関係の構築を鼓舞し、サポートしてあげなければならない。このベースによって、他の人間や生き物の体との関係を発展させることができる。これは、遊び、ダンス、グループ・アクロバティックなどで始めて、思春期になったら、ボディワーク、マッサージ、エネルギーワーク、ヨガなどを取り入れると良い。ここでも多種多様な道がある。

第6章 デモクラシーのさらなる発展

「本物のデモクラシーは穴の開いたフレーズではない」
アインシュタイン※

私たちは形式的にはデモクラシーのなかで生活しているが、実際に社会的生活の決定に参与できると感じている人間は、より少なくなっている。各国政府が国民の大多数の需要や関心に反する決定をすることが、より頻繁に行われている。例を挙げると、金融市場の規制緩和、システム上重要な銀行の非細分化、飲料水供給、エネルギー供給、鉄道または郵便局といった公共サービスの民営化、「自由貿易協定」によるグローバルな立地競争の引き起こし、最後のタックスヘブンにまで及ぶ資本流通の自由化、税金を投入してのシステム上重要な銀行の救命、無制限の所得格差の許容、生き物に対する特許の合法化、農業における遺伝子組み換え技術使用許可の貫徹、ユーラトム（欧州原子力共同体）条約、グアンタナモ収容所※での拷問、国際法に反するイラク侵略戦争※、「アフガニスタンのヒンドゥークシュ山脈でのドイツ防衛※」などである[155]。

直接デモクラシーであれば、おそらくほとんどの国で、これらの政策は、可決されていないだろう。それにもかかわらず、民主制で合法化されている各国政府と国会は、正式にそれらの決定を下している。市民と市民代表者の間の距離はより大きくなっているが、これは政治学で「代表者の危機」[156]または「ポスト・デモクラシー※」といわれている。そうなっている原因は、次に挙げるようにたくさんある。

アインシュタイン（Albert Einstein） ドイツ生まれの理論物理学者。相対性理論を提唱。ナチスに追われてアメリカに渡る。ノーベル物理学賞受賞。
グアンタナモ収容所 2001年の米同時多発テロを受けて開設。各地で逮捕されたテロ容疑者らを、適切な手続きをせずに拘束し、拷問をしていると批判されてきた。
イラク侵略戦争 イラク戦争（2003～2011年）における米・英・豪連合軍による武力行使をめぐって、中欧社会では「侵略戦争」であるとする見解が強い。

1. 4年または5年に1回、政党のマニフェスト（政権公約）に投票するだけであれば、何も手に持っていないに等しい。なぜかというと、選挙時の公約は流動的で拘束力がないからだ。政府が公約を果たさない場合、有権者はほとんど無力である。私たちは次の選挙まで待ち、そしてそこで、とりわけ重要な公約を破ったことに対して、政党を「処罰」することができるかもしれない。でも実際にどうやって？ 通常、「処罰」された政党は、何のために罰を受けたのか理解していない。システム上、個々の政策に対して個別に罰を与えることは不可能で、議会の全任期を罰することしかできないからだ。任期中、政府は数百の政策決議を行う。提携するパートナー政党との間での妥協策も頻繁にある。

2. 経済界のエリートが政界のエリートと融合することが多くなっている。トップマネージャーや大企業の経営者が政府役職へ転職することも、元大臣や元首相がロビーイング団体の要職に就くこともよくある。「回転ドア」と呼ばれている現象である[157]。少しだけ代表例を挙げよう：テオ・ヴァイゲル（元ドイツ連邦財務大臣）はテキサス・パシフィック・グループ（現「TPGキャピタル（アメリカの投資ファンド会社）」）へ：ルドルフ・シャーピング（元ドイツ連邦国防大臣）はサーベラス・キャピタル・マネージメント（アメリカの投資ファンド会社）へ：元ドイツ労働庁長官のフロリアン・ゲルスターはフォートレス・インベストメント・グループ（アメリカの投資運用グループ）へ：ロン・ゾマー（元国営企業ドイツテレコムが民営化し株式上場したときのトップ）はブラックストーン・グループ（アメリカの投資ファンド会社）へ：ゲアハルト・シュレーダー（元ドイツ連邦首相）はガスプロム（ロシアの天然ガス大企業）へ：ヴォルフガング・シュッセル（元オーストリア首相）はＲＷＥ（ドイツのエネルギー大手）へ：ブリギッテ・エデラー（オーストリアの政治家）はシーメンス（ドイツの大手電機メーカー）へ：アルフレッド・グーゼンバ

「アフガニスタンのヒンドゥークシュ山脈でのドイツ防衛」 ドイツ軍は2001年から2021年まで、NATOの一員として、アフガニスタンに拠点を置くテロ組織（アルカイダ&タリバン）との戦争に参戦した。2002年に当時のドイツ国防長官のペーター・シュトゥルクは「ドイツ国の安全は、ヒンドゥークシュでも防衛される」と発言した。
ポスト・デモクラシー 格差が拡大し、デモクラシーが衰退している政治体制

ウアー（元オーストリア首相）はシュトラバーグ（建設大手）へ・カール・ハインツ・グラッサー（元オーストリア財務大臣）は、複数のファイナンスファンド会社へ。

逆方向では、ドイツ行政の要職で、大企業からの「レンタル役人」が約300人働いている[158]。大銀行家が銀行救済法の草案を書いて、議会はそれにサインをする。政治と経済の間にあるこの親密さの問題は、経済界のエリートがより富豪で、より権力を持っているほど、熱く燃え上がる。これによって経済界のエリート自体が問題の根本であることがわかる。だから所得格差の制限を促すことが必要なのだ。物質的なエリートは、すべての人間に同等の権利、機会、共同決議権が与えられる民主的社会に矛盾している。

3．このエリートたちは、権威あるメディアにも、均衡がとれないほど大きい影響力を持っている。管理職のジャーナリストとの個人的なつながりによってである。ジャーナリストも、貴重な情報源を確保するために、そのようなつながりを探し、ケアする。経済界のエリートは、メディアのエリートと自分たちの価値観を共有する（権力者は、権力の保持のためであれば、高度に協力的になる）。宣伝広告を入れる。メディアは経済的に依存してしまい、番組編集の方針をそれに合わせる。また、経済界のエリートは、メディアを所有して、直接的に制御下に置くこともしている。多くの新聞社、テレビ局は、大投資家に所属している。武器製造者がオーナーであることもある。例えば、フランスの日刊紙「Le Figaro」は2004年、大富豪のセルジュ・ダッソーによって買収された。彼の会社は戦闘機を製造していて、政治的にも強力なコネクションを持っている[159]。これは、公共財であり民主的な監査機関としてのメディアの基本理念に矛盾する。

4. 学術的なメインストリームも時として、権力者の思いに従っている。「自由」な大学は、オルタナティブ（代価的）なアプローチを行う場を持ってはいるが、「主要な川」は権力者の世界観に沿って流れている。理由はこうだ。(a)多くの知識人が良い家系の出身者であり、派閥は自分の「階級」を捕まえる。(b)大学は、自由化の流れのなかで、経済界からの第三者資金に頼る割合が大きくなっている。(c)民間の利益団体が、公的な資金不足を（戦略的に）引き起こしているだけでなく、自分たちのイデオロギーの広報者をゲスト教授や寄進教授として大学に送り込むという、公的資金不足の乱用もしている。スウェーデン帝国銀行が経済学者に授与している賞（アルフレッド・ノーベルの基金ではない）は、経済学を自然科学と同じくらいに序列すること、資本主義市場を自然法則と同じ身分に持ち上げることを助けた。このメガネで見ると、新古典派経済学者※の分析と推奨には「オルタナティブ（代価案）対案は無い」（英語圏ではこれを「ＴＩＮＡ（There Is No Alternative ）シンドローム」という）[160]。

5. シンクタンクは、お金を払ってくれる人のために働く。支給者は通常、影響力のある経済グループである。彼らの需要は、国民の大多数の需要とはほとんど共通していない。例えば、ドイツの新社会的市場経済※のイニシアチブ[161]は、啓蒙の義務感を持った知識階級や慈善の奉仕者によるものではなく、巨大な工業経営者連合のキャンペーンで、連帯福祉国家を解体することを目的にしている。今日では、475の「フリーマーケット組織」が93カ国で、アトラスネットワーク※によってコーディネートされている[162]。これは、「資本主義的インターナショナル」と呼ぶこともできる。オーストリアのメディアでとりわけ大きく取り上げられている「アジェンダ・オーストリア※」は、大企業の名士たちによって資金援助されている[163]。

新古典派経済学者　「まえがき」の補注（３ページ）を参照
新社会的市場経済　社会的市場経済は、競争秩序を基盤としつつも、市場形態を含む社会的秩序の形成・維持については、強力に国家施策を行うべきとする戦後ドイツの経済政策理念。「新」というのは、工業連合が主体となったイニシアチブ団体が命名しているもので、連帯的な社会・経済システムの解体のニュアンスが強い。

6. アメリカでは、政党は企業によって、代議士はロビー団体によって直接、資金援助されている。相応な結果が伴っている。２つの事例を紹介したい。金融派生商品の規制に賛成する国会議員は90万USドル、それに反対する国会議員は２７００万USドルを受領している。アメリカ発券銀行（中央銀行に相当）への監査に賛成する議員は４万USドル、反対者は１０００万USドルを貰っている。法律は音もなく沈んでいく[164]。

プリンストン大学による１７７９の政策を対象にした概要研究では、「経済エリートとよく組織された経済圧力団体は、アメリカ合衆国の政治に実質的な影響力を持っていて、平均的な市民と市民諸団体はそれに対して、ほんのわずかな影響力しか持っていないか、もしくはまったく影響力を持っていない」という結果が出されている[165]。デモクラシーは、この条件と発展のために、深刻な危機にある。私たちが経済的な不平等、ロビーイング、メディアの寡占に触らずに、それらを放置し、「デモクラシー」を4年か5年に1回、投票用紙の1つの政党に丸を付けるだけの行為に還元するならば、デモクラシーはいやおうなしに、ポスト・デモクラシー、もしくは独裁的デモクラシーへと侵食していく[166]。

生きたデモクラシーを達成するためには政治と経済の絡みを解き、不平等の制限をするとともに、民主的な参与権と監査権の包括的な拡張が行われなければならない。できる限り多くの人間が、できる限りたくさんのレベルで、一緒に議論し、一緒に決断し、一緒に創造することができるようにならなければならない。選挙と選挙の間の期間でも、社会的・経済的生活の民主化された領域でも。

アトラスネットワーク　アメリカに拠点を置く新自由主義経済を推進する財団
アジェンダ・オーストリア　オーストリアの政治・経済分野の研究・提言をする独立系のシンクタンク

私たちは主権者

デモクラシーのルネッサンスのための第1の基本前提条件は、主権者意識を発展させることだ。『主権を有する』を意味するSouveränは、ラテン語の「superanus」に語源がある。「すべてのものの上に立つ」という意味だ。絶対主義の時代は、国王がすべての者の上に立つ主権者であったが、啓蒙・市民革命の時代以来、主権者は一般市民であるべきである。この理論的な市民の権利は、まだ現実には実現していない。

なぜかというと、市民が持っている唯一の主権者としての権利は、政党を選ぶ選挙権と、憲法大幅改正の際の最後の言葉だけである。その他すべての権利は、戦争や平和の決議から国際法の条約締結、憲法改正まで、主権者の代表者にある。主権者がどれくらい頻繁に代表を選ぶことができるかも、代表者に決定権がある[167]。本当の主権とは言い難い。本当の主権であれば、少なくとも次の権利を主権者に手渡さなければならないだろう。

1. 憲法改正。
2. 完全に新しい憲法を民主的なプロセスで作成する。
3. 国際的な交渉の骨子委任を民主的な憲法のなかで与える（例えば貿易条約）。
4. 議会の立法計画を止める。
5. 法案を自ら軌条に乗せ、議決する（国民イニシアチブと連邦全体での国民投票）。
6. 政府（とその構成）を選挙で選ぶ。
7. 政府を解任する（納得するに足る状況の場合。例えば戦争表明など）。

8．基本供給の領域を直接市民統治にする（例えば、水道水やエネルギー供給）。
9．貨幣システムに関する最後の決議（貨幣法）。
10．関税システムに関する最後の決議（関税法）。

私たちの主権者意識はとても弱い。私たちの多くが、本当の主権者になるためのこれらの基本道具が足りていないことに、気づいていない。これらは、君主制の時代にすでにあった主権者の道具である。

国王は、戦争か平和かについて決定し（国防政策）、貨幣を発行し（貨幣政策）、関税を確定し（外国貿易政策）、土地を没収し専有することができた。中世の時代では、この国王の権利は「レガーリエン（国王大権）」と呼ばれていた。これは個人の権利ではなく、主権を有した機関の権利である。デモクラシーにおいても、主権の原則は、昔と変わらずに重要な意味を持っている。明確に表現すると「国民主権」である。しかしながら、誰が実際に主権を握っているのか、不明確なところがある。現在、選挙で選ばれた議会と政府が事実上、主権を有した機関である。ドイツ基本法（第20条2項）で「すべての国家権力は国民に由来する」、オーストリア憲法では第1条で「オーストリアは民主的な共和国である。その権利は国民に由来する」、フランスの憲法では「国家の主権は国民にある。国民はその主権を代表者と国民投票によって行使する」と明確に書かれているにもかかわらず。

ここでは驚くほど大きな隙間がぱっくりと開いている。なぜそのような状況になってしまっているのか。考えられる理由はこうだ。君主制からデモクラシーへの移行において、私たちは明らかに、個人の基本権と人権の発展に全注意を向けてしまった。これによって人類は大切なものを獲得した。しかし同時に、集団の基本権、もしくは主権者の権利を見落としてしまい、それによって、選ばれた代表者への不必要な権力の集中を引き起こしてしまった。この見落としを意識していて、あえて見て見ぬふりをした人間もいただろう。自分の都合のために。

デモクラシーのこの「初心者エラー」からいえること、明確にわかることがある。それは、個人の基本権を、集団の基本権もしくは「主権デモクラシー」で補っていくという意味での事後調整が必要である、ということだ。

権力分立の拡張

厳密に考察すると、目指しているのは、権力分立の原則のさらなる発展である。この基本原則に関しては、めったにないことだが、異論はない。今日の私たちにとって、国家権力である議会（立法）、政府（行政）、裁判所（司法）を分立させ、お互いに監視し合うことが、至極当たり前のことであるので、この権力分立の背後にある基本的な思想が何なのか、ほとんど考えなくなってしまっている。この原則の核にあるのは、権力が集中しすぎてはならない、ということだ。権力の乱用が起こらないようにするためだ。であるから、この3者のどれも、他者に対して大きくなってはならない。そうなってしまったら、すべての人間の最大限の自由は終わってしまう。

現在、この原則は、二重に危機にさらされている。まず1つは世界市場である。そこでは企業融合の規制も企業規模の制限もなく、システム上重要な大企業が生まれている。2つ目は民主的な民族国家である。そこでは主権者が、その代表者に、事実上、権力を奪われている。私はこれをインポテンツ（不能）の主権者と呼んでいる[168]。

主権者による憲法

主権者とその代表者の間の権力関係のバランスをとるためには、主権者が持つ第1の権利がもっとも重要だ。それは憲法を作成し、改正する権利だ。最高位の文書である憲法は、最高位の機関によって作成され、改正されるべきである。次の理由からだ。第1に、政治学は「憲法を与える権力（主権者）」と「起草された権力（議会と政府）」を区別している。この考えの背景にあるのはこういう理解だ。デモクラシーの機関に、統治者のルールを自ら起草することが許されていれば、その統治機関は、国民にできる限りわずかな権利しか容認しないだろう（「no power for the people」）。自分に大半の権力を保持するためにだ。それに対して、主権者である国民が憲法を書けば、おそらく最後の言葉、包括的な共同決議権、監査権は残して置かれるだろう。

ではなぜ主権者は、代表者を選ぶのだろうか？ それは民族国家には、たくさんの人間が住んでいて、すべての人間がすべての採決に有意義に参加できないからだ。直接デモクラシーではデモクラシーのメンバー数に限界がある。政府と議会の選挙の背後には分業の考えがあるのだ。政府と議会の役目は、主権者の上に立ち、自分の意思を実現するために新しい組織を創出することではない。政府と議会はあくまで、主権者の代表者（代議制）である。その唯一の目的は、主権者の（相対的）多数の意思を実践することだ。このことを政府が実際に行うかどうかは、何によっても保証されていない。一時的に借りている権力を乱用するという誘惑は、主権者が自らの手に持っている監査権が少ないほど、政府の側で強引に引っ張る圧力団体が強力なほど、大きくなる。「私的な圧力団体による公共の要件への影響力ほど危険なものはない」と1762年にジャン・ジャック・ルソー※は書いている[169]。

だから、主権をもつ発注者が、次の発注（選挙）まで手を縛られていて、自分ではどうすることもできずに、政府が自分たちの意思に基づいて政策を行うことを、ただ願っているだけ、という状態は致命的である。そういう状態だと、現在よく起こっていることが起こる。政府と議会が国民の大多数に反し

ジャン・ジャック・ルソー（Jean-Jacques Rousseau） 18世紀のフランスで活躍した啓蒙思想家・教育者。『人間不平等起源論』のほか『エミール』『新エロイーズ』など著書多数。

て決議をし、「1次的な独裁者」になる。なぜかというと、政府や議会は、もっとも強くせき立てる圧力団体に譲歩し、圧力団体に押し通され、もしくは占有されてしまうからだ。無視された主権者は、抗議やデモをしたり、ジタバタしたり、物乞いしたりすることができる。黄色いチョッキを着たり、市民評議会を開いたり。でも主権者に権利がなければ、そのような行動は、何にもならない。主権を持った発注者は、受注者が自分の意思と違うことをやっていれば、受注者をいかなる時にも修正できるものでなければならない、という考えに、いつ行き着くのだろうか？ ルソーはこう考えていた。主権者は「いかなる時でも、政府に委譲した権力を、制限し、修正し、撤回」できなければならない[170]。

憲法が主権者によって書かれ、是認されなければならない2つ目の理由がここで来る。主権者は、すべての政治領域での根本的な方向性の決定を設定するという機会を得る。それは議会で決議されなければならない。個々の政治領域ごとに1ページから2ページの基本的決定と方向性の決定を設定することができる。これは、テーマコンベントで作成され、知的な決断のためには、主権者によって評価され得る。公共善エコノミー運動は、そのようなテーマコンベントのプロセス手引き書も、経済コンベント（この本の付録参照）の内容的な手引き書も作成した。また追加して、貨幣コンベント[171]も商業コンベント[172]も作成した。

これは、欧州連合の発展においてとりわけ重要である。これまで基本条約は加盟国政府によって書かれてきた。国民はこれまで、新規の条約策定プロセスから締め出され、その最終結果についても、表決できることは非常に稀だった。実践においては、EUにより多くの権限が委譲され、国と同様の性格を持つようになったことで、より問題をはらんでいる。遅くとも、2003年にいわゆる「EU憲法」が作成された時には、加盟国政府は主権者に主導権を握らせなければならなかった。「憲法」というタイトルは、主権国家の設立を指摘する。1つの国の主権者の権力は、国民の手に留まっていなければならない。政府や議会にあってはならない。実際にこの「ＥＵ憲法条約」は憲法以上のものだった。憲法プラス政治的な条約が、５００ページの束に包み込まれた。これはデモクラシーを突き放す演習である。

表決をする4主権国のうち2カ国（フランスとオランダ）がすでに調印された怪物条約を拒否した後、加盟国政府は、テキストから「憲法のメーキャップ」を落とすことを決めた（「法律」、外務大臣、国旗、讃歌）。これを「普通」の条約として押し通すためだ。化けの皮をはぐような形だったが、当時のオーストリア外務大臣のウルスラ・プラスニックは、95％の内容が「救われた」と強調している[173]。そのようにして、最初のテキストとほぼ同じものが、主権者による表決を経ることなしに、主権者に押し付けられた。唯一アイルランドの主権者だけ、これに表決した。国の憲法がそれを定めているからだ。アイルランドの主権者たちも、3番目の主権者として拒否をした。しかし、主権者の代表者たちの観点では、「間違って」表決したということだったので、もう一度、表決されなければならなかった。再び、直接デモクラシーの重い乱用である。直接デモクラシーは主権者の道具でなければならない。政府を修正するために。政府が主権者を修正するのではない！

では、ＥＵの条約は、どのようにして民主的に成立し得るだろうか？　7つのヨーロッパ内のアタック（Attac）※団体は、これに関して具体的な提案を提示した。人々がＥＵに信頼をおき、アイデンティティを持つことができるようになるためには、「ヨーロッパ・ハウス（＝欧州共同体）」の建築に参加しなければならない。誰か他の人が家を建て、居住者ルールを確定した場合、その住まいは、多くの人にとって快適ではない。住む人間が自分で家を形づくり、どういうルールで住むかを決める方が、より満足度は高いだろう。アタックの提案はこうだ。国民のなかから民主的会議のメンバーが選ばれなければならない。メンバーは、すべてのＥＵ加盟国の代表からなり、少なくとも50％の女性が含まれていなければならない。この民主的会議が新しい基本条約を作成する。基本条約は、憲法であるか、そうでないか、

アタック（Attac）　第2章の補注（49ページ）を参照

はっきりさせる[174]。

通常、このような会議はコンベントと呼ばれる。EU憲法条約はコンベントによって書かれた。しかしそのコンベントは、主権者ではなく、各国政府と議会から成るものだった。コンベントは民主的な執務規定も持っていなかった。なぜかというと、最終的な決定権は、会議参加者全員ではなく、13人の幹部会にあったからだ。コンベントではその参加者の大多数が、憲法条約に関して、すべての加盟国での国民投票を行うことに賛成したが、幹部会はこれを、上から押さえつけて却下した。このコンベントは道化芝居だった。ルクセンブルクの首相ジャン＝クロード・ユンカーは、「このコンベントより暗闇の暗室は体験したことがない」といっている[175]。この暗黒の部屋でつくられた最終製品が、尋問された5人の主権者のうち3人に拒否されたのは、不思議ではない。

アタックの提案のなかでは、主権者だけが、民主的コンベントの結果について決定できる。(a)ことさら自ら選んだ信頼できる人物によって作成され、(b)テキスト編集の際に人々と活発な意見交換が行われ、(c)主権者だけが最終的な決定をできる。そのような条約であれば、人々が受諾する確率はとても高い。私は、これであれば、すべての加盟国で受け入れられると確信している。中心的な政治的摩擦ラインは、民族国家の間やヨーロッパ「文化」の多様性の間を通っているのではない。すべての国の社会のエリートとその他大多数の国民の間を通っている。

真に民主的なコンベントの最終製品が高い確率で受け入れられることは、別の場所で確認できる。アイスランドでは、２００８年の壊滅的なダメージを与えた金融危機のあと、国民の中心から25人の男女が憲法会議のメンバーに選出された。彼らは、国民との活発な交流のもと「people's constitution（人々の国体）」を作成し、これは国民投票で67％の賛成票を受け、幅広い大多数に受託された。見苦しい終わり方なのであるが、以前の憲法によれば、議会だけが憲法を改正する権利を持っていて、今日に至るまで、議会は新しい憲法を拒否している。

エクアドルでは上手くいった。新しい憲法は参加型の会議によって作成され、2008年に国民投票によって、幅広い大多数に受託された[176]。

3つ目の例はスイスのチューリッヒ州だ。1999年から2005年の間、同じようなプロセスが行われた。新しい憲法を作成するコンベントのメンバーを直接選挙で選び、国民との集約的な交流により作成し、主権者によって表決させ、64・8%という明快な多数票で受託された[177]。

民主的に成立させる基本条約は、痛いほどに欲しがられている市民のEUへの信頼を強化し、ヨーロッパの統合のプロジェクトを、内容的に別のコースへ導くだろう。私はここで賭けをしたい。経済活動の自由、立地競争、無条件の資本流通の自由、無制限の所有権、軍備拡張要求、不十分な権力分立などに代わって、民主的で、持続可能で、平和なEUが育っていくだろう。市民は、今の条約に書かれていることの多くを、決して新しい憲法のなかに書かないだろう。その代わりに、基本権利が最高位に位置づけられ、内と外の平和のための実りある枠組み、そして特に、公共善エコノミーが形成されるだろう。

コンベントへの道

公共善エコノミー運動は、アタックの主権者コンベントのアイデアから発展していき構築詳述されてきたものだ。もっとも民主的なプロセスは、もっとも小さな政治的単位から始まる。それは自治体だ。1コンベント当たり50から100人で構成することができる。メンバーの形成には、たくさんのやり方が考えられる。個人的な直接選挙（連邦大統領と同じ）から、50から100の大きな協会から候補者を指名するやり方、それから「市民評議会」の手法まで。最後の手法では、市民登記簿のなかから、ランダムに選ばれる。ただし、年齢、性別、職業、移民などのバランスを取るように配慮する。参審制※のようなものだ。この手法のこれまでの経験は、オーストリアのフォアールベルク州の事例が、とても良い[178]。コンベントメンバーは、例えば2カ月に1回など、定期的に、次のような議題で会合する。

――お互いに知り合う、プロセスの紹介。
――10から20の問題提起の定義。
――ラフな中間採決。
――選択肢に挙げられているオルタナティブ（代価案）に関する微調整。
――自治体の主権者による採決の後、事後作業とさらなるステップの検討（例えば、他の自治体を招待するなど）。

コンベントは複数のワーキンググループに分かれる。それぞれのワーキンググループは、個々の問題提起に対して、様々なオプションを調べる。最後は、システミック（全身的・系統的）なコンセンサス形成の原則に基づいて、他のすべてのオプションに対する抵抗を計測し、主権者の間で抵抗がもっとも少ない提案が取り入れられる。これであれば、主権者が必ずしも1つの考えを持っている必要はない。それにもかかわらず、その主権者は「柔軟性を持って」、1つの共同決定に関与できる。

このシステミックなコンセンサス形成の背後にある法哲学的原則はこうである。すべての政治的な規制は市民の自由を制限する。制限は大きい場合も、小さい場合もある。これは避けられないことである。システミックなコンセンサスの原則は、すべての市民の自由の総和が、できるだけ小さく制限され、「合計の痛み」が主権者全体で最小になるような規則を見つけることを可能にする。

透明性のあるプロセスのなかで、コンベントのメンバーは関心のある市民と活発な意見交換をする（「リキッド・デモクラシー」）。また、個々のテーマに沿って、できる限り様々な見解を持った専門家を

参審制　一般市民から選ばれた参審員が裁判官と一緒に審議を行う制度。日本では「裁判員制度」が2009年から始まった。

招待する。個々の問題提起に対してたくさんのオプションを開発できるようにするため、存在するすべての意見のスペクトルを模写するためだ。

採決の結果は、さしあたり、１自治体の主権者の、経済、金融、商業の規則に関する単なる意見の像である。しかし、経済コンベントのアイデアが公示され、自治体の各種コンベントがスタートすると、そのようなコンベントを形式的に許可しなければならない、という政党や議会への政治的な圧力が増していく。直接選挙を通じてか、もしくは自治体や地域の各種コンベントからの代表団を通して許可を行う。１つの実用的な道は、連邦コンベントを組織することだろう。最低でも１００の自治体で各種ローカルコンベントができたあと、各コンベントから１人ずつ、連邦コンベントに候補者をノミネートするという形で。

このプロセスによって、次に挙げる複数の効果が期待できる。

――経済が自然法則に従っているのではなく、自由に構築できる政治的なルールを基盤にしているということを、多くの人々が意識するようになる。

――現在、経済を舵取りしている規則が、基本価値と同調せず、それどころか、それと相反するということを、多くの人々が意識するようになる。

――コンベントが決定的な政治レベルで繰り返されることを、多くの人々が切望するようになる。そして連邦全体に及ぶ経済コンベントへの要求を強調する。

――デモクラシーが活性化の推力を得る。「政治不満」と、そのあまり良くない症状である選挙無関心、Pegida※、ブレキシット※またはトランプなどは、次第に消えていくだろう。

歴史のなかで初めて、民主的なプロセスのなかで経済のルールが確定されることになる。ドイツとオーストリアのデモクラシーの始まりから１００年経った今、非常にマッチした歴史的な進歩である。

Pegida　西欧のイスラム化に反対する欧州愛国者
ブレキシット　英国のＥＵ離脱

教育コンベント

教育に関するコンベントも設立することが望ましい。教育組織では、どういう人間が明日の社会を形作るか、コース設定が行われる。お互いに傾聴すること、共同すること、他の人間の考えを尊重することを学んだか？　または、他の者よりも優れていたい、肘を突き出して、個人的な「成功」のためには他人を無視しても良い、ということを学んだか？　zoon politikon※としてデモクラシーを形成するということが何なのかを学んだか、もしくは、自分を「私人」(idiotes)※としてのみ捉えることを学んだか？　世界を内部からしっかりつなぎ止めているものが何なのかを知ることができたか？　もしくは関連性のない詳細な知識をいっぱい詰め込まれたか？

教育セクターのように、すべてのサイドでフラストレーションがはっきり現れているセクターは、他にない。生徒は教師に上から指示・命令されていると感じ、アグレッシブになる。教師は荷が重すぎると感じ、さらし台にスケープゴートとして立たされて、罪を着せられていると感じている。大学の授業は質が落ちて、金銭的に飢えさせられている。大学は、企業と同じように振る舞い、利益優先の私的経済界から枠外資金を調達しなければならなくなっている。外部評価のメソッドは、自由と創造性の代わりに、監視と検査の環境を作り出している。子供と若い大人たちは、自由で批判的な人間として開花する代わりに、市場とグローバル化した経済の需要に調和させられている。

この状況は、自由な教育の理想に合致するだろうか？　なぜ生徒や親は、カリキュラムについて共同決定できないのか？　なぜ政府はそれを1人でやっているのか？　カリキュラムの内容は全員に関わることではないのか？　1社会のすべての教育関係者は、合わせると、圧力団体に引っ張られている政府

zoon politikon　社会的、政治的な生き物としての人間のこと。日本語にはこれに当たる言葉がない。
私人（idiotes）　公的な役職にもついておらず、政治的な参与もしていない人間

よりも知的なのではないか？　打開策は民主的な教育コンベントである。

教育セクターの関係者全員、すなわち生徒、大学生、教師、親たちが、信頼できるコンベントメンバーを選び、選ばれたメンバーが、教育システムの目標や中心的な内容、並びに関係者の協議への参加権を確定する。オーストリアでは、コンベントのメンバーとして、著名人のマーガレット・ラスフェルト（ドイツの元教師・校長で、教育改革者）、ゲラルド・ヒューター（ドイツの脳神経生物学者）、リヒァルド＝ダービット・プレヒト（ドイツの哲学者）、コンラート＝パウル・リースマン（オーストリアの哲学者）、ヨアヒム・バウアー（ドイツの脳神経学者・心理学者）などが有力な候補になるだろう。

私はどんな賭けにも乗る。このコンベントでは別の内容と科目が選ばれるだろうと。２００９年にÖＶＰ（オーストリア国民党）の党首で副首相だったヨーゼフ・プレルが、基調演説「プロジェクト・オーストリア」で提案したものとは違うものになると。プレルは、なんと金融危機の真っ只なかで、「ファイナンシャル・エデュケーション」が「すべての学校の教育内容」となるべきだ、と提言した[179]。銀行が、グローバルなカジノ・プレイヤーになってしまった後に、すべての人間が、その賭博テーブルで、もっとも多くお金を稼ぐための操作を学ぶべきだ、ということである。

次の状況が樽の底を壊して中身を流し出してしまいノックアウトする。欧州委員会の同名のワーキンググループ（ファイナンシャル・エデュケーション）の唯一のオーストリア代表は、ヘッジファンド会社Superfundのマネージャーである。この会社は顧客に年間の利回り20％から70％を提示している[180]。（ちなみにワーキンググループのドイツの2人の代表は、銀行連盟と保険連盟から来ている[181]）。教師、親、生徒を代弁する代表者は、ファイナンシャル・エデュケーションを義務科目にして、ヘッジファンドのマネージャーにサポートを頼むといった考えには絶対に行き着かないと私は確信する。代表者たちは、金融界のエリートと溶け合い、その利益を代弁することが多くなっている政府とは異なる優先項目を選択するだろう。

生存配慮コンベント

3つ目のコンベントは、経済的なベース供給の分野、ドイツ語圏では「生存配慮」と呼ばれている領域で定義されることが望ましい。経済のどのセクターが、この観点で重要な意味を持っていて（多くの場合、いくつかの部門を統合した事業体でサービスを行うのが望ましい）、完全に主権者の監督下に置かれるべきだろうか？

いくつかのアンケート調査によれば、国民の大多数は、郵便局、鉄道、年金、健康医療、並びに幼稚園と大学が、公的事業体として運営されることを望んでいる。この基本サービス供給の事業体は、生存配慮コンベントを通して「民主的なアルメンデ」※へ発展させていくことができる。国民が表決できるところでは、ベース・インフラストラクチャーに対する公的な統制の維持を支持している。例えば、イタリアでは、政府が計画した飲料水供給事業の民営化に対して、140万もの署名が集められた[182]。この署名の結果を受けて、2011年に国民投票が行われたが、95%の国民が民営化に反対した[183]。また、ケアの仕事である保育士、看護士、高齢者介護士、特別な需要がある人間のケアをする専門士、並びに臨死介助者は、公的なサービス提供者として定義され、相応に報酬が与えられることが望ましい[184]。

メディア・コンベント

望まれるさらなるコンベントとして、メディアのテーマを取り上げたい。目的は、メディア、経済、

民主的なアルメンデ　アルメンデは入会地、共有地の意味。第4章（134ページ）を参照

政治の絡み合った権力を解体し、民主的なメディア環境を育んでいくことだ。多様性と権力の分散は、次のようなネガティブ・フィードバック※によって達成することができる。

――2つ以上のメディアを所有する会社があってはならない。

――メディアは1広告主当たり0・5%以上の依存があってはならない。

――新規のメディアは、最低でも5人の信任されたジャーナリストと最低でも10人の同じ大きさの所有者によって設立することができる。

どこの国の政府も、メディアの権力と所有権力のこのような再分配を、まず考えもしないだろう。デモクラシーのためにそのような思い切った救済措置を提唱し、押し通すことができる唯一の現実的な所轄は、私の考えでは、民主的な主権者だ。そのためには、主権者のデモクラシーが必要になる。

デモクラシー・コンベント

このもっとも重要なコンベントは、デモクラシーのルールを新しく作成する、という課題を持っている。2008年の金融危機と政府の（無）反応があって以来、現在のデモクラシーのモデルは袋小路を意味することが、多くの人間にとって明瞭になった。「よりたくさんのデモクラシー協会」※によるたくさんの市民社会のイニシアチブが、教育へのプロテスト、占拠運動、それからアタック（Attac）並びにエコ村や市民自治体の運動を産み出し、多くの市民がデモクラシーのさらなる発展、もしくは「democrasia real※（本物のデモクラシー）」について思考を展開している。

私の考えでは、今後、数年におけるもっとも重要な課題は、よりたくさんの共同決定を望むすべての力を集結し、共同で、革新的で時代に合ったデモクラシーのモデルを作成することだ。そしてこれを広

ネガティブ・フィードバック　本書114ページ参照
よりたくさんのデモクラシー協会　直接デモクラシーと市民参加を求め活動するドイツの市民NGO。
「democrasia real」　2008年のリーマンショックを背景に、2011年にスペインで起こった市民運動

範な市民社会同盟の共同要求事項として、歴史的な市民権の運動を行うことだ。「contract social（社会契約）※」の改新であり、ポスト・デモクラシーを克服するための契約の再調整である。

実行への道は、国民イニシアチブかもしれない。デモクラシー・コンベントを経た後の要求、もしくは政党かもしれない。私は個人的には、政党は「真の」デモクラシーへの道の袋小路である、という見解を持っている。なぜかというと、政党は会派を強調し、共同をあまりしようとしないからだ。1つの会派が提案することは、他の会派は原則的に拒否する。内容的な理由からではない。政党デモクラシーは競争と対立を促進し、そのなかで、もっとも良い考えが踏み潰される。デモクラシーは協力的な手法に基盤を置いたものでなければならない。真のデモクラシー政党は、そんな政党が将来生まれるかどうかはわからないが、唯一の目標を持っている。それは新しいデモクラシーのモデルを世界にもたらすことだ。多数の賛成が得られるような「内容」は政党綱領には書かないだろう。そうすると、新しい決定ルールの作成から気がそれてしまうからだ。私はここでまだ、成熟した解決案を提供はできない。しかし、ドイツの民主的憲法ができて100周年（2019年11月）とオーストリアのそれ（2020年2月）に際して、「主権者デモクラシー」の完全なモデルを構築する作業をしている。

ドイツでは2019年末に、「よりたくさんのデモクラシー協会」が類似のプロセスを提起した。ランダムに連邦全土から選ばれた160人の市民は4日間、デモクラシーの将来について話し合い、ドイツ基本法に対する22の改正案をまとめた。「議会制代表デモクラシーを市民参加と直接デモクラシーの要素で補う」という提案に対しては、156人の参加者が賛成し、1人が反対を表明した。連邦全体に及ぶ国民投票の提起に関しては、148人の参加者が賛成し、9人が反対を表明した[185]。このプロセスは主権者の代表によって形式的に依頼されたものではないので、その成果は、何ら実質的な変更を生まなかったが、主権者がどういう考えで、どういうことをやるつもりがあるか、ということを示してい

contract social（社会契約） 政治学や法学で、国家と市民の関係についての契約を示す用語

る。

3段制の直接デモクラシー

主権者デモクラシーへの2つ目に重要な発展のステップは、法律提起を最高の所轄まで拡張することだ。主権者が本当に「すべてのものの上」に立っていて、デモクラシーの唯一の目的が主権者の意思（大多数の共有意思）の実践である場合、主権者はいかなるときでも、自らの力で法律を提起し、可決することができなければならない。現在のところ、これは、EUの加盟国においても、EUにおいても、不可能である。なぜかというと、私たちの代表者たちにその権限のモノポール（単独所有・独占）があるからだ。民族国家においては政府と議会、EUにおいては欧州委員会、評議会、議会である。

このことが具体的に何を意味しているかというと、1つには、主権を持つ国民が、ある法律提起に不満を持っている場合、過半数の表決により拒否することができる、ということだ。もう1つは、法律（政府の「オファー」のなかに入っていない法律も）を軌道に乗せ、決議することができる、ということだ。2つの権利に関しては、1つの同じ手法を適用することができる。その手法とは、近年、ますます多くの組織が要求している3段制の直接デモクラシーである[186]。

1段目：個々の市民もしくは市民グループは望む法律に関して支援声明を集めることができる。

2段目：この法律の提案に対して十分な数の支援者が集まったら（例えば、0・5%の有権者）、連邦全土にわたる国民発案が実行に移される。

3段目：国民発案（全国の投票所において署名の収集）が次なる大きなハードルを超えたら（例えば有権者の3%の署名）、義務付けられている国民投票が行われ、その結果が、法的に拘束力のある法律になる。

この「3段目」は現在、連邦レベルでスイスにある。スイスでは市民は真の主権者である。ドイツ、オーストリア、イタリア、その他大半の国では、議会が最後の言葉を持っている（国民の意思に反して原子力発電所を建設することもできる。資本にタックスヘブンへの逃避の道を開けることもできる。生物に対して特許を与えることも、システム上重要な銀行を救うことも、もしくは国際法に反する侵略戦争に参加することもできる）。

直接デモクラシーは世界中で前進している。1951年から1960年の間には世界中で52の国民投票があったが、1991年から2000年の間には200、2001年から2010年の間には1000の国民投票が行われている[187]。ドイツでは、この国民投票のツールは、過去15年の間、大半の州と自治体のレベルで導入された。バイエルン州では1995年以来、市民決議がある。

南チロル地方では、直接デモクラシーのための市民運動は、多数の区間で勝利を収めている。直接デモクラシーの最初の形は2005年に導入された。しかしこれは、国民からの発起人たちが想定していたものとはかなりかけ離れたものだった。だから発起人たちは2009年に、市民運動のモデルを貫徹するための最初の国民投票を提起した。そして83・2％の賛成票で勝利を収めた。政府はしかし、この採決を無効とした。なぜかというと、政府が決めていた最低40％の得票率にわずかに満たない38・2％の国民しか投票に参加していなかったからだ。しかしながら政府は法律の改善を約束した。そのための草案はしかし、真の改善を期待できるものではなかった。だから市民の運動家たちは2014年初めにさらなる国民投票を組織し、州が起案した法律が65・2％の反対票で拒否された。それ以来、政府の与党、野党、そして市民社会は、南チロル地方における効果的な国民主権の定着のために奮闘している。

結果が楽しみである[188]。

よりたくさんのデモクラシーが実現される一般的な傾向があるにもかかわらず、直接デモクラシーに対しては、広く普及した、部分的には深刻な危惧や不安が定着している。直接デモクラシーをやったら、税金が高くなるかもしれない、右派ポピュリストがマイノリティに対して急きたてるかもしれない、死刑がまた導入されるかもしれない、といったものだ。この不安の核にあるのは、一般的な国民は、選挙で選ばれた政府に比べ、啓蒙されていなくて、理性的でもない、という見解だ。スイスでの2009年に行われたミナレット（イスラム教礼拝堂の塔）禁止の国民表決が、これらの危惧を承認しているようにも思える。ドイツの「よりたくさんのデモクラシー協会」は、これらの危惧について1冊の本を書いている[189]。

私はここで、直接デモクラシーに対する一般的に流布している留保事項を取り上げ、スイスのミナレット投票をもとに、基本権利について説明したい。

神話1：私たちは代表制デモクラシーを持っているではないか。

トリックは古い。誰かが仕事の休憩または休祝日が欲しいと叫ぶとしばしば、「でも仕事は悪いものではない」という反論がある。直接デモクラシーでは、休暇や休日か仕事か、という二者択一をしたいのではない。直接デモクラシーは、代表制デモクラシーの代わりをするのではなく、それを有意義に補い、その生産性を高めたいのだ。議会は正規の立法者のままである。ただし、議会が主権者の意志に反した決議をした場合、主権者は、自分たちの代表を補正する機会を持っていなければならない。または、議会に立候補したすべての政党が、その選挙公約で主権者にとって大切なことを提示していない場合、主権者は自ら法律を提起できるべきである。もしくは国民が過半数である政権を選挙で選んだが、ある事項で別の決議をしたい場合、選んだ政府と自分たちが望む法律、どちらも獲得できるべきである。最後の言葉は主権者になければならない。

神話2：国民は政府を解任することができる。

それは、もっとも不利な状況になったとして、5年後である。その間に、公的な財が私有化され、強制的な自由貿易協定が締結され、銀行が税金で救済され、戦争も行っているかもしれない。政府は、人気のない決議を選挙の後すぐに行う傾向がある。次の選挙が近づくにつれ、たくさん飴玉をばら撒くためだ。その時までには、たくさんのことが忘れられている。たくさん正しい決議を行い、たった1つだけ大きな間違いを犯した政府を次の選挙では選ばない、という有権者はあまりいない。議会の選挙は基本的に「非効率」である。なぜかというと、選挙公約という太い束の間でしか選ぶことができないからだ。公約は必ず実践されるという保証は何もない。連立政権の場合は、実践できない罪をパートナーになすりつけることもできる。直接デモクラシーでは、主権者に、個々の決議事項を取り出して、自ら決議する機会が与えられる。デモクラシーはこれにより、より効率的に、より満足が得られるようになる。国民は、選挙と選挙の間に落胆させられることも、無力感に苛(さいな)まれることもない。自らのイニシアチブで共同形成できる。

神話3：国民は教養がない。

基本的決議は普通、倫理的な決議である。ここでは、すべての人間が、教育レベルに関係なく、類似の能力を持っている。社会のエリートが心の教養に関して平均以上のものを身につけている、ということを示すものは何もない。反対のことがいえる。権力は人の性格を腐敗させる。すでに述べたように、社会のエリートたちの間では、レベルが上にいくほど、社会病質者やナルシストの割合が高くなる[190]。知的レベルが高いというだけでは、何も保証しない。犯罪を緻密に行うことができる、というだけである。

オーストリアでは国民投票で2つの経験をしている。1つはツヴェンテン村の原子力発電所、もう1つはEUへの加盟である。政府と国民が異なる意見を持っていたとき、原子力発電がそうだが、主権者の方が賢かった。当時、複雑な原子物理学のことなんて国民は理解できるわけない、だからそういう専門的なことは専門家に任せるべきだ、というアグレッシブな論拠があったが。汚職した専門官の問題は近年、悪化している。大臣や議員は、高潔な専門家よりも圧力団体の専門家の意見を聞く。なぜ13のEU政府がイラク戦争へ参加したのだろうか？「教養」の論では説明はできない。

神話4：決議事項はとても複合的だ。

この論は、リスボン条約（EUの新基本条約）で考案された。短くわかりやすい憲法（アメリカ合衆国は今日まで15ページのテキストで足りている）を提案する代わりに、意識的に500ページに及ぶ怪物を創造したのは、第1に、各国政府である。「複合性」論で、主権者を共同決議から排除するためだ。第2に、複数のアンケート調査でわかったことは、国会で活動する国民の代表者たちの大半がリスボン条約の内容に関してほとんど何も知らなかった（今でも知らない）ということだ。だから、国民より採決する資格が高くはなかった[191]。

フランスの1つの事例がたくさんのことを教えてくれる。国民投票が、国民の情報レベルを高く上げることに導くということを。EU憲法条約に関する本は、国民投票の前、数カ月ベストセラーリストに入っていた。100万部以上が売れた。無数の公的な討議会で、ときには深夜にいたるまで、個々の条文に関して白熱した議論が展開された。国民が共同採決できるとなれば、政治に無関心ではまったくない。「期間限定の独裁者」はそう仮定したがるが。

もっとも重大な論は、議会の選挙（政党の選挙）がもっとも複合的な決断だということだ。ここでは、すべての事項に関して、外交から内政まで、経済政策から社会政策まで、教育政策から環境政策まで、たった1つの選挙で決定されなければならない。よりによって、このもっとも複合的な決断を、有権者は「直接」要求されている。国民が本当に無知で、賢い決断をすることができないのであれば、なぜこの解決不可能な課題を行わなければならないのか？

神話5：そうしたら扇動するポピュリストがやってくる。

これは直接デモクラシーで特別なことではない。扇動ポピュリストは議会の選挙でも立候補する。たくさん支持を得て、政権に入る人間もいる。扇動ポピュリストを制御するためには、直接デモクラシーを拒否するのとは違う道が必要になる。熱いアドバイスをしたい。政府と議会が、本気で極右主義者の台頭に対して措置を講じたいのであれば、増加している不平等や、社会的な二極化、すべての国民セクターの阻害化、基本法と民主的機関の侵食に対して、いい加減、そろそろ手を打った方が良い。直接デモクラシーを阻害する代わりに。

神話6：大衆紙のThe Sun（イギリス）、Bild（ドイツ）、Kronen Zeitung（オーストリア）が事実上の政府になる。

これもさらなる殺人的論である。特にオーストリアで。これはしかし、世界的な直接デモクラシーに対する反論ではない。権力の集中を防ぐオーストリアのメディア法を擁護する論である。それはそれとして、オーストリアのKronen Zeitungは、代表制デモクラシーに何ら決定的な影響も及ぼしていないか？ このテーマに関してはドキュメント映画も制作されている[192]。ここでもいえることは、代表制デモクラシーが排除されるのではなく、メディアの権力集中構造が解体されるべきだ、ということだ。

神話7：そうしたら死刑がまた導入される。

直接デモクラシーに反対する条件反射的な論だ。原則的には正しい。理論的には死刑に過半数が賛成するかもしれない。そのためには予防対策が講じられなければならない。しかしこれは、直接デモクラシーでも間接デモクラシーでも違いはない。選挙で選ばれた政府が死刑や拷問を再び導入することから、誰が私たちを守ってくれようか？ グアンタナモ収容所は、国民投票の結果ではない。国民監視強化も違う。最近の市民権の制限と外国への軍投入、戦争参加まで、議会で決議されたものであって、市民からではない！ 1933年のドイツ帝国議会解散をするための全権委任法※は、興奮した国民から生まれたものではない。それができるなら、私たちは憲法、または欧州人権協定（EMRK）を、人権侵害から守っているだろう。論理的な帰結は、これら基本的権利の最後の番人の機能は、直接デモクラシーでも通用しなければならない（間接デモクラシーの場合と同じように）ということだ。これは直接デモクラシーで生まれる社会運動を徹底して促進する。

これに関して私の論拠を1つ。デモクラシーは直接であっても間接であっても、単なる手段である。すべての人間の平等、同等の価値（尊厳）が目的である。すべての人間に同じ価値があるという理解から、すべての人間に同等の基本的権利がある、という理解が導かれる。基本的権利の1つに共同決定権がある。手段は当然のことながら、目的を廃止してはならない。現代の直接デモクラシーのイニシアチブはだからみんな、すでに獲得した基本的権利、人権、少数派の権利も、直接デモクラシーによって侵

1933年のドイツ帝国議会解散をするための全権委任法 ヒトラー内閣に絶対的権限を付与する法律で、ヴァイマール憲法の議会制デモクラシーが抹殺された。

されてはならなくて（間接デモクラシーによっても）、デモクラシー自体も侵されてはならないことを要求している。議会の解散や国王の即位を国民投票で決議することも、理論的には考えられる。それはしかし、議会を通して独裁者を投入することと同様に、ほとんど許容されるべきでないことだ。少数派は、議会からも国民からも弾圧されてはならない。みんなに基本的権利が適用されるのか、もしくはされないのか。基本的権利を守るのは憲法である。

スイスにおける２００９年のミナレット（イスラム教礼拝堂の塔）投票について。スイスでは１８４８年から直接デモクラシーがある。欧州人権協定への加盟は１９７４年である。ミナレット禁止の決議は、差別禁止と宗教の自由の2点で違反している。スイス国民は欧州人権協定に留まることが大切なのか、もしくはこのいかがわしい権利を保持すること、直接デモクラシーで人権と少数派の権利を切り取ることを選ぶのか、解決しないといけない。私は人権を守る方に決定がされると確信している。

それはそうと、スイスは死刑を直接デモクラシーで廃止にしている。概観すると、主権者が自ら決定することが許されたケースでは、政府よりも「賢明」だった事例がたくさんある。世界一のスイスの鉄道網、オーストリア、リトアニアの原発拒否、イタリアとスイスの脱原発決議、ライプツィヒのシュタットベルケ（都市公社）の民営化阻止、富裕外国籍市民の税制優遇措置を撤廃するチューリッヒ州の決議、スイスでの兵役と兵役代価社会奉仕勤務の短縮など、すべて直接デモクラシーの功績である。ただし、それだから直接デモクラシーのスイスの状況が理想的であるといえるわけではない。国民提起は決定なウイークポイントを持っている。所得格差を12倍以内に制限するという投票では、その制限案は過半数で拒否された。しかしその動機は様々である。ある人にとっては12倍というのは高すぎた、また別の人にとっては低すぎた。12倍というのは妥当だと思いながらも、この決議を提起した若い社会主義者たちとつなげられることを懸念して、反対の票を出した人もいる。手法の改善案としては、最初の提案で敷居を越えた後に、6カ月または12カ月後に、代価案（低い敷居）を、市民が提案する。そうすると、代価案として7倍、10倍、15倍、20倍、50倍が出されるだろう。WEF（世界経済フォーラム）のクラウス・シュバーブは別の機会に20倍を提案した。全部の提案が一緒に採決にかけられていたら、ミドルフィールドの12倍、もしくは少しその下か上の数字が勝利を収めると確信する。賭けても良い。900倍が勝つということには絶対にならない。900倍が勝利を収めたのは、単に状況からだ。採決にかけられたたった1つの提案が拒否されたために、900倍という現状が保持された。

スイスではこのような直接デモクラシーがまだ成熟していない側面もあるが、ドイツもしくはオーストリアよりも、人々はこの政治システムで明らかに満足度が高い。ドイツ、オーストリアでは、82％の有権者が「政府が国民の関心を配慮していない」と感じている[193]。わずか5％が、選挙によって「強度に」共同決定できると思っている。ドイツ人の有権者の半分が、選挙によって「まったく」共同決定できないと考えている。各国の政府が経済界のエリートに横領されることが多くなっている現代（「ポスト・デモクラシー」）、直接デモクラシーは、まさに今必要とされているものだ。主権者はそれを望んでいる。導入の根拠としてはそれだけで十分である。75％のCDU／CSU（ドイツキリスト教民主同盟）の支持者、82％のSPD（社会民主党）の支持者が直接デモクラシーを支持している[194]。

絶対王政のフランスにてルイ14世は「国は私だ」といった。今日では、政府や議会が「主権者は私たちだ」のモットーのもと、振る舞っている。EUのリスボン条約では、これを書いて決定した国民の代表者たちが、思い上がって、主権者が何について採決してよくて、何について採決してはいけないか、決めている。政府と議会が将来、最後の言葉は主権者にあることがわかれば、主権者をより真剣に捉えるだろう。そして主権を持つ市民は、政治への嫌悪感や無力感を、民主的なイニシアチブに変換することができるだろう。「直接デモクラシーは観衆の態度から抜け出ることだ」と「よりたくさんのデモク

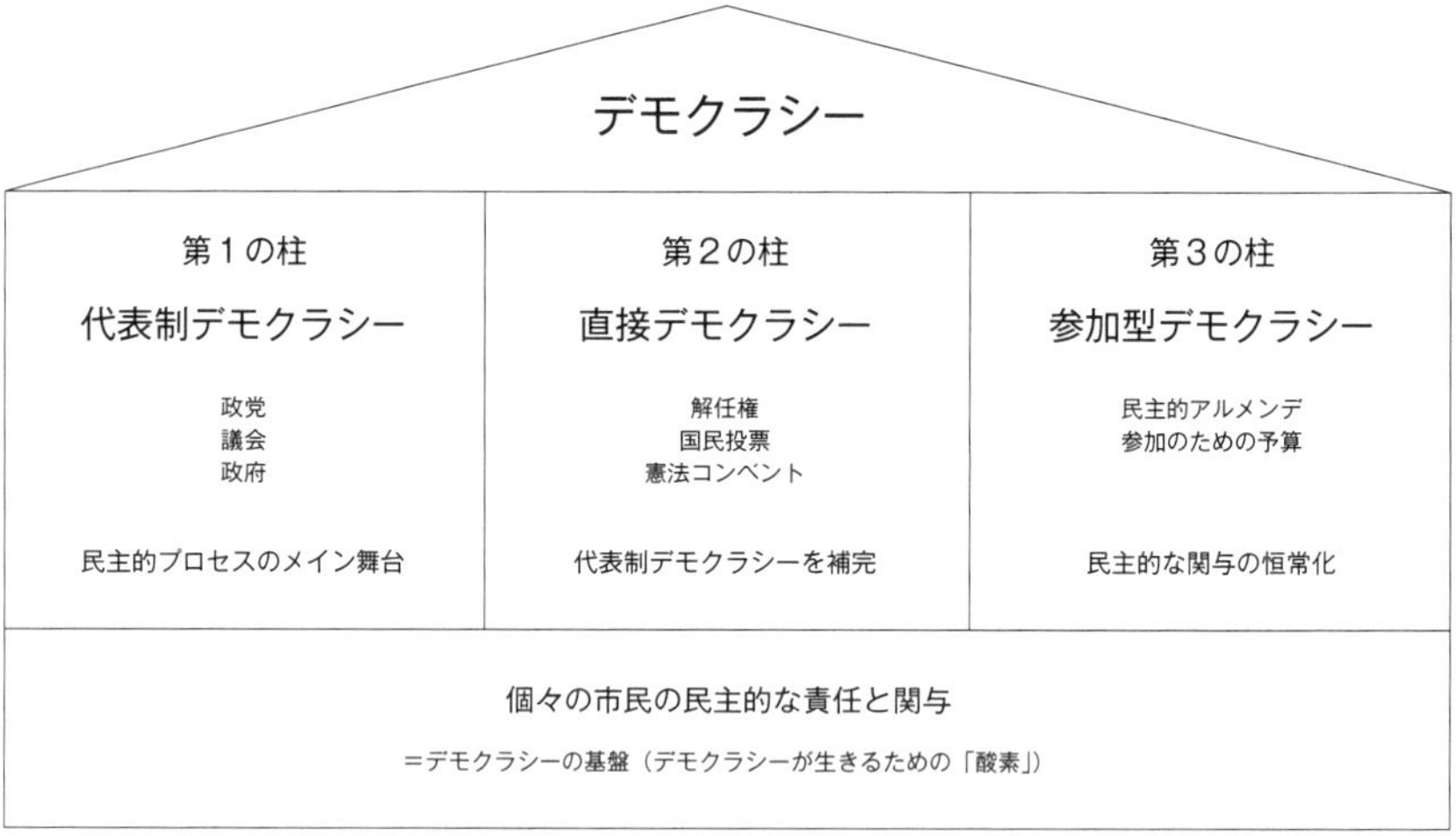

デモクラシー

第1の柱	第2の柱	第3の柱
代表制デモクラシー	直接デモクラシー	参加型デモクラシー
政党 議会 政府	解任権 国民投票 憲法コンベント	民主的アルメンデ 参加のための予算
民主的プロセスのメイン舞台	代表制デモクラシーを補完	民主的な関与の恒常化

個々の市民の民主的な責任と関与
＝デモクラシーの基盤（デモクラシーが生きるための「酸素」）

図：3つの柱のデモクラシー

ラシー協会」の共同設立者のゲラルド・ヘフナー（ドイツ緑の党の元国会議員）は言っている[195]。

間接（代表制）デモクラシーを直接デモクラシーで補完することは、国民とその代表者の権力分立の原則を徹底的に実践することだ。明確に分立した権力は、デモクラシーへの支持を確実に増やし、この政治形態に大きな信頼をもたらすだろう。直接デモクラシーは憲法改正を実行に移すため、主権者の権利を拡張するため、もしくはテーマコンベントを始めるためのツールとして活用できる。集団的な基本的権利は内外でポジティブな相互作用をし、「不能」な主権者を、自身のポテンシャルを開花する真の主権者にする。また主権者、自分たちの代表者にも、より敬意を持って接することができるようになる。

3つの柱のデモクラシー

総和すると、ここで提案した様々な措置は、現在の1次元的なデモクラシーのモデル（代表制デモクラシーだけ）を、3次元的な主権者デモクラシーへとさらなる発展をさせるだろう。間接デモクラシー（代表制）と、直接デモクラシー（市民評議会、デモクラシー・コンベント、国民投票）、そして参加型のデモクラシー（経済と生存配慮での共同決定）である。これは結局のところ、民主的主権者とその代表者のより良い役割分担である。

親愛なるアインシュタイン博士、これでもまだ「本物のデモクラシー」ではないかもしれません。でもこれは、そこにたどり着くための次なるステップだと思います。

第7章　事例、類似例、模範例

公共善エコノミーはユートピアではない。多くの企業が金銭的利益でない別の目標を追ってきた。協力は人間進化だけでなく、たくさんのオルタナティブ（代価的）な経済形態の基本原則である。資本主義の前から、最中も、そしてその後でも。世界の協同組合では、すべての多国籍企業を合わせた勤務者よりも多い数の人間が、常勤者として働いている[196]。共有財、アルメンデ、もしくは「コモンズ」は、山岳地の標高の高いところにある共有牧草地、飲料水協同組合、自主運営のスーパーマーケット、フリーのソフトウェアとインターネット利用など、多様な分野にある。

循環経済※（サーキュラーエコノミー）、ドーナツ経済※、ブルーエコノミー※、シェアリングエコノミー※、シェアード・バリュー※、パブリック・バリュー※、Bコーポレーション※、ソーシャル・ビジネス※、プロシューマー※、地域支援型農業（本章の事例7）、パーマカルチャー※、トランジション・タウン※などなど、オルタナティブ（代価コンセプト）は多数あり、みんな同一の価値を目標としている。これらすべてに共通するのは、お金と資本は手段であって、目標はより高尚で、より多様だということだ。

私企業のなかでもすでに今日、グローバル資本主義の真っ只なかで、公共善エコノミーの観点をだいぶ前から実践している企業がたくさんある。公共善エコノミーは、これらの実践者をより明白にし、報いたい。ここに挙げる事例はこれを実証するものであり、たくさんあるさらなる模範事例の代表となるものである。彼らは共同で、たくさんの人間にインスピレーションとモチベーションを与えている。そ

循環経済（サーキュラーエコノミー）　資源を循環利用し続けながら、新たな付加価値を生み出し続けようとする経済社会システム

ドーナツ経済　人類にとって安全で公正な範囲（ドーナツ型）で、環境再生的で分配的な経済活動をする方法論

ブルーエコノミー　とくに海の生態系を守りながら、経済的な繁栄と貧困撲滅を目指す経済コンセプト

して、共同の模範像に基づいて、隅々にわたるまで企業のランドスケープを形成しよう、という理性的なモチーフを与えている。これは、現在の大企業によるグローバル・モノカルチャー（地球規模での単一栽培=均質化）よりも、はるかに多様で多種な構造になると思う。

1. Mondragón（モンドラゴン）——世界一大きな協同組合（スペインのバスク地方）

スペインのバスク地方のモンドラゴン協同組合（MCC）は今日、世界最大の協同組合である。1943年、スペイン内戦の後、若い司祭だったホセ・マリーア・アリスメンディアリエタは、技術職業訓練学校を創立した。1956年、卒業生の5人が最初の協同組合を設立した。今日では、この協同組合グループは、19カ国に立地し、機械製造業、自動車産業、建設業、家庭用品、小売、ファイナンスにいたるまで、256のグループ企業を擁している。独自に銀行「協同組合銀行（Caja Laboral Popular）」も持っている。

9万5000人の従業員の85%が組合員である。この割合は90%まで上がる見込みである。協同組合は、従業員の基本的な平等を基盤にしている。民主的な企業組織の中心は組合員全員からなる総会にあり、そこでは主権者である組合員は原則「1人1票」の投票権を持っている。また、幹部組織選挙、とりわけ監査役会の選挙は、総会が責任を持つことになっている。

利益のうち、わずかな割合は従業員に分配されるが、残りの大半の割合は、再投資される。一部は、新しいプロジェクトや職場を創出する「共同作業のための中央基金」に入れられる。企業が財政上に困難な状況にある場合は、労働者の賛同を得る形で、給料減額措置で対応することもある。大きな財政問題、もしくは発注ピーク時には、従業員が別のグループ企業で働くこともある。税抜利益の10%まで公

［190ページつづき］
シェアリングエコノミー 個人保有の遊休資産の貸し出しを仲介するサービス
シェアード・バリュー 社会と企業両方に価値を生み出される価値=共有価値
パブリック・バリュー 組織の社会に対する貢献を評価する指標
Bコーポレーション 社会や公益のための事業を行う企業対象の認証制度
ソーシャル・ビジネス 社会課題をビジネスで解決する事業

的な事業、特に、とりわけ重要だと捉えられている教育事業へ流れる。この協同組合グループの起源が教育事業にあるからだ。

合計するとモンドラゴングループは過去10年の間に１５０億ユーロの売上げを上げている。自己資本は約50億円。グローバル化率は高い。支店はポルトガルからタイ、ブラジルからポーランド、メキシコから香港まである。ドイツでは、モンドラゴンはリンブルク市とヘルボルン市、シュトッカハ市で製造工場を運営している。

協同組合企業の（オープンな）成功の秘密は、自身の発表によれば次の事柄である。

——資本ではなく、人間が中心にいる。みんなに共同所有と共同決議の機会を与えていることがその証拠だ。また45％の従業員が女性である。

——ほぼすべての営業利益が再投資される（株主はいない）。

——協力の効果的なツールをみんなでつくっている。モンドラゴンでは、危機のときにも誰も解雇されない。連帯ファンドに積立てられた利益が、その時々で弱い部門を補強するのに使用される。また協同組合銀行は経済的に繁栄しているグループの協同組合には高い利子で、困難な経済状況にある協同組合には超低利子もしくは無利子で、クレジットを給付する。

最後のポイントは、相互に金銭的な援助をすることと同様に同じであり、企業同士の体系的な協力がどう機能し得るかを示している。この公共善エコノミーの基本原則は、モンドラゴン協同組合にとっては、すでに実践している現実である。シカゴの哲学教授デイビット・シュバイカルトはモンドラゴンからインスピレーションを受け、オルタナティブ（代価的）な経済モデル「エコノミック・デモクラシー」を提唱した[197]。批判的な見解もある。オーストリアの生態学者・労働組合活動家アンドレアス・エクスナーと同国の社会学者ブリギッテ・クラッツヴァルトは、「労働部門と企業を統率するマネージメン

［190ページつづき］

プロシューマー　生産者Producerと消費者Consumerが一体化した人間像

パーマカルチャー　永続可能な農業をもとに永続可能な文化、即ち、人と自然がともに豊かになるような関係を築いていくためのデザイン手法

トランジション・タウン　「エネルギーを大量に消費する脆弱な社会」から、「適正な量のエネルギーを使いながら、地域の人々が協力し合う柔軟にして強靭な社会、持続可能な社会」への移行を目指す都市や地域ネットワーク

ト部門の間にある明確な層」があることを指摘している。労働者には「事実上、投票権」しかない。その組織構造と資本主義的環境の結果、この企業グループが「国際的な立地競争の国粋主義的なプロジェクトに変貌した」と[198]。

2．SEMCO（セムコ）――工業デモクラシー（ブラジル）[199]

1950年に設立されたこの企業は、最初は植物油産業の遠心分離機を製造していた。今日においては、世界市場で企業サービス事業を行っている。環境コンサルティング、所有財の管理、不動産コンサルティング、在庫品目録のサービスなどである。産業設備と郵便・書類の管理部門においては、この企業は3000人以上の従業員を有し、市場トップのシェアを持っている。

セムコの特筆すべき特徴は、オルタナティブ（代価的）な組織モデルである。階級も前もってつくられた会社の組織図も通常あるような形ではない。形式的なものには一切、価値を置いていない。その代わり、相互尊重、共同決定と共同形成を大切にしている。すべての職員は、統率する立場か遂行する立場かによらず、みんな平等に扱われる。このようにして、個々の仕事に意味が与えられ、みんなモチベーションをもって、満足して働いている。

創業者アントニオ・カート・セムラーの息子、リカルド・セムラーが80年代に会社の経営を引き継いだとき、会社は経済的な問題を抱えていた。彼は根本的な構造改変を決断した。当時の主要目標「業績と生産の上昇」は、従業員の心身の健康とモチベーションといった「社会的ファクター」に移された。この共同の決断を支えたのは、相互作用モデルから得られる強い信念であった。従業員の会社マネージメントへの関与はモチベーションの増加につながり、これが再び関与を高めるという相互作用である。

このアプローチで、セムコの「人々」は、新しい組織プランを開発した。すべての労働単位で労働時間をできるだけフレキシブルにした。複数の労働単位の間でローテーションモデルを導入すると、交替によって変化がもたらされ、欠けた人物を補うことが簡単になる。個々の休暇の時期は、従業員が自ら決める。給料も、分散型で透明性をもって交渉することで、自分で決める。

新入社員に配布される「サバイバル・マニュアル」という小冊子には、セムコでの共同生活と共同作業の重要な基本ルールが書かれている。セムコに新規に入る人間は誰でも、関与し、探求し、創造性を発揮するように勇気づけられる。

統率するポジションに立つ人間は、企業文化に沿って、統率される従業員によって、適切な人物だと承認されなければならない。圧力をかけたり、脅したり、ストレスをあたえる管理職は、統率能力不足と見られる。会社では、従業員や職員といった概念の使用はできるだけ避け、セムコで働いている人々にとっては「個人」が中心的な概念になる。相互尊重が形式云々を補う。会社は、自由な意見、アイデア、批判に対してオープンな環境を持っている。意見の違いは必要なことで、健全であると理解されている。

このような「産業デモクラシー※」の形は、すべての人間の自己責任を高める。個々の作業単位の利益と成果は透明性をもってみんなが見ることができる。利益の15%はすべての従業員に分配される。決算会では、すべての参加者が、利益をどのように使うか、議論することができる。

「セムコモデル」は認められ保持された。倒産寸前だった企業は今日、12のビジネス部門を持つ生産性の高い企業グループに成長した。セムコはブラジルで最優良な職場と評価されている。リカルド・セムラーは1990年、ウォール・ストリート・ジャーナルによって、その年のラテンアメリカのベストなビジネスマンに選ばれた。彼はまた、1990年と1992年に、ブラジルのビジネスマン・オブ・

産業デモクラシー 資本家（使用者）と労働者との社会的関係を民主的にしようとする考え方

ザ・イヤーにもなっている。彼が書いた最初の本『ターニング・ザ・テーブル』※は、ブラジルの歴史のなかでもっともたくさん売れた実用書である。23カ国語に翻訳されている。

3. Cecosesola（セコセソラ）――マルチ協同組合（ベネズエラ）

1967年に設立された「ララ州の社会サービス事業連合会」（スペイン語の略称はCecosesola）は、農業、定期市、健康医療、輸送、貯蓄銀行の分野の80の協同組合と1葬儀会社を包括している。連合会は2万の会員を持ち、そのうち1200人が個々の会社で正規社員として働いている。給与は国の最低賃金のレベルよりもはるかに上で、商品やサービスの料金は一般的な私企業のものより安い。2010年の売上は、4億3000万BsFで、当時のレートで換算すると1億USドルであった[200]。

この協同組合の心臓部は4つの定期市で、金曜日から日曜日まで開かれて、同時に集いの場所、文化の中心地として機能している。新鮮で質が良い食料品が手に入るということで評判が良く、たくさんの農家や菜園家が直接、協同組合に農産物を卸している。新しい協同組合法が可決されてからは、階級が廃止され、99％の作業はローテーションの原則で行われている。

この模範的協同組合は、1975年に1969年制定の制限的な協同組合法が改正された際に、決定的な影響を与えた。そこでは、国が協同組合として承認するためには、1つの事業領域だけに階級的な構造が許される、という改正の内容であった。また1999年に国民投票で承認された「ベネズエラ・ボリバル共和国」憲法で、協同組合が重要な地位を獲得したことにも、大きく貢献した[201]。

※『ターニング・ザ・テーブル』 邦訳版は『セムラーイズム――全員参加の経営大革命』ソフトバンク文庫

4. Sekem（セケム）――砂漠のビオ農業（エジプト）

Sekem（セケム）はカイロから60キロメートル南に行ったところにあるフェアトレードの協同組合で、1977年に設立され、今日では7つの会社で1850人を雇うまでに成長した[202]。セケムはバイオダイナミック農法※によって砂漠に緑をもたらし、ビオ（有機認証）農業によって食料品だけでなく、健康医療商品と衣料品も生産・製造している。Sekemとは「太陽からのライフパワー」という意味だ。設立者のイブラハム・アボレイシュは2003年にオルタナティブ・ノーベル賞を受賞している。受賞のタイトルは「ビジネス成功と社会での社会的・文化的発展が、愛のある経済によって統合された21世紀のビジネスモデル」である。

7つの会社のなかには、植物医薬品会社「Atos」がある。この会社は、癌や循環器系の障害、皮膚病、リウマチに効く薬を製造している。ビオ食品製造業者の「Isis」は、穀物、米、野菜、麺類、ハチミツ、ジャム、ナツメヤシ、香辛料、ハーブ、お茶、果実ジュースなどを製造している。バイオダイナミック農業の「Libra」は、綿花、油糧原料の作物、穀物のバイオダイナミック農法を、全エジプトの組合事業体に拡張した。「Lotus」社はハーブを乾燥させている。「Hator」社は新鮮な果物を販売、「Mizan」社は野菜農家のために種子を再生産し、「Conytex Naturetex」はエコ繊維の服を製造している。すべてのグループ企業の研究は、学際的な「セケムアカデミー応用芸術と科学」が行っている。

セケムでは、バイオダイナミック農法とともにフェアトレードにも焦点を当てている。当初は、工業国との貿易でのフェアトレードに事業が制限されていたが、現在はエジプト国内でもフェアトレードのシステムを定着させようとしている。3つ目の重点は、1850人の従業員の心身の健康である。収益から、幼稚園、ヴァルドルフ学校※、病院に資金援助されている。自由大学も2009年にその門を開けた。

毎朝、全グループ会社の従業員が集合し、共同で過ぎた日に感謝し、新しい日を祝う。基本的な価値である人間尊厳、平等、デモクラシーが、セケムの従業員たちによってケアされている。教育施設においては「自由で明快な思考」並びに「芸術的な表現」を目指し努力されている。健康センターはホリスティック医療、自然医療を行っている。

アボレイシュ基金がセケムの資本を持ち、基金評議員会が協同組合のヴィジョンを監視している。2007年2月には、ドイツのGLS銀行とオランダのTriodos銀行が20％の出資でセケムグループに加わった。

5．フェアトレード――生産の背景にいる人間に価値を置く（58生産国）

「自由貿易」と「最安値原則」の対極としてフェアトレード※がある。オーストリアでは、今日のEZA Fairer Handel GmbH（もっとフェアなトレード有限会社）が、35年前にシステム敗北者に世界市場でチャンスを与えようとして始まった。小規模農家、芸術工芸家、繊維加工ワーカーをサポートするためにだ。製品の価値に見合った支払い、信頼できて、できる限りダイレクトな商取引が、グローバルプレイヤーに対する彼らの市場ポジションを強化し、彼らの生活状況を改善する重要なベースになる。社会的基準とエコロジカルな基準の保守が、栽培と労働環境において中心的な機能を果たす。

ヨーロッパでは、フェアトレードの専門店である「Weltladen（世界の店）」が、フェアトレード・コンセプトの普及に共に作用した。この専門店は、販売場所としてだけでなく、情報提供や意識形成の場

ヴァルドルフ学校　第5章補注（157ページ）参照
フェアトレード　開発途上国の原料や製品を適正な価格で継続的に購入することにより、立場の弱い開発途上国の生産者や労働者の生活改善と自立を目指す貿易の仕組み。

所、原産国の人々と出会う場所にもなっている。多くの「世界の店」はボランティアのサポートによって運営されている。人間が「本性として」利己的で、競争によってのみモチベーションを得ることができる生物なのであれば、この店はすぐに鍵をかけてしまうだろう。

フェアトレードの認証ラベルの創設（１９８８年にオランダで設立）によって、スーパーマーケットのような営利目的の市場参加者にも、フェアトレードのコンセプトへの制御されたアクセスが可能になった。それ以来、売上と商品の数は成長している。フェアトレード認証を受けた商品の世界的な売上は２００９年、34億ユーロだった。

公共善エコノミーでは、フェアに取引された商品は、アンフェアな商品に対してメリットが与えられる。そして何年間かの移行期を経て、フェアな商品しか商品棚に載せられないようになる。これは、第3章で行った提案によって、公共善決算の結果に世界市場への参加資格をつなぎ合わせることで達成できる。結果的にフェアな商品が安くなる。競争と最安値を目標にする世界貿易機関（ＷＴＯ）は、アンフェアな商品の「差別」を違法といい、自由貿易法に反すると表明するかもしれない。自由貿易協定を解消し、その代わりに国連にてフェアで公正な貿易のルールを押し通さなければならない、ということのさらなる根拠だ[203]。人権と労働権の尊重、そして環境保護は、もはや自由意志に任せたままではいけない。

6. OIKOPOLIS（オイコポリス）――ビオ（有機認証食品）卸売（ルクセンブルク）

タックスヘブンのルクセンブルクでは、シャドー銀行だけでなくビオ（有機認証食品）卸売も成長している。OIKOPOLIS※（オイコポリス）グループは１９８８年に設立されたルクセンブルク・ビオ農業

OIKOPOLIS（オイコポリス） ギリシャ語の「oikos=家計経済共同体)」と「polis=市民自治体」の合成

組合（ＢＩＯＧ）に起源がある。

ＢＩＯＧはルクセンブルクにおけるビオ農業の農家、園芸農家、その他のパイオニア共同体だった。共同体の目標は生産されたビオとバイオダイナミック農産物の共同販売が目的だった。NATURATA（ナチュラタ）という、当時ローリンガーグルンド地区に設立された最初のビオ食品の小売店も大変繁盛し、生産者は消費者の需要をほとんど満たすことができないほどだった。この需要の高まりを受けて１９９２年には、BIOGROS（ビオグロス）という卸売・輸入会社が設立された。この３つの会社（BIOG、NATURATA、BIOGROS）がOIKOPOLISの基柱となって、人智学の創設者ルドルフ・シュタイナーの友愛に基づく経済協同の思想を実社会で実践している。これらすべての会社はシュタイナー思想から着想を得た市場ミーティングに参加している。この「ラウンドテーブル」の目的は、価値創出チェーンの最初から最後までの各関心事をフェアに埋め合わせすることだ。

２００５年、成長著しいこの企業グループは、上部組織としてOIKOPOLIS Participations SA（オイコポリス参加株式会社）を設立した。ＢＩＯＧ農家とその従業員たち、並びに３２０人の個人株主によって成り立っている。これによって、価値創出チェーンの３つの構成要素である農家、従業員、消費者が会社の株を所有する、という体制ができた。

この企業グループは２０１４年と２０１６年に２つの公共善決算を作成した。マトリックス４・１において７００ポイント以上を獲得した数少ない企業の１つである。公共善のテーマに取り組むために、１つのパートタイム職（フルタイムではない正規雇用職）が設置された。「公共善ワーキンググループ」はすべてのステークホルダーに対してオープンである[204]。

7. Community Supported Agriculture 地域支援型農業（USA、ドイツ、オーストリア）

Community Supported Agriculture 地域支援型農業（CSA）もしくは「Gemeinsamen Landwirtschaften 共同農業（GELA）」はルドルフ・シュタイナーのバイオダイナミック農法※から着想を得て、1986年にアメリカ合衆国の2つのファームで始まった。グレート・バリントン（マサチューセッツ州）のCSAガーデンと、ニュー・ハンプシャーのテンプル・ウィルトン・コミュニティ・ファームである。

アイデアはとても単純であり、かつ素晴らしい。農家は周辺エリアの住民に農産物を供給する。周辺エリアの住民は農家が事業を営むために必要な資金を提供する。消費者は、生産された有機農産物を6カ月もしくは1年間、買取りする保証をすることで、生産に責任を負う。消費者はその代償に、生産のあり方をよく見て、生産に影響を及ぼすこともできる。消費者が、事業有機体の一部になるわけだ。このコンセプトは、健康なサイクルをする自然のなかでは、地域の人間を食べさせるのに十分な余剰生産が行われる、という考え方に基づいている[205]。2012年までにアメリカ合衆国の1万3000の農家に拡張した。カリフォルニア州だけで約1000件もある[206]。

ドイツでは、Demeter（バイオダイナミック農法）認証のBuschberghof（ブッシュベルグホーフ）が起点となって広がった[207]。1987年以来、ブッシュベルグホーフは、農業事業体だけでなく、生産加工から消費者までを網羅する、ほぼ完結した経済循環を目指している。ドイツでのさらなる事例としては農業事業体 Kattendorfer Hof（カッテンドルファー・ホーフ）と農業事業体 CSA Hof Pente（CSAホーフ・ペンテ）があり、オーストリアでは農業事業体 Ochsenherz Gärtnerhof（オクセンヘルツ・ゲルトナーホーフ）

※バイオダイナミック農法 196ページの補注参照

がある。後者は２００人の収穫ヘルパーと共同作業している。有機で地域の季節生産物に関する相互責任の原則は、食品協同組合（foodcoops）やいわゆる「野菜予約ボックス」の事業などで実践されている。

８．Regionalwert AG――地域の自己資本（ドイツ）

２００６年にはドイツ・フライブルク市の近郊で、市民株式会社「Regionalwert AG 地域価値株式会社」が設立された[208]。６５０人の株主が持続可能な地域の農業へ資金提供を可能にした。２０１６年までに３００万ユーロが調達された。

地域価値株式会社は、集められた資金で農業事業体と農業関連事業体を購入し、それを、やる気はあるが資金力がない事業者に賃貸している。また、農産物価値創出チェーンのなかにある、教育研修、品種栽培、農業生産（畑作、動物飼養、菜園、造林）、販売部門（小売、ケータリング、飲食業など）にも、出資している。株主は、金銭的な決算のほかに、金銭以外の「付加利益」として、特別な指標に基づいて計算された「複次元の豊かさ」と「社会・エコロジカル付加価値」並びに地域での供給安定を得ることができる。創設者は元demeterビオ農家のクリスティアン・ヒスで、彼は２００９年にダボス会議にて「持続可能性の社会起業家」として表彰された。この革新的なモデルはドイツの他の地域やスペインで追随者を生み出している。

９．倫理銀行（ドイツ、オランダ、スイス、オーストリア、イタリア）

銀行はみんな同じではない。すでに今日、いくつかの銀行は公共善に専念している。グローバルなレベルでは、倫理的銀行各社がGlobal Alliance for Banking on Values（ＧＡＢＶ）（価値を大切にする金融のグローバル連合）を設立した。２０２１年時点で40カ国から65の銀行メンバーが加盟している[209]。

このグローバル連合の設立発起銀行の１つとしてドイツのＧＬＳ銀行がある。１９７４年にシュタイナーの人智学の支持者によって設立された銀行で、ボーフム市を本拠地にしている[210]。この銀行は、社会・エコロジカルの基本原則に基づいて営業するドイツで最初のユニバーサルバンク※で、約６５００の企業と各種プロジェクト（オルタナティブ学校・幼稚園、再生可能エネルギー、身体障害者施設、住居、エコロジカルな建設、高齢者ライフなどの分野）に融資している。融資除外基準としては、アルコール、原子力エネルギー、胎児研究、グリーン遺伝子技術、武器、タバコ、児童労働、動物実験などがある。企業に融資されたクレジットはすべて、顧客に配布する広報誌「銀行シュピーゲル」で公開される。クレジットは基本的に、転売されることはない。また、投機的なビジネスもＧＬＳ銀行のビジネスモデルには属していない。顧客の銀行預金額は２０１６年、ほぼ40億ユーロで、授与されたクレジット総額は25億ユーロである。ＧＬＳ信託という子会社もあり、基金を管理し、そのお金を公共利益のプロジェクトに授与している。ボーフム市の本店のほかに、ミュンヘン、ハンブルク、フランクフルト、シュツットガルト、フライブルク、ベルリンと６つの支店があり、５２７人の職員が勤務している。

同様に人智学サークルによってオランダで成立したTriodos Bank（トリオドス銀行）は１９８０年に営業を開始した。この銀行は、選別されたビジネス領域で、社会的・エコロジカルな付加価値を生み出す企業に限定して融資を行っている。融資されたお金は、厳密に定義された目的にしか使用できないようになっている。重点分野は再生可能エネルギー、有機農業、健康、持続可能なトレードである。トリオドス銀行は２０１０年にはドイツの市場に進出した。ベルギーとスペイン、英国でも営業している。２０１７年の売上は、１００億ユーロの大台を超え、半期の利益はほぼ２０００万ユーロに達した[211]。

ユニバーサルバンク　商業的業務と投資的業務の両方を行う銀行

スイスでの最初のオルタナティブ銀行は「Freie Gemeinschaftsbank（自由共同体銀行）」である[212]。この協同組合銀行も、人智学のサークルによって１９８４年にドルナッハ村で設立され、１９９９年にバーゼルに移転した。目的は、公共の利益に寄与する、もしくは一般社会に貢献する事業を倫理的な基準に基づいたクレジット授与によって助成することだ。重点分野は、認証を受けた有機農業事業体、オルタナティブ学校・幼稚園、研修施設、治癒的教育、社会セラピー、診療所、病院、療法所、製造業、商業、レストラン、エコロジカルなプロジェクト、再生可能エネルギー、芸術学校、芸術的イニシアチブ、市民集いセンター、高齢者ホーム、共同生活施設などである。総資産は約2億スイスフランで、自己資本は約８００万スイスフランである。協同組合への各自の出資金は返金されず、利子もつかない。

もう1つのスイスの倫理的銀行としてAlternative Bank Schweiz（スイス・オルタナティブ銀行）がある。オルテン市を本拠地にしている。１９９０年に２６００の個人と企業によって設立され、今日の総資産は約10億スイスフランである[213]。この銀行もオルタナティブ（代価的）なプロジェクトに特化してクレジットを授与している。透明性が高いことが特徴である。この銀行は、クレジット受給者とその目的を公表している。銀行内部では、デモクラシーと、女性と男性の間の機会均等が重要視されている。約２万４０００人の顧客、４４００人の株主によって支えられている。

ドイツとオーストリアのSparda-Banken（シュパルダ銀行グループ）では、普通口座が無料である。同時にすべての口座所有者が組合員で決議権を持った所有者だ。ミュンヘン・シュパルダ銀行は、グループのなかで模範とされていて、29万１０００人の所有者（２０１６年）によって支えられている[214]。所有者たちは、２００人以上の代表者、監査役と理事を選挙で選ぶ。代表者たちは、利益の分配について決定を行う。２０１５年の組合員への利益配当は組合出資分に対して3％であった。理事と平均的な職員の給料の差は6対1である。７５０人の職員に対して１２０の労働モデルがあり、労働協約による基本労働時間は週37・75時間である。1歳から3歳までの子供を持つ親である職員には3年間にわたり、毎月150ユーロの子供手当が支給される。2010年、シュパルダ銀行は、銀行部門において4度目の「ドイツの最優良雇用者」に選ばれた。「ドイツ顧客モニタリング」では、シュパルダ銀行グループは17回も1位を獲得している。

2011年、シュパルダ銀行は銀行として世界で最初に公共善決算を作成している。現在4つの銀行が公共善決算を行っている[215]。「5年が経過して公共善エコノミーが職員に定着した」と企業コミュニケーションの責任者であるクリスティーネ・ミードルが報告している。CEOのヘルムート・リンドは、当初からの公共善エコノミー大使である。公共善を基準にした経営は、総資産にもポジティブに作用する。シュパルダ銀行グループの総資産は現在70億ユーロを超えている[216]。

イタリアのパドゥア市では1999年にBanca Etica（倫理銀行）が設立された。イタリアで最初の正式な倫理銀行である。最初の15年間でこの銀行は、約2万3000のクレジットをイタリア全土の家庭や社会的企業に授与した。企業向けクレジットの3分の2はNPO団体に、残り3分の1は、社会的企業に授与された。3万7000人の組合員が4600万ユーロの自己資本を所有している。従事している職員は200人である。この銀行のさらなる功績としては、FEBEA※設立のイニシアチブを取ったことも挙げられる。グローバル連合のGABVとこのFEBEAは、第3章で提案した法的で倫理的なEU銀行連盟の起点となっている。連盟に加盟している銀行には、普通の利益優先の投資銀行よりも規制を緩くする、というものだ。

Oikocredit（オイコクレジット）は、1975年に設立された国際的クレジット組織である。低所得の国々での開発共同作業へのマイクロ・クレジットやプロジェクト・クレジットの授与に特化した会社である。現在、世界中の544のパートナーとともに、33の重点国においてプロジェクトが行われている。

※FEBEA　倫理的・オルタナティブ銀行と金融機関のヨーロッパ連合

5万8000人の出資者が合計10億ユーロの資金を提供している。クレジット受給者の割合が一番多いのはインドで、融資者ではドイツがもっとも多い。オランダに本部がある[217]。

10. GEA, gugler, Sonnentor, Grüne Erde, Thoma, Zotter
——各分野のパイオニア（オーストリア）

伝説的な「Waldviertler（ヴァルトフィアトラー）」（靴）で有名なGEA社はグローバリゼーション、生産拠点の移転、そして安価生産の時代においても、生産と販売を連結することで、伝統的な消費財が地域で、地域の資源と労働力を使って生産され得るという事例の1つだ。ヴァルトフィアトラー有限会社とGEAハインリッヒ・シュタウディンガー有限会社は合わせて125人で靴と家具を生産し、販売している。最低賃金は手取りで月1000ユーロ弱、収入格差は2倍である。2010年の秋以来、ヴァルトフィアテルの工場では自社で消費する以上の電力が太陽光発電で生産されている。

コミュニケーションサービス提供者の gugler 社はニーダーオーストリア州のメルク市で1つのビジョンを持っている。それは印刷製品を完全にコンポスト化できるようにすることだ。その模範としているのは Cradle-to-Cradle®※の原則である[218]。これは公共善決算において、1つの「トップ目標」になり得る原則だ。20年来、95人の従業員をもつこの家族企業は、メディア製品をエコロジカル化する新しいステップを踏み続けている。2000年のNÖ木造建築賞、2004年の Trigos 賞、2006年のWWWパンダ賞、業界で最初の持続可能性リポートに対する2008年のオーストリア・サスティナビリティ・リポーティング賞は、この企業の包括的な努力が認められた証明である。これは、長期的な企業

Cradle-to-Cradle®（揺りかごから揺りかごまで）の原則　すべての材料が資源に戻り、循環し続ける製品・仕組。ドイツのＥＰＥＡ（ドイツ環境保護促進機関）が認証を行っている

戦略にも明記してある。「人間と地球の豊かさのために注意深い経済活動」。

1988年に設立されたニーダーオーストリア州のビオ・ハーブの加工会社 Sonnentor（ゾネントア）も社会的でエコロジカルな持続可能性の方向への道を探している。ここも、前述の同地域企業と同様に関連する数々の賞や表彰を受けている[219]。153人の従業員が地域150軒の農家の自然産物を加工し、ほぼ50カ国に輸出している。お茶、ハーブ、塩、コーヒーなど様々な商品を製造している。この会社は、すべての包装材に、100%リサイクル可能、もしくはコンポスト化可能なマテリアルを使用している。電気はエコ電力のみを購入し、消費電力の10%は自社の太陽光発電設備からまかなっている。工場からは、直接的なCO_2排出はない。ゾネントア社は前述の企業、並びにRogner Bad BlumauやÖlmühle Fandlerといった地域企業とともに、ブルーマウアー・マニフェスト（声明文）を共同作成し、企業責任と持続可能性に力を尽くしている[220]。

オーバー・オーストリア州では通信販売会社Grüne Erde（緑の地球）が持続可能性で定着している。この会社は68年運動※の申し子であり、エコ書店の住所録から生まれた。顧客が企業の構築を完全に融資した。最初の商品は自然素材のマットレス「白い雲」だった。今日、420人の従業員を抱えるこの会社は、家具、インテリアから生地、化粧品に至るまで自然素材の各種商品を生産・販売している。90%の家具、95%の化粧品はオーストリアで自社生産している。販売は直営のショップ、通信販売、25%の売上を占めるオンラインショップだけで行っている。2017年、緑の地球社は最初の公共善決算を作成し、これまでの最高値である749ポイントを獲得した。公共善エコノミー運動の意義に沿って、この会社は自らの批判的な箇所を、まだ成熟していない決算バージョン4・1で透明性をもって明示し、

68年運動　中欧での新左翼学生らによる、既存の政治・社会体制への抗議運動

改善案も出している[221]。

ザルツブルク州のゴルドエッグ村では木の友エルヴィン・トーマが、接着剤も金属も使わない完全木材ハウスを生産する企業を構築した。いわゆるホルツ１００ハウスは、すでに25カ国に建てられている。この会社の木製品は、Cradle-to-Cradle®※（揺りかごから揺りかごまで）で認証を受けた最初のものである。

シュタイヤーマルク州のリーガースブルク村には、ヨーロッパで唯一の１００％ビオ・フェアなチョコレート・マニュファクトリーがある。年間２５０トンのカカオ豆が、ニカラグア、ペルー、ドミニカ共和国、エクアドル、コスタリカ、パナマ、ボリビア、ブラジルから輸入され、加工されている。設立者のヨーゼフ・ツォッターの周りで約１００人の従業員が「豆からチョコバーへ」、豆の焙煎からローラーならし、コンチングまでのすべての製造ステップを1箇所で行っている。２００４年以来、フェアトレードの豆と砂糖しか使用していない。２００６年以来、すべての原料がビオ認証を受けている。チョコレートは、このように児童労働でない、大量動物飼育（ミルク）でもないやり方でも作れる[222]。

11．連帯エコノミー（ブラジル）

ブラジルでは、オルタナティブ（代価的）な経済セクターである「連帯エコノミー」が成長している。これは、１９８０年代の資本主義危機への回答である。当時、大量の失業者が出て、たくさんの人々が極貧の危機にさらされた。自由な市場が困窮している人たちを助けることができなかったので、困窮者たちは、自助と連帯で、自己救済を試みた。数多くの協同組合や類似組織が誕生した。今日では2万企

※ Cradle-to-Cradle®　205ページ［注］参照

業もあり、200万人以上の雇用を創出している。経済活動分野は砂糖工場や靴工場から洋裁協働組合、フェアトレード・ネットワークまで様々だ。それらは企業の形態も、従業員自治の製造会社、農業協同組合、貧困地区や原住民共同体での情報ネットワークなど多様である。500の組織と80の自治体が連帯経済セクターの構築を支援している。

この分野を担当する国の事務次官パウル・シンガーは、連帯エコノミーは資本主義と同じくらい個性を育てる、といっている。資本主義がエゴと欲望を育てるのに対し、連帯エコノミーは連帯性と公共善を促進する。連帯エコノミーの企業でインターンシップを行った学生は、卒業後もこのセクターに留まりたいと熱望している、とシンガーは報告している。相互扶助はこの壊れやすいセクターの重要な気骨である。従業員の自治で運営されている砂糖工場で最初に出た利益は、匿名の株主のポケットに入るのではなく、文盲の従業員の教育のために使われた。

12. オープンソース（グローバル）

公共善エコノミーは知識の伝達（共有）の上に成り立っている。利己的・営利的な使用の目的で知識が封鎖されるものではない。知識の共有が人間の本性に対する犯罪ではないことは、体系的な協力によって成り立っている学問の歴史が実証している。1人の学者が認識して公表したことは、すべての学者たちが更なる研究において自由に使うことができる。

ハイテク分野では、最新のモダンな産業部門がある。それは学問の世界の原則を活用するオープンソース運動、フリー・ソフトウェア運動である。運動の活動家たちはみんな、コンピューターのソフトウェア、プログラム、OSは、民間会社によって特許が取得されるのではなく「オープン」に協力的にみんなで開発されるべきだ、という見解で一致している。この精神から、ＯＳのLinux、ウェブブラウザのFirefox、メールプログラムのThunderbird、オンライン百科事典のWikipediaなどの無料のハイテク商品が生まれた。開発した者は、その業績が社会に貢献したという名誉を得る。これは人間の基本的欲求である。何か意味のあるものを社会にもたらしたい。その欲求を満たすために、開発者はお金も利益も断念する。公共善エコノミー運動の公共善決算は、すでに述べたように、クリエイティブ・コモンとしてライセンスが与えられている。

13．ＮＰＯ：非営利の事業体に17万人の雇用（オーストリア）

証券取引フィーバー、25％自己資本利益率といった言葉が飛び交い、「Gewinn（利益）」「Money」「Alles Fonds（すべてファンド）」といった雑誌が本棚に並ぶ今の時代においても、非営利の事業は広く日常的に行われている。世界の40大国で、25年来、ＮＰＯセクターの調査をしているジョンズ・ホプキンズ大学が出している数字によると、ＮＰＯは平均して経済業績の４・５％貢献している。建設部門と同レベルである[223]。

オーストリアではＧＤＰの２％、約50億ユーロを非営利の事業体が生産している。ということは、オーストリアの非営利セクターは、農業、林業、漁業、食品、嗜好品、飲料、タバコ、ペーパー、段ボール、印刷、出版のどの部門よりも大きい。17万１０００職場の40％は正規のフルタイム雇用である。利益を追求しない事業体は意味をもたらさないし、機能しない、という一般的に広く流布している先入観を覆す事例が数多くある。

14. 無償の社会貢献、ボランティア（世界各地に）

有意義な価値創出は利益追求なしでも機能するが、さらにお金なしでも機能する。人間の本質的需要の多くが、市場とお金の原理から外れたところで充足されている。経済を人間の欲求充足の道具として定義した場合、経済の本質的な要素は市場なしで満たすことができる。それどころか、「自由な市場」では人間の基本的欲求が無視される（グローバルに見たら十分な食糧があるというのに、10億人の人々が飢えに苦しんでいる）。同時並行して、人工的に呼び起こされた欲求、さらには病的な欲求（中毒）までもが、大変な労力が費やされて満たされている。

資本主義の経済が、たくさんの人々の無償の自発的な奉仕によって成り立っていることは、明白な事実である。とりわけ女性による奉仕だ。子供や病人、高齢者の世話、死の看取りなど、とても価値の高い人間を結びつける仕事。人間は競争と利益追求なしには、まったく業績を上げることはできない、という男性陣の主張は、彼女らの業績に照らしたとき、非常にシニカルに感じられる。資本主義が依存しているこれら「目に見えない」業績について、ここでいくつかの代表的な例をあげたい。

- 母乳に対して請求書が発行されることは非常に稀である。妊娠や育児期間も同様である。
- 病人の世話。例えば、トップマネージャーたちは、病気になった際に、彼らの妻やパートナー、もしくは親類によって世話してもらうことに対して、（お金を支払ってはいない。
- 高齢者の看護や介護も同様に、圧倒的に女性が担っている。多くの場合、無償で。
- 臨死介助（ホスピス）もほとんどボランティアに支えられている。
- 浮浪者や中毒者の世話や困窮者への食事の提供。ドイツの「Tafel 大テーブル」（各地にある食事や食糧の無償提供組織）では約4万人が無償で活動している。
●2015年、中央ヨーロッパに大量の難民が一気に押し寄せたとき、数多くの人々が自発的に手助けをした。純粋な同情の念で、公的に讃えられることもなく。行政に猜疑心を抱かれながら活動した人たちも多くいる。主役の市民に対して、行政は脇役だった。
●ある高給取りのマネージャーが車で重大な交通事故に遭ったとき、大半の場合、ボランティアの救命チームによって病院に運ばれる。出血がひどい場合は、おそらく、まったく見ず知らずの他人の血液をプレゼントしてもらうことになるだろう。母乳だけでなく、血液も無料である。
●田舎にある彼のウイークエンドハウスで火事が起こった場合には、地域のボランティア消防団が駆けつけ、消火作業をする。当たり前のこととして。
●彼が講演のために調べ物をしなければならない場合、ウィキペディアで検索するかもしれない。世界中のたくさんの人間が彼のために無料でプレゼントしている知識の百科事典を。場合によっては0ユーロで使用できるインターネットブラウザーFirefoxを使うかもしれない。彼の会社が最近、コンピューターのOSを無料のLinuxに変えた、ということもあり得る。ハイテクでさえも、今日では部分的にタダである。

ドイツでは、34％の国民がボランティアに従事し、合計して年間46億時間の労働を提供している。320万人のフルタイム正規雇用者の労働時間に相当する[224]。

贈与と「博愛心（厚意）」（アダム・スミス）の原則は、ユニバーサルであり、資本主義の社会のなかにおいても絶滅させることはできない。「ギフト・エコノミー」のアプローチは、この原則を全経済に拡張することを提案している[225]。これはおそらく、次のステップになるだろう。最初のステップは、経済活動と労働の最上位の目標となっているお金を稼ぐことを、意義、価値、生活の質、喜びに置き換えることだ。

オルタナティブ（代価的）なエコノミーがどのように内部相互作用するか、1つのコンピューターの具体的な例で、次のように描写することができるかもしれない。

1．電気とインターネットへのアクセスは、公共財になる。

2．OSとソフトウェアは「コモンズ」になる。

3．メンテナンスと修理は、連帯エコノミーの協同組合によって賄われる。

4．ハードウェアは、公共善決算を作成している民間企業製である。

5．脱成長経済と、6．ケア・エコノミー経済の要件に基づいて、平均して1人当たり週20時間の労働をする。父親も母親も、それによって育児の仕事をフェアに分配することができ、全地球ですべての参加者に一定レベルの豊かな生活が保持される。

第8章　実践の戦略

「既存の現実に対峙して戦っていたのでは、君は物事を変えることはできない。何かを変えたかったら、既存のものが古めかしいと思えるような新しいモデルを創造しなさい」

バックミンスター・フラー※

「公共善エコノミーの全体プロセス」は2010年の10月6日にスタートした。私と一緒にこの本の初版のバージョン（2010年8月出版）を共同で作成した15のアタック（Attac）企業が、「企業を新しく考える」という会議を、ウィーンのスタートアップ支援センター「Hubハブ」で準備・開催した。50人の参加者を想定していたところに、その倍の人数が集まり（3分の2の参加者は企業）、参加者たちは、すぐに共同作業を開始した。パイオニアたちを中心に数多くのワーキンググループが形成され、それは高度に複合的な組織構造の結晶化のポイントになり、年々、確かなフォームを形成していった。この構造は、戦略の重要な部分である。社会の様々な分野の人間、組織、機関が、それぞれの異なる知識やノウハウを持ち寄り、公共善エコノミーを一緒に構築していく。

いくつかのパイオニア企業が、自発的に最初の公共善決算を作成し、コンサルタントがその作業のプロセスの一部を同伴、モデレートし、監査官が決算を検査する。公共善決算の編集部は、パイオニア企業からのたくさんのフィードバックをもとに、決算プログラムを改善していった。大学は公共善エコノミーを授業に取り入れ、研究を進める。講師たちは公共善エコノミーのアイデアを全世界に広め、公共

バックミンスター・フラー　アメリカの哲学者・建築家。「宇宙船地球号」という概念の提唱者

善エコノミー大使たちは各種連盟や連合、政党に、この新しい経済コンセプトの公示を勧める。
そして「エネルギーフィールド」である地域の支援グループは、地域で変化のための土壌を準備する。「公共善エコノミー振興協会」が2011年7月にウィーンで設立された。2021年初頭までに、30以上の協会が設立されている。そのなかでは、スウェーデンとチリの国内レベルの協会が多い。国際レベルの連合組織はハンブルクにあり、2018年に設立された。経済部門のパイオニア(企業)の他に、政治的なパイオニア(自治体や地域行政機構)並びに文化部門のパイオニア(学校、専門大学校、総合大学)が参加している。

すべての要素は自己成長したものだ。中心となるマスタープランなどなかった。最初の戦略はオートポイエーシス(自律型自己創出)的な「エコシステム・公共善エコノミー」が姿を現し始めた時に開発された。全体プロセスの構造は、開始されてから4年後の段階で、次の5つのレベルで描写することができる。

(1)会員と支援者:2020年末の時点で、世界中の公共善エコノミー協会は約3500人の会員を擁していて、加えて約8000人の個人、約2300の企業、約70人の様々な政党の政治家が、公共善エコノミーを支援している。すべてウェブサイトで閲覧できる。

(2)パイオニアグループは公共善エコノミーのアイデアを実行し、広め、さらなる発展に寄与している。経済部門のパイオニア(企業、銀行、協会)、政治部門のパイオニア(自治体や地域行政機構)、文化部門のパイオニア(学校、専門大学校、総合大学)がいる。

(3)内容的なレベル:編集者、コンサルタント、監査官といった関係者たちが、公共善エコノミーのツールとプロセスを開発し、その実用をサポートしている。

⑷地理的なレベル：およそ150の地域グループ（「ローカル・チャプター」もしくは「エネルギーフィールド」）が30カ国以上で芽生えている。
⑸法的なレベル：ローカル、地域、国家レベルの各協会は、金銭を管理し、職員を雇っている。各協会は連合して国際的な上位組織をつくり、そことパートナーシップ契約を締結している。彼らは、全運動を一つの方向へ引っ張っている。

以下では、公共善エコノミーの運動の核となる重要なサブ単位（グループ）の活動と、全体プロセスへの貢献を説明したい。

I．パイオニアグループ

1．経済部門のパイオニア

公共善エコノミー運動の核となるプロセスは、パイオニア企業や団体の活動である。彼らは、

——公共善決算を自発的に作成する。法律による義務づけがされる前に。

——自らの経験や専門知識で決算プログラムを共同開発する。

——お互いに学び合い、協力する。

——地域や企業の世界に公共善エコノミーの「種蒔き」をする。


最初の年、およそ50の企業が公共善決算を「試験的に」作成した。2020年までに決算を作成した企業は約800社に成長した。分野、会社形態、規模は様々である。いくつかのパイオニア企業は、「公共善専門官」を外部に発注したり、また内部で新たにその職をつくったりしている。例えば、ブルゲンランド専門大学校、アルゴイ地方の自動車部品サプライヤーのelobau社、ブレーメン専門大学校、

ルクセンブルクのビオ卸売会社OIKOPOLISなどがそうである。

企業は次の3つのレベルの会員フォームを選択できる。

(1)公共善決算がどんなものなのかまず体験するために、ゲーム感覚で外からの圧力なしに、公共善決算を作成する。

(2)ピアグループ※で他の企業と共同で公共善決算を作成する。各企業は、相互に評価し合い（「ピア評価」）、監査官「light」によって証明書が与えられる。このフォームの会員は従業員が最大50人までの企業で可能である。

(3)公共善決算は、個別、もしくはグループで、コンサルティングを受けて、もしくは受けずに作成され、外部監査で認証される。

賛助企業も含めたすべての企業は、新しい経済秩序に向けた民主的なプロセスを、共同で政治的にアピールする。よって彼らの政治的な貢献は、自由意志に基づくＣＳＲ（企業の社会的責任）イニシアチブによるものとはまったく異なる。様々な理由で、まだ公共善決算を作成していない企業も（例えば、法的義務が課されるまで待ちたい、もしくは小さなステップでゆっくり取り組みたい、といった理由から）、賛助やレベル(1)の会員によって、価値ある意思表示をすることができる。

2．政治部門のパイオニア

パイオニア企業による最初の結合の波の後、地方自治体（行政機構）の関心が高まった。地方自治体は、立地競争や営業税コンテスト※など、グローバル化の影響で苦しんでいる。そして本質的に公共善エコノミーと考えをともにしている。公共善は「自分たちの目的」である。自治体は、議会での決議によって公共善自治体になることができる。そして次のような様々なプロジェクトを実行することができる。

ピアグループ　同業種や地域の公共善企業グループ
営業税コンテスト　企業の営業税は、ドイツでは自治体ごとに任意に税率を決められる

——自治体企業で公共善決算を作成する。オーストリアのヴァイツ市、ドイツのシュツットガルト市とマンハイム市、スペインのサラゴッサ市がこれを実践している。ドイツのミュンスター市は、すべての市営企業で公共善決算を作成することを決定した。

——行政体として自ら公共善決算を作成する。そのようにして公共善村や公共善市が生まれる。

——自治体内の民間企業に公共善決算を作成することを呼びかける。公的なイベントでしっかり広報し、実践した企業を讃えて、公的な購入（発注）の際に公共善決算をする企業にメリットを与える。

——公共善自治体はオルタナティブ（代価的）な金融システムの要素を世界にもたらす。例えば、「公共善のための銀行」の支店を置く、「地域の公共善取引市場」に参加する、もしくは地域通貨の発行である。

——最初の市民参加のプロセスは、「自治体の公共善インデックス」の開発である。生活の質インデックスを導入することによって、そこから後々、国民経済のレベルで公共善総生産を導き出すことができる。スペインのアンダルシア地方のグアロマン村では、最初のそのようなプロセスが実行に移されている。

——2つ目の市民参加のプロセスは、既述した「自治体の経済コンベント」である。本書の付録では、そのようなコンベントで考えられる決議項目がリストアップされている。さらには、民主的な貨幣コンベント[226]と民主的商業コンベントに関する決議項目のリストもある[227]。

——いくつかの公共善自治体が集まって「公共善地域」を形成することもできる。これは、政治的な区域や広域地域の単位である。理想的には、その区域や地域のなかのすべての自治体が公共善自治体になることだ。

最初の公的な公共善自治体はスペインで登場した。具体的には、サラマンカ市近郊のミランダ・デ・

アサン村、エストレマドゥーラ地域のカルカボソ村、バスク地方のオレンダイン村である。現在では大きな都市も加盟している。バルセロナでは、人口1万7000人のオルタ・ギナルド地区が公共善決算を作成した。セビーリャ市は、アンダルシア地方の公共善支援協会と5ページにわたる協力契約書に署名した。カディス市も同様である。ドイツで最初の公共善自治体はオーバーバイエルン地域のキルヒアンシェーリング村、並びにシュレースビッヒ・ホルシュタイン州のブレクム村、ボルデルム村、クリックスビュール村である。最初の都市としては、東ヴェストファーレン地域のシュタインハイム市、ブラーケル市、ヴィレバーデッセン市が加盟した。オーストリアでは、フォアアールベルク州のネンツィッヒ村とメーダー村がトップランナーである。

3．文化部門のパイオニア

多くの教師や教授が、自発的に公共善エコノミーを教育機関に持ち込んだ。100以上の大学で、授業、研究、応用、広報において、公共善エコノミーのアクティビティがある。ドイツの教育省は2014年、公共善エコノミーをテーマにした2つの研究プロジェクトを承認した。そのうちの1つは、キール大学とフレンスブルク大学の共同による象徴的なGIVUNプロジェクト（企業の持続可能性戦略との比較における公共善エコノミー）だ[228]。

ミュンスター専門大学校は、応用研究プロジェクトで7つの地域企業（従業員数3500の企業も含む）が公共善決算を作成することを支援した。バルセロナ大学は、最初の大学として公共善決算を作成した。バレンシア大学は2017年に「公共善エコノミー」講座を開始した[229]。グラーツ大学では、「公共善エコノミー」に関する学際的な講義シリーズが2013年に賞を受賞した。また、公共善エコノミーは、数多くの学士論文、修士論文、ディプローム論文、博士論文などでテーマとなっている。高校のセミナーでも取り扱われている。学校では、フライブルク市リーゼルフェルト地区のヴァルドルフシューレ（シュタイナー学校）が、最初に公共善決算を作成した。ウィーン22の連邦商業アカデミー（HAK）は、2015／16年に「HAK経験」というタイトルで、公共善エコノミーを1コースとして設置した。その後、継続されている。これらはすべて、教育者、学者、研究者のイニシアチブによって、自然発生的に生まれたものである。

Ⅱ．関係者たち

1．編集者

公共善決算は、この経済モデルの「心臓部」である。企業、組織、機関の公共善度を評価する。公共善決算の編集チームは最初、4人であったが、年々大きくなり、各専門担当分野を持つ15人のチームに成長した。個々の編集員ごとに専門家、関心がある個人、並びに組織の代表者が寄り添い、個々のテーマのさらなる発展に共同作業している。このミニチームの課題は、(a)たくさんのフィードバックを組み込むこと、(b)自らアクティブに、持続可能性スタンダードやレポートを調べること、(c)集められたすべての情報をベースに、指標（インジケータ）をさらに発展させることである。

2014年、編集チームは「マトリックス開発チーム」と名前を変え、コーディネートの仕事は、3つの部門「機能性」「内容」「コミュニケーション」、それぞれに1人の担当者に分割された。2017年には現在使用されているスタンダード5・0が完成した。従業員10人以上の企業の「フル決算」並びに小企業・団体の「コンパクト決算」がある[230]。

2. コンサルタント

良心の呵責に悩んでいる企業コンサルタントは少なくない。彼らはしばしば、クライアントの企業が、アグレッシブで利己的な競争において、他の企業を傷つけたり、もしくは他者を犠牲にしてオーナーの利益を最大化することを支援したりしている。公共善エコノミーでは、この価値の対立と良心の葛藤が解消される。コンサルタントは、クライアント企業が他の企業を助け、環境や社会を守ることを支援できる。そのような仕事は有意義であるし、喜びをもたらす。

コンサルタントは、次のような様々な支援をパイオニア企業に提供する。

—公共善レポートと公共善決算の作成（最初の情報から査定の準備まで）。

—公共善企業への発展のプロセスを形成する：ヴィジョンの定義、戦略開発、組織開発、チェンジ・マネージメント。

—特別な観点に関する専門コンサルティング：ソシオクラシー、フレデリック・ラルーのティール組織、揺りかごから揺りかごまで、または倫理銀行や倫理的金融へのチェンジなど。

—チーム開発、マーケッティングもしくはリーダーシップなどのような古典的なコンサルティング・フィールドに公共善のコンセプトを取り入れる。

コンサルタントの教育、レベルアップ教育は「Lernwege（学びの道）」や、将来的に計画されている「公共善アカデミー」で行う。公共善コンサルタントとしての認証の前提条件は、ネットワーク、協力や透明性といった公共善の価値を実行していること、そして共同で確定された価格帯（公正さ）の保守である。戦略的な目標は、パイオニア企業がいるところには、公共善コンサルタントがいるということだ。

公共善決算やレポートの作成のプロセスは、基本的にコンサルタントなしでも可能である。公共善エコノミー運動は、依存体制を生み出すことはしないし、利益主導でもない。公共善決算から指標の説明、公共善レポートの雛形まで、すべて自由に無料で使用可能であり、クリエイティブ・コモンとしてライセンスが提供されている。パイオニア企業は、自身の需要と優先事項に応じて、公共善決算を個別に独自に作成することも、グループで作成することも、プロのコンサルタントのサポートを受けて作成することもできる。

3. 監査官

外部監査は公共善レポートの査定を行う。具体的には、企業が公共善エコノミーを実際にどれだけ実践しているかを確認する。会計士による金銭的決算の査定と同様に、公共善決算は公共善監査官によって評価・査定される。価値をしっかり評価する専門的に根拠のある外部の目は、企業自身によるポジティブすぎる、もしくは批判的すぎる自己評価を修正する。第1監査官は査定の最後にマトリックス様式の証明書を発行し、第2監査官の検査後に公示される。

監査官は、企業の規模に応じたインターバルで企業を訪問し、現場での聞き取りや書類の検査によって包括的な概観を摑む。監査はいつでも可能で、証明書は2年間有効である。従業員50人以下の小さな会社はピアグループによる相互評価を選択でき、それによって証明書を獲得できる。

監査官の報酬は、コンサルタントと同様に、公共善エコノミーによって精算される。監査官としての認証、レベルアップ教育、品質確保は最初、監査官が自らコーディネートしていたが、アカデミーにその業務が移行している。監査料金は企業の規模によって等級付けされている。内部的には監査官は皆、同じ時給をもらう。無償で提供する場合もある。

企業が支払うコンサルティングと監査のコストをできるだけ低く抑えるために、ドイツ、オーストリア、イタリア、スペインでは、個々の地域の州や地方行政からの助成金をもらえるように尽力している。この部分での助成金をすでに出しているのは、スペインのバレンシアである。長期的には、公共善決算の良さに対して累進的に、公共団体が監査コストを負担することが望ましい。公共善のために企業が努力したことに対して、社会がそれに報いる、という意味で。中期的には監査職の品質スタンダードと許認可が法的な基盤の上に置かれることが望ましい。公共善監査官専門の職業会議所を設けることも考えられる。

4. 自治体サポーター

自治体サポーターは2014年に編成された。最初の仕事は、公共善決算プログラムを、自治体や広域行政機構の特殊な状況に合わせて改変したことだった。このツールを最初に使用した自治体は、フォアアールベルク州のネンツィッヒ村とメーダー村だった。自治体の観点からは、公共善エコノミーは、過去に行われたローカル・アジェンダ21※、気候同盟※、フェアトレード自治体といったステップを統合し、発展させるものである。

5. 公共善専門家

自治体、大学、学校、企業、文化施設、労働組合、環境団体、省庁や政府などからの講演の依頼を引き受ける。問い合わせは増えているが、登録されている十分な数の専門家たちによって対応している。彼ら専門家たちは、公共善エコノミーを、ロゴマークやタンポポの種などを使って世界中に広めている。年に2回、専門家向けの勉強会が開催されている。

ローカル・アジェンダ21　自治体が策定する行動計画
気候同盟　気候保護に取り組む欧州1700以上の都市が加盟

6. 公共善大使

専門家は、著名な公共善大使によって強力にサポートを受ける。大使は公共の場、連盟や連合会、各種機関、政党などで、公共善エコノミーを促進する。初期に大使になった人物には次のような著名人がいる：ヘルムート・リンド（Sparda銀行ミュンヘンのCEO）、アンチェ・フォン・デヴィッツ（スポーツ用品メーカーのVAUDE）、ヨハネス・グートマン（ヴァルトフィアトラーのハーブティ生産会社ゾネントア）、フランシスコ・アルヴァレス（スペインのジャーナリスト&倫理投資家）。

２０１７年、パリで開催された公共善エコノミーの5回目の世界大会の際には、ドイツ語圏における10人のオフィシャルスピーカー（5人の女性、5人の男性）が選ばれた。スペイン語、英語、フランス語圏のスピーカーも今後、選ばれる予定である。

7. 学者

数多くの国で、様々な専門分野の学識者たちが、公共善エコノミーを共同でさらに発展させるため、研究し、授業で教えるために、ネットワークで紡ぎ合っている。最初にできた学者のコミュニティーは、ドイツ・オーストリア・スイスとスペイン・中南米の2つである。オーストリアでは、公共善エコノミー研究協会が設立された。この協会は、公共善エコノミー運動の学術審議会を定着させることに寄与した。メンバーには、ドーナツ経済を提唱するイギリスの経済学者ケイト・ラワースも入っている。この審議会は、研究、授業、論考、応用の活動をコーディネートし、4半期に1回ニュースレターを出している。２０１７年にはバレンシア大学で公共善エコノミー講座が設置された。２０１９年末にはブレーメン専門大学校にて、公共善エコノミーに関する最初の学術会議が開催された。たくさんの研究プロジェクトがすでに完了している。２０２１年始めに「sustainability」で論文「From Neoclassical

Economics to Common Good Economics（新古典派エコノミーから公共善エコノミーへ）」が掲載された。これによって公共善エコノミーの理論的な基盤の礎石「公共善エコノミー理論」が敷かれた。「メインストリーム」といわれている新古典派エコノミストたちも、これで理解できることだろう[231]。

8．教育

前述の公共善エコノミー学術審議会では、学校教育に親近感を持つ専門家たちが教師との共同作業により、学校や各種教育施設用の特別なプログラムを開発している。それはワークショップや講演、また補足的な授業マテリアルや統合的なゲームである。ドイツではすでに、１００以上の学校に公共善エコノミーの教育チームが招待された。

9．労働組合と労使協議会

自営業者でない労働者は、人間的な労働条件、フェアな給料、適切な共同決定に大きな関心を持っている。大きな企業では、労使協議会が公共善決算作成のプロセスを、適切にキックオフすることもできる。労働組合の教育や広報活動では、公共善決算と公共善エコノミーを、効果的なツール、ホリスティック（包括的）な代替システムとして使用することもできる。会社の公共善決算へのステップを企てた最初の労使協議会は、ロバート・ボッシュ株式会社のそれだ。

10．私人

公共善エコノミーは意識的に法人に向けられている。なぜかというと、法人は民主的で自由な社会の製造物もしくは創造物であり、利益の最大化もしくは公共善志向でプログラミングすることができて、経済の法的な枠組みによって方向付けをすることができるからだ。これにより、人間（自然人）の自由のオプションが高まる。しかし、多くの自然人は、まず自分自身から公共善志向を始めたいと思っている。それは内的な作業、瞑想、意識的な注意深さと気くばり、ヨガなどによる体の感覚の鋭敏化などである。各地のたくさんのエネルギーフィールドは、個人の「倫理的羅針盤」を「公共善自己診断」という形で開発し、発表している。これは、公共善社会の価値システムへの素晴らしい個人的なアプローチである。

この10個の「インターナショナル・ハブ」に追加して、さらなるハブが構築されている。青少年、健康、信仰共同体などである。この運動はとても活気に満ちていて、ダイナミックにさらなる発展をしている。

Ⅲ．地域グループ（「エネルギーフィールド」）

すべてのパイオニアと関係者は、わたしたちが「エネルギーフィールド」と名づけている地域グループで、相乗的に作用し、共同で公共善エコノミーの実践に取り組むことができる。２０２１年半ばの時点で、ヨーロッパ、北アメリカ、南アメリカ、アフリカ、そしてアジアで、およそ１８０のそのような地域グループが活動している。社会の変革に貢献しようと頑張っている人々は、どこの自治体でも、自らのイニシアチブで新しいグループを構築できる。その手引き書はすでにある。地域グループの活動は次のような内容を包括している。

——すべての分野で、パイオニアたちとコンタクトをとり、彼らに同伴し、彼らを支援し、動機付ける。彼らに専門的情報と実践ツールを提供する（「複製可能なプロトタイプ」）。

―公開イベントやレベルアップ研修会などを通して、意識向上と教育活動を行う。

―ソシオクラシー、システミック（全身的・系統的）なコンセンサス形成、非暴力コミュニケーション、対話、ダイナミック・ファシリテーション、もしくはアート・オブ・ホスティングといった「協働のメソッド」を仲介する。

―独自のプロジェクト開発。例えば「公共善自己テスト」、公共善ゲーム、もしくは協同組合や基金の設立など。

―公共善自治体や公共善地域になろうとする自治体や地域を同伴する。

―ローカル／地域の民主的経済コンベントを準備し、共同イニシアチブを取る。

ポジティブなフィードバック

公共善エコノミーの全体モデルは、資本主義と類似のシステムダイナミズムを展開することができるだろう。資本主義では、プロフェッショナルなエネルギー、クリエイティブさ、モチベーションが、遠近法の消失点のように、金銭的指数の最適化もしくは最大化に向かって集束する。それは数えきれないほどたくさんのフィードバックによって、「システム」もしくは特定の経済様式と経済秩序を生み出してきた。類似のことが公共善エコノミーでも起こり得る。ただしそれは、資本利回り、利益、GDPという北極星のもとではなく、「公共善の北極星」のもとで起こる[232]。次に挙げるのは、予見可能なポジティブなシステミック（全身的・系統的）なフィードバックである。

――企業は公共善決算が良いほど、より有利な条件で銀行からクレジットを受けられる。

―銀行も自ら公共善決算を作成する。そういう銀行をビジネスパートナーに選ぶ企業も自身の公共善決算を良くすることができる。

―企業がサプライヤー企業を公共善決算の良さを基準に選べば、自身の公共善決算も良くなる。

―自分の商品が良い公共善決算の会社によって販売されるように気を配る企業は、自身の公共善決算も良くすることができる。

―お互いに協力し合う企業は、相互に公共善決算を良くすることができる。

―購入する消費者（B2C）と顧客（B2B）は、その商品を生産する企業の公共善決算を見る。

―仕事の意義を見つけようとする優れた被用者は将来的に、公共善決算の良さを基準に雇用者を選ぶようになる。

―ビジネス専門誌は公共善決算で企業のベンチマーク（順位付比較）をするようになる。

―キャリア転職の市場において、倫理パフォーマーの企業が脚光を浴びる。

―特別記念公演や表彰会においても、倫理パフォーマンスが中心的な指標になる。

―ロビー団体や様々な分野の品質連盟は、会員の公共善決算の結果に注意を向けるようになる。もしくはそれを入会の条件にする。

―自治体やその他の公的機関は、商品やサービスの公的購入や経済支援の際に、良い公共善決算を持つ企業を優遇するようになる。

―輸出支援は、卓越した公共善決算の結果と連結させられる。

―国際的な貿易秩序は将来、公共善決算を世界市場への入場券、「トレードのライセンス」として必要不可欠になる。

このように、様々な相乗作用とフィードバックが大海のように溢れる。傾向的に、市場経済のなかで、一緒に行動する者たちのプール、公共善ゾーンが成長する。それに逆らう者は、説明困難な状況に陥っていき、端の方に追いやられ、本当のことをいわなければならなくなったとき、倒産の危機に陥るか、または自ら変化を遂げて生き残るかである。

戦略的なネットワーク

公共善エコノミーは、人間的で持続可能で民主的な社会、公共善文化という未来のモザイクのファセット（切り口）であると理解できる。だから公共善エコノミーは類似のアプローチとの共同を意図的に探す。お互いに学び合い、お互いに可視化し、強化し合うためだ。連帯エコノミー、共有財（「コモンズ」）、経済デモクラシー、脱成長経済、ドーナツ経済、循環経済※（サーキュラーエコノミー）、シェアード・バリュー※、パブリック・バリュー※、Bコーポレーション※、フェア・トレード、倫理バンキング、ソーシャル・ビジネス…。これらのオルタナティブ（代価的）なアプローチがお互いに宣伝し合い、相互に高め合えば、支配的なパラダイムを一緒になってひっくり返すチャンスが生まれる。

重要なのは、オフィシャルな政治にガッカリして背を向ける、マスメディアに不信感を持つ人々に、多彩なオルタナティブ（代価案）を広範に提供することだ。そうすれば、個々の人間が、自分の関心や能力、好みに合わせて、大きな変化のファセット（切り口）で参画することができる。変化は、社会的・文化的生活のすべてのレベル、すべての領域で起こる。公共善エコノミーは、「将来のモザイク」もしくは「大きなトランスフォーメーション（形質転換）」のなかの、1つのファセットである。

現在、大半のイニシアチブは芽吹いたばかりで、「システム上重要」なものはまだない。しかしそれらが、安定して成長していけば、ポジティブにフィードバックしていけば、将来の持続可能で文化的な

循環経済（サーキュラーエコノミー）　第７章190ページ参照
シェアード・バリュー　社会と企業両方に価値を生み出される価値＝共有価値
パブリック・バリュー　組織の社会に対する貢献を評価する指標
Bコーポレーション　社会や公益のための事業を行う企業を対象にした認証制度

未来のモザイク

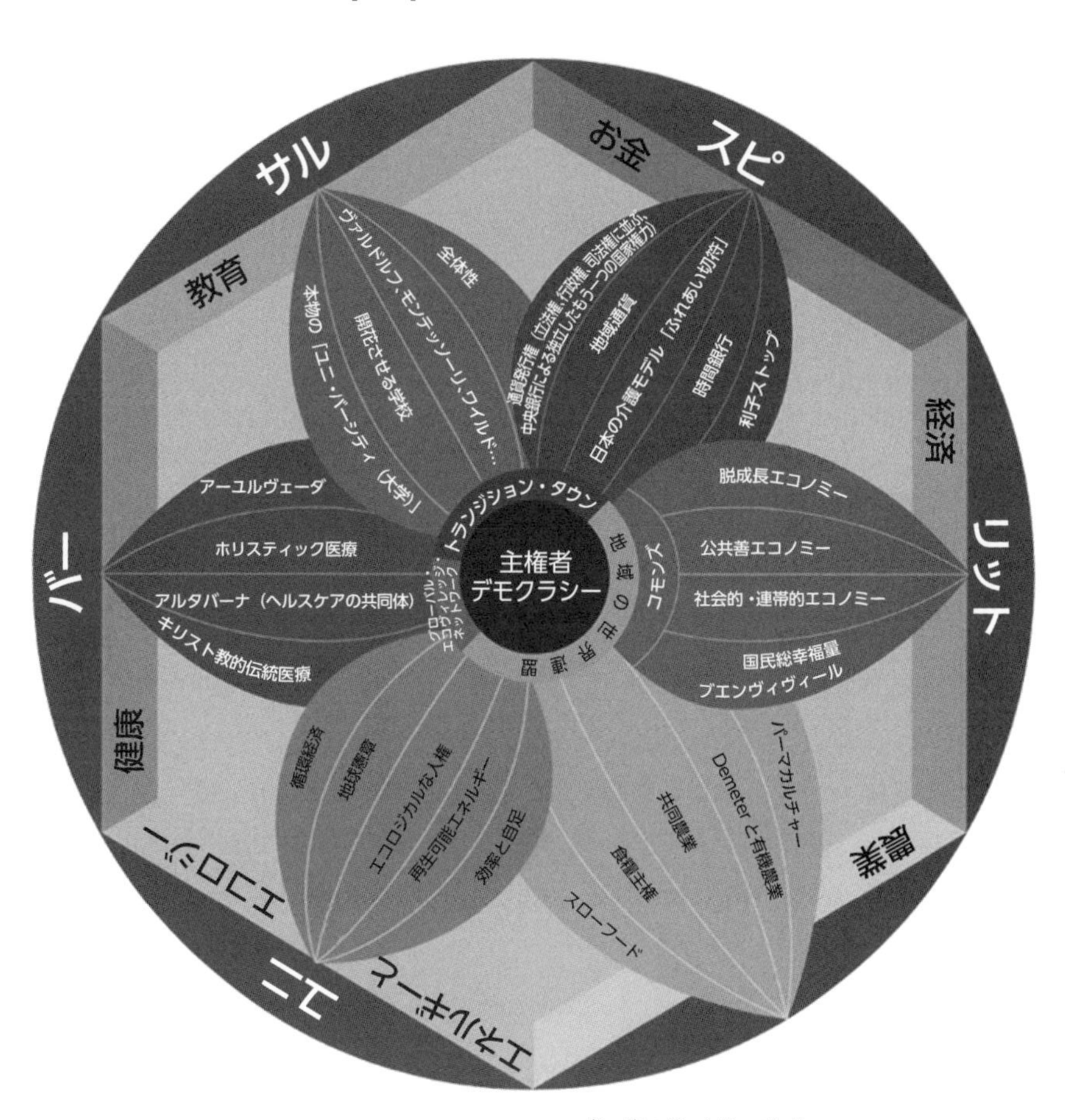

考　案：Christian Felber
図製作：Julia Löw

エコシステムを形成できる。すべてのオルタナティブ（代価物）にまで、コミュニケーション、コーディネーション、協力、そして意思決定のための共通のインフラストラクチャーが用意される、もしくは当事者たちが自らそれを構築する。そうなるのは、単なる時間の問題であると願っている。これは簡単なことではない。しかしよりたくさんの人々がこの課題に尽力すれば、ソリューションも生まれてくるはずだ。

自分はどのように参画できるか？

世界にある不公平さを認識しているが、その問題の解決のために個人的にどのように貢献すれば良いのかわからない。私は過去数年、そういう思いの人々に、数えきれないくらいたくさん出会った。公共善エコノミーは溢れるほどの参画の可能性を提供している。誰でも、次のように参画できる。

——地域の「エネルギーフィールド」を設立する。すでに存在する場合は、それを強化する。

——「エネルギーフィールド」の構成要素であるたくさんの役（コンサルタント、監査官、編集者、専門家、コーディネーター、大使）のうち1つの役を担う。または新しい役を付加する。

——商品やサービスを購入する際に、その企業の公共善決算を尋ねる。

——3社から7社くらいのローカルなパイオニアグループで一緒に学び合う企業を勧誘する。

——自分の住んでいる自治体、地区、郡、地域に、公共善の認証を取ることを提案する。

——自分の住んでいる自治体で、熱心な仲間たちと一緒に「自治体の経済コンベント」もしくは市民評議会を組織する。

——自分が通う学校、大学校、市民大学、もしくは大学で、公共善エコノミーを組み入れる。

——すでに自分が積極的に関与している「好みのオルタナティブ（代価事業）」を公共善エコノミーと結びつけ、相乗作用を促し、協力関係を構築する。

公共善エコノミーのウェブサイトには、関心がある人々が、どこで、どのように関与・参画し、未来というトータル芸術作品の創作に個人的に貢献できるか、包括的な情報が掲載してある。

［付録1］数字とデータ：公共善エコノミー運動の現在

（2021年7月現在）

公共善エコノミー運動のスタート：2010年10月6日

公共善エコノミーを支援する個人：9000人（50カ国以上）

公共善エコノミーを支援する企業：3000社（45カ国）

公共善決算を作成している組織：約800組織（企業・団体・自治体・地域）

公共善エコノミーの会員数：約4500

公共善エコノミーのアクティブな活動家：約5000人

地域グループ／「エネルギーフィールド」：ヨーロッパ、北・南アメリカ、アフリカでおよそ180

パイオニアグループ：企業と銀行（経済）、村・市・地域（政治）、学校・大学校・大学（教育／文化）

関係者：学術研究、編集者、コンサルタント、監査官、自治体サポーター、専門家、大使、青少年、教育、労働組合と労使協議会、健康、信仰共同体

公共善エコノミーの法人団体：ローカル、地域、国家（スウェーデンからチリまで）の各レベルで活躍する37の協会、国際的な連合組織、基金、1つの有限会社、1つの協同組合

公共善エコノミーのインターナショナルなウェブサイト：www.ecogood.org

その他関連ウェブサイト：www.ethischerwelthandel.info
www.gmeinwohl.coop
www.christian-felber.at

［付録2］民主的経済コンベントの根幹となる問い

本文で述べたように、公共善エコノミーは「民主的経済コンベント」を提案する。そこでは、経済秩序に関する根幹的な問いについて、参加型で議論がなされ、民主的に決議が行われる。ローカルなコンベントの実行が進んだあとに、国（連邦）やEUレベルでのコンベントの構築も望ましい。そこでは国の憲法やEUの条約が民主的に改定される。具体的には、それら憲法や条約の「経済の部分」で、数ページの補足記述がされる、もしくはより精密に記述される。

ここに紹介するのは、民主的経済コンベントのプロセスをイメージ、理解しやすくするための根幹となる問いの草案である[233]。経済秩序を10部門に分けて、トータルで32の例示的な問いに集約してある。個々の問いはすべて、この本のなかで詳しく取り上げているので、詳しい内容的な記述はしていない。実際のコンベントにおいては、個々の問いに関して、詳しい補足説明がなされ、バランスの取れた賛成／反対論拠のリストが提示される。

個々の問いごとに、複数のソリューション案が提示され、それぞれ0から10の抵抗ポイントを記入できるようになっている。「パッシブソリューション」と表記してある案は、現行（現在の法体系）のものである。個々の問いにおいて、現行のソリューションを維持するという選択（回答）が可能である。ソリューション案に対して抵抗ポイント0は、抵抗がない（完全に承認・賛成）という意味で、抵抗ポイント数が上がるにつれ、懸念・反対の度合いが上がり、抵抗ポイント10が最大の懸念・反対となる。全体的な評価の際は、全ての参加者の抵抗ポイントが数えられ、個々の問いごとに、もっとも抵抗ポイントの少ないソリューション案が勝者として選ばれる。このようなコンベントは、家族、NGO、協会、友達サークル、もしくは企業においても、ゲーム感覚で実行できる。

部門１ 経済活動の価値、目標、成功の計測

問い１：経済活動の上位目標は何であるべきか？

１Ａ（パッシブソリューション）：経済活動の上位目標に関しては、明確なものがない。政治はＧＤＰが上昇し、経済立地場所の競争力が高まり、雇用と豊かさが創出されるよう尽力する。

抵抗ポイント：【　】（1〜10）

１Ｂ（オルタナティブ）：資本の増殖がすべての経済活動の上位目標であるべきである。公共善は、所有を自己責任で取り扱うことで生じる副次的作用であるべきである。

抵抗ポイント：【　】（1〜10）

１Ｃ（オルタナティブ）：公共善の増殖がすべての経済活動の上位目標であるべきである。資本とお金は経済活動の手段であるべきである。

抵抗ポイント：【　】（1〜10）

問い２：経済活動の基本価値は何であるべきか？

２Ａ（パッシブソリューション）：統一的な基本価値はない。企業は、倫理的な業績に関して弁明する必要はない。

抵抗ポイント：【　】（1〜10）

２Ｂ（オルタナティブ）：企業は下記の価値を満たしているかについて、弁明しなければならない。

２Ｂ１：人間の尊厳　抵抗ポイント：【　】（1〜10）

２Ｂ２：公平性　抵抗ポイント：【　】（1〜10）

２Ｂ３：連帯　抵抗ポイント：【　】（1〜10）

２Ｂ４：持続可能性　抵抗ポイント：【　】（1〜10）

2B5：透明性と共同決定　抵抗ポイント：【　】（1～10）
2B6：自由　抵抗ポイント：【　】（1～10）

問い3：何によって経済的成功が計測、検証されるべきか？

3A（パッシブソリューション）：経済的成功は、金銭的なものに関してのみ、法的な規定に基づいて計測され、外部監査される（金銭的決算）。　抵抗ポイント：【　】（1～10）
3B（オルタナティブ）：経済的成功は、目標と価値に関してのみ、法的な規定に基づいて計測され、外部監査される（倫理的決算）　抵抗ポイント：【　】（1～10）
3C（オルタナティブ）：経済的成功は、金銭的なものと、目標と価値に関して、法的な規定に基づいて計測され、外部監査される（金銭的決算と倫理的決算）　抵抗ポイント：【　】（1～10）

問い4：倫理的な業績は、どれだけ報いられるべきか？

4A（パッシブソリューション）：公的な業務依頼、税制、もしくは国際貿易の際、企業は、その倫理的な業績に関係なく、同等に扱われるべきである。　抵抗ポイント：【　】（1～10）
4B（オルタナティブ）：企業は、その倫理的な業績に応じて、識別的に扱われ、相応に報いられるべきである。
4B1：公共団体による商品やサービスの購入において優先　抵抗ポイント：【　】（1～10）
4B2：税率の区別　抵抗ポイント：【　】（1～10）
4B3：有利なクレジットの条件　抵抗ポイント：【　】（1～10）

４Ｂ４：公的な助成　抵抗ポイント：【　　】（1～10）

４Ｂ５：関税率の区別　抵抗ポイント：【　　】（1～10）

４Ｂ６：研究プロジェクトの際に優先　抵抗ポイント：【　　】（1～10）

部門２　競争、成長、利益の使用

問い５：市場における協力と競争はどのように規制もしくは促進されるべきか？

５Ａ（パッシブソリューション）：アグレッシブな競争の形態（例えば、敵対的買収、商品封じのための特許取得、マスメディアでの宣伝）は許可され、協力は報いられない。

抵抗ポイント：【　　】（1～10）

５Ｂ（オルタナティブ）：アグレッシブな競争の形態（例えば、敵対的買収、商品封じのための特許取得、マスメディアでの宣伝）はネガティブに、協力はポジティブに刺激が与えられる。　抵抗ポイント：【　　】（1～10）

５Ｃ（オルタナティブ）：アグレッシブな競争の形態（例えば、敵対的買収、商品封じのための特許取得、マスメディアでの宣伝）は禁止され、非協力的な行動は、弱ネガティブに刺激が与えられ、個人的な協力は弱ポジティブに刺激が与えられ、体系的な協力は強ポジティブに刺激が与えられる。

抵抗ポイント：【　　】（1～10）

問い６：企業は利益を何のために使用して良いか？

６Ａ（パッシブソリューション）：次の事柄で利益の使用が許される。

6A1：無制限に現金備蓄、積立金　抵抗ポイント：【　】（1〜10）
6A2：敵対的買収　抵抗ポイント：【　】（1〜10）
6A3：無制限の利益配当　抵抗ポイント：【　】（1〜10）
6A4：政党へ寄付　抵抗ポイント：【　】（1〜10）

6B（オルタナティブ）：次の事柄で利益の使用が禁止される。
6B1：無制限に現金備蓄、積立金　抵抗ポイント：【　】（1〜10）
6B2：敵対的買収　抵抗ポイント：【　】（1〜10）
6B3：無制限の利益配当　抵抗ポイント：【　】（1〜10）
6B4：政党へ寄付　抵抗ポイント：【　】（1〜10）

問い7：企業はどれくらいまで規模を拡大して良いか？

7A（パッシブソリューション）：企業は基本的に、どれだけ大きくなってもいい。
抵抗ポイント：【　】（1〜10）

7B（オルタナティブ）：企業は、自身の最適な規模を自ら定義するべきである。
抵抗ポイント：【　】（1〜10）

7C（オルタナティブ）：個々の経済部門別に1企業の市場シェア制限値の上限が定められ、それを超えた企業に対しては反カルテル庁が介入する。
抵抗ポイント：【　】（1〜10）

部門3 所有に関する秩序

問い8：どのような所有形態が許可されるべきか？

8A（パッシブソリューション）：国家による所有がもっとも重要な所有形態であるべきで、私的所有はかなり限られた形で許可されるべきである。
抵抗ポイント：【 】（1～10）

8B（オルタナティブ）：私的所有がもっとも重要な所有形態であるべきで、国家による所有は可能な限り減少させるべきである。
抵抗ポイント：【 】（1～10）

8C（オルタナティブ）：私的所有と公的所有を完全に無くし、共同体所有とアルメンデ（入会地）にするべきである。
抵抗ポイント：【 】（1～10）

8D（オルタナティブ）：様々な所有形態が多元的に存在するべきである：私的所有、公的所有、共同所有、社会所有、アルメンデ（入会地）、利用権、非所有。個々の所有形態別に制限（例えば、私的所有の上限）と条件（例えば、公共善決算の作成）が課されるべきである。
抵抗ポイント：【 】（1～10）

問い9：私的所有の上限はどれくらいのレベルであるべきか？

9A（パッシブソリューション）：私的所有の先占は無制限に許可されて、国によって保護されるべきである。
抵抗ポイント：【 】（1～10）

9B（オルタナティブ）：私的所有の先占は基本的に禁止されるべきである。
抵抗ポイント：【 】（1～10）

9C（オルタナティブ）：私的所有の先占は許可され、国によって次の値まで保護されるべきである。

9C1：1000万ユーロ　抵抗ポイント：【　】（1〜10）
9C2：2500万ユーロ　抵抗ポイント：【　】（1〜10）
9C3：5000万ユーロ　抵抗ポイント：【　】（1〜10）
9C4：1億ユーロ　抵抗ポイント：【　】（1〜10）
9C5：10億ユーロ　抵抗ポイント：【　】（1〜10）

問い10：相続権はどのように規制されるべきか？

10A（パッシブソリューション）：相続権は無制限に有効であるべきである。　抵抗ポイント：【　】（1〜10）

10B（オルタナティブ）：相続権は完全に廃止されるべきである。　抵抗ポイント：【　】（1〜10）

10C（オルタナティブ）：相続権は次のように制限されるべきである。

10Ca：私的財産の場合は子供1人あたり

10Ca1：50万ユーロ　抵抗ポイント：【　】（1〜10）
10Ca2：100万ユーロ　抵抗ポイント：【　】（1〜10）
10Ca3：200万ユーロ　抵抗ポイント：【　】（1〜10）
10Ca4：300万ユーロ　抵抗ポイント：【　】（1〜10）
10Ca5：500万ユーロ　抵抗ポイント：【　】（1〜10）
10Ca6：1000万ユーロ　抵抗ポイント：【　】（1〜10）

10Ｃｂ：企業財産の場合は子供１人あたり

10Ｃｂ１：５００万ユーロ　抵抗ポイント：【　　】（1～10）

10Ｃｂ２：１０００万ユーロ　抵抗ポイント：【　　】（1～10）

10Ｃｂ３：２０００万ユーロ　抵抗ポイント：【　　】（1～10）

10Ｃｂ４：５０００万ユーロ　抵抗ポイント：【　　】（1～10）

10Ｃｃ：相続制限値を超えた部分は次のように使用されるべきである。

10Ｃｃ１：相続しない人間への「民主的持参金」　抵抗ポイント：【　　】（1～10）

10Ｃｃ２：年金システム資金不足部分の補充　抵抗ポイント：【　　】（1～10）

10Ｃｃ３：公共インフラストラクチャーの拡張　抵抗ポイント：【　　】（1～10）

10Ｃｃ４：減税　抵抗ポイント：【　　】（1～10）

10Ｃｃ５：用途は政府が決議するべきである　抵抗ポイント：【　　】（1～10）

問い11：企業はどの規模以上から、企業の所有に関する監査権の一部を、従業員、消費者、社会、地球、次世代の代表者たちに与えるべきか（例えば、25%の阻止票から開始）？

11Ａ（パッシブソリューション）：所有に関する監査権を提供するかどうかは、所有者自身が決定する。所有者がそれを望めば、企業の生産手段を、無制限にプライベートの手に集中させても良い。　抵抗ポイント：【　　】（1～10）

11Ｂ（オルタナティブ）：次の企業規模以上は、監査権の一部を従業員、消費者、社会、地球、次世代の代表に与えるべきである。

11Ｂ１：従業員１００人　抵抗ポイント：【　　】（1～10）

11B2：従業員250人　抵抗ポイント：【　　】（1～10）
11B3：従業員500人　抵抗ポイント：【　　】（1～10）
11B4：従業員1000人　抵抗ポイント：【　　】（1～10）
11B5：従業員2500人　抵抗ポイント：【　　】（1～10）
11B6：従業員5000人　抵抗ポイント：【　　】（1～10）

部門4　課税と資本流通

問い12：労働所得と資本所得は、どのような割合で課税されるべきか？

12A（パッシブソリューション）：資本所得は労働所得よりも低い税率で課税されるべきである。
抵抗ポイント：【　　】（1～10）

12B（オルタナティブ）：資本所得も労働所得も同じ税率で課税されるべきである。
抵抗ポイント：【　　】（1～10）

12C（オルタナティブ）：資本所得は労働所得よりも高い税率で課税されるべきである。
抵抗ポイント：【　　】（1～10）

問い13：資本流通の自由と税法との連関はどうあるべきか？

13A（パッシブソリューション）：資本流通は無条件に自由であるべきである（「税制競争」）。
抵抗ポイント：【　　】（1～10）

13B（オルタナティブ）：すべての納税データが捕捉され当該の税務署に伝達された場合にのみ、資本の流通が可能になる（「税制共同」）。
抵抗ポイント：【　　】（1～10）

部門5　不平等と社会的保障

問い14：法的な最低賃金はどれくらいであるべきか？

14A（パッシブソリューション）：賃金契約がないところでの人間労働の価格は、市場が自由に決めるべきである（「自由な市場経済」）。
抵抗ポイント：【　　】（1～10）

14B（オルタナティブ）：国は、次のように人間として尊厳ある最低所得を保証するべきである（「社会的市場経済」）。

14B1：時給8ユーロ（税別）　抵抗ポイント：【　　】（1～10）
14B2：時給9ユーロ（税別）　抵抗ポイント：【　　】（1～10）
14B3：時給10ユーロ（税別）　抵抗ポイント：【　　】（1～10）
14B4：時給11ユーロ（税別）　抵抗ポイント：【　　】（1～10）
14B5：時給12ユーロ（税別）　抵抗ポイント：【　　】（1～10）
14B6：平均所得の50％　抵抗ポイント：【　　】（1～10）
14B7：平均所得の60％　抵抗ポイント：【　　】（1～10）
14B8：平均所得の70％　抵抗ポイント：【　　】（1～10）

問い15：最高給与はどれくらいであるべきか？

15A（パッシブソリューション）：最高給与は法的に制御されるべきではなく、自由な市場に委ねるべきである（「無制限の不平等」）　抵抗ポイント：【　】（1～10）

15B（オルタナティブ）：最高給与は、次に挙げる最低賃金の倍率で制限されるべきである（「制限付き不平等」）。

15B1：1倍　みんなが同等に稼ぐべきである。　抵抗ポイント：【　】（1～10）
15B2：2倍　抵抗ポイント：【　】（1～10）
15B3：3倍　抵抗ポイント：【　】（1～10）
15B4：5倍　抵抗ポイント：【　】（1～10）
15B5：7倍　抵抗ポイント：【　】（1～10）
15B6：10倍　抵抗ポイント：【　】（1～10）
15B7：12倍　抵抗ポイント：【　】（1～10）
15B8：20倍　抵抗ポイント：【　】（1～10）
15B9：50倍　抵抗ポイント：【　】（1～10）
15B10：100倍　抵抗ポイント：【　】（1～10）

問い16：どのようにして社会的保障がすべての人間に確保されるべきか？

16A（パッシブソリューション）：前職の給与80％の失業手当を6ヶ月間。7ヶ月目から12ヶ月目までの期間は法的最低給与の失業手当、その後は最低賃金の75％の額で社会補償。　抵抗ポイント：【　】（1～10）

16B（オルタナティブ）：法的最低給与の失業手当を12ヶ月間、その後は最低賃金の75％の額で社会補償。　抵抗ポイント：【　】（1～10）

16C（オルタナティブ）：前職の給与80％の失業手当を6ヶ月間。7ヶ月目から12ヶ月目までの期間は法的最低給与の失業手当と追加で最低給与の75％の無条件の基本所得。　抵抗ポイント：【　】（1～10）

16D（オルタナティブ）：法的最低給与の失業手当を12ヶ月間。追加で最低給与の75％の無条件の基本所得。　抵抗ポイント：【　】（1～10）

16E（オルタナティブ）：最低給与と同レベルの無条件の基本所得。　抵抗ポイント：【　】（1～10）

問い17：働くことができない人間の社会保障はどのように確保されるべきか？

17A（パッシブソリューション）：現行の（ドイツの）システム（Hartz IVと社会補償）が維持されるべきである。　抵抗ポイント：【　】（1～10）

17B（オルタナティブ）：最低給与のレベルで連帯所得が提供されるべきである。　抵抗ポイント：【　】（1～10）

17C（オルタナティブ）：最低給与と平均所得の中間レベルで連帯所得が提供されるべきである。　抵抗ポイント：【　】（1～10）

17D（オルタナティブ）：平均所得のレベルで連帯所得が提供されるべきである。　抵抗ポイント：【　】（1～10）

問い18：どの公共財とサービスを国が提供するべきか？

18A：健康システム。　抵抗ポイント：【　】（1～10）

18B：教育システム。　抵抗ポイント：【　】（1～10）

18C：子供の保育。　抵抗ポイント：【　】（1〜10）

18D：高齢者ケア。　抵抗ポイント：【　】（1〜10）

18E：公共交通。　抵抗ポイント：【　】（1〜10）

18F：エネルギー供給。　抵抗ポイント：【　】（1〜10）

18G：飲料水供給。　抵抗ポイント：【　】（1〜10）

18H：郵便。　抵抗ポイント：【　】（1〜10）

18I：インターネット。　抵抗ポイント：【　】（1〜10）

18J：電話。　抵抗ポイント：【　】（1〜10）

部門6　労働時間

問い19：次の10年から20年で正規労働時間はどの方向に発展していくべきか？

19A（オルタナティブ）：週50時間。　抵抗ポイント：【　】（1〜10）

19B（オルタナティブ）：週45時間。 抵抗ポイント：【　】（1～10）

19C（パッシブソリューション）：週40時間。 抵抗ポイント：【　】（1～10）

19D（オルタナティブ）：週35時間。 抵抗ポイント：【　】（1～10）

19E（オルタナティブ）：週30時間。 抵抗ポイント：【　】（1～10）

19F（オルタナティブ）：週25時間。 抵抗ポイント：【　】（1～10）

問い20：人々は何年の自由年を勤労期間中に取ることが許されるか？　芸術、レベルアップ研修、子育て、ゆとり、スピリチュアリティなど、人生の勤労以外の活動をするための時間である。

20A（パッシブソリューション）：人々は全勤労期間中、基本的に勤労するべきである（例外は育児と教育の期間）。 抵抗ポイント：【　】（1～10）

20B（オルタナティブ）：10年の勤労期間あたり1年の自由年。 抵抗ポイント：【　】（1～10）

20C（オルタナティブ）：20年の勤労期間あたり1年の自由年。 抵抗ポイント：【　】（1～10）

20D（オルタナティブ）：全勤労期間で1年の自由年。 抵抗ポイント：【　】（1～10）

部門７　エコロジー

問い21：労働による税の負担と環境消費による税の負担の関係性はどうあるべきか？

21Ａ（パッシブソリューション）：環境関連の税およそ５％と労働関連の税およそ50％は維持されるべきである（「成長社会」）。
抵抗ポイント：【　　】（１〜10）

21Ｂ（オルタナティブ）：環境関連の税の割合は、成長手段である資源を金銭的にできる限り安くするために下げるべきである（「ターボ成長社会」）。
抵抗ポイント：【　　】（１〜10）

21Ｃ（オルタナティブ）：環境関連の税の割合は50％の方向に引き上げられ、それに対応して労働関連の税の割合は引き下げられるべきである（「脱成長社会」）。
抵抗ポイント：【　　】（１〜10）

問い22：労働による税の負担と環境消費による税の負担の関係性はどうあるべきか？

22Ａ（パッシブソリューション）：今の世代は、好きなように生きて、消費するべきである。
抵抗ポイント：【　　】（１〜10）

22Ｂ（オルタナティブ）：今生きているすべての人間とまだ生まれていない人間に同等の権利が与えられるべきである。
抵抗ポイント：【　　】（１〜10）

問い23：労働による税の負担と環境消費による税の負担の関係性はどうあるべきか？

23A（パッシブソリューション）：自然は、基本的に人間が意のままに使って良い対象として捉えられるべきである（「人間中心のアプローチ」）。
抵抗ポイント：【　】（1〜10）

23B（オルタナティブ）：自然は、私たち人間に与えられた生活基盤であると捉えられるべきである。よって人間は、地球の限界をリスペクトし、守らなければならない（「ディープエコロジーのアプローチ」）。
抵抗ポイント：【　】（1〜10）

部門8　貨幣システムと金融システム

問い24：労働による税の負担と環境消費による税の負担の関係性はどうあるべきか？

24A（パッシブソリューション）：貨幣システムと金融システムは、政府と議会によって形成されるべきである。政府と議会は、中央銀行に目標を与え、その審議会の構成メカニズムを定めるべきである（「私的財としてのお金」）。
抵抗ポイント：【　】（1〜10）

24B（オルタナティブ）：貨幣システムと金融システムは、民主的に主権者によって形成されるべきである。中央銀行に関しても、その目標は主権者が与え、審議会は、主権者の規定に基づいて、その審議会のメンバーが構成されるべきである（「公的財としてのお金」）。
抵抗ポイント：【　】（1〜10）

問い25：誰がお金を発行するべきか？

25A（パッシブソリューション）：中央銀行が現金を、商業銀行が為替貨幣を発行する（「私的な貨幣発行」）。
抵抗ポイント：【　　】（1～10）

25B（オルタナティブ）：中央銀行が現金と為替貨幣の両方を発行する（「フルマネー」）。
抵抗ポイント：【　　】（1～10）

問い26：銀行はどのように規制されるべきか？

26A（パッシブソリューション）：利益を追求する銀行も公共善を目指す銀行も、同様に扱われる。
抵抗ポイント：【　　】（1～10）

26B（オルタナティブ）：公共善を目指す銀行は優遇され（中央銀行へのアクセス、公的な行政そしきとの取引、預貯金保証）るべきである。利益を追求する銀行は自由な市場へ解放され、税金を活用した救済は禁止されるべきである。
抵抗ポイント：【　　】（1～10）

26C（オルタナティブ）：すべての銀行は公共善を目指す銀行でなければならない。
抵抗ポイント：【　　】（1～10）

問い27：何のためにクレジットが授与されるべきか？

27A（パッシブソリューション）：クレジットはリアル投資にも金融投資（有価証券の購入など）にも区別なく授与されることが許されるべきである。
抵抗ポイント：【　　】（1～10）

27B（オルタナティブ）：クレジットはリアル投資にのみ授与されることが許されるべきである。
抵抗ポイント：【　　】（1～10）

問い28：どのような基準に基づいてクレジット対象プロジェクトが査定されるべきか？

28A（パッシブソリューション）：クレジット対象プロジェクトは、財政的な信用度によってのみ査定されるべきである。査定によりポジティブな結果がでた場合のみ、クレジットの授与が可能になるべきである。
抵抗ポイント：【　　】（1～10）

28B（オルタナティブ）：クレジット対象プロジェクトは、財政的な信用度と倫理的な信用度の両方によって査定されるべきである。査定によりポジティブな結果がでた場合のみ、クレジットの授与が可能になるべきである。
抵抗ポイント：【　　】（1～10）

部門9　貿易秩序

問い29：貿易政策の目標は何であるべきか？

29A（パッシブソリューション）：貿易は完全な経済の自由であるべきで、それが最上位の目標となるべきである。人権、労働者の権利、環境保護、社会的安全、社会的結束はその下に置かれるべきである（「自由貿易」）。
抵抗ポイント：【　　】（1～10）

29B（オルタナティブ）：国際的な分業と貿易は最小化されるべきである。各国は商品とサービス流通の境界を傾向的に閉じるべきである（「保護主義」）。
抵抗ポイント：【　　】（1～10）

29C（オルタナティブ）：貿易政策の目標は、輸入より輸出を多くすることであるべきである（「重商主義」）。
抵抗ポイント：【　】（1〜10）

29D（オルタナティブ）：貿易は、人権、環境保護、公平な分配、社会的な結束を達成するための1つの手段であり、それらの下に置かれるべきである（「倫理的な世界貿易」）。
抵抗ポイント：【　】（1〜10）

問い30：貿易の不均衡に対してどう反応するべきか？

30A（パッシブソリューション）：貿易の不均衡は補正されるべきではない。これは市場におけるパワーゲームの結果である（「WHOアプローチ」）。
抵抗ポイント：【　】（1〜10）

30B（オルタナティブ）：すべての国は、世界経済を安定させるために、釣り合いの取れた貿易をするように義務付けられるべきである。小さな一時的な不均衡は許容され、大きく中長期的な不均衡は累進的に制裁されるべきである。例えば利子、貿易黒字国から貿易赤字国への低利子のクレジット、もしくは為替相場の平価切り上げや切り下げといった制裁である。
抵抗ポイント：【　】（1〜10）

部門10　学校と経済教育

問い31：経済教育を行う学校や教育機関の教育カリキュラムにどのような内容が統合されるべきか？

31A（パッシブソリューション）：どのような内容が教育カリキュラムに含まれるかは、教育カリキュラムを作成する教育省庁が独自に決めるべきである。
抵抗ポイント：【　】（1〜10）

31Ｂ（オルタナティブ）：どのように教育カリキュラムを構成するかは、各学校もしくは教育施設が個別に決めるべきである。 抵抗ポイント：【　】（1～10）

31Ｃ（オルタナティブ）：次の内容が経済教育の枠組みのなかで伝授されるべきである。

31Ｃ1：考えることと感じること 抵抗ポイント：【　】（1～10）
31Ｃ2：哲学と倫理学 抵抗ポイント：【　】（1～10）
31Ｃ3：エコロジーと持続可能性 抵抗ポイント：【　】（1～10）
31Ｃ4：政治とデモクラシー 抵抗ポイント：【　】（1～10）

問い32：どのような人格形成のツールが義務教育のなかに統合されるべきか？

32Ａ（パッシブソリューション）：価値と感情・身体・自然と自分の関係性の伝授は親の役割である。 抵抗ポイント：【　】（1～10）

32Ｂ（オルタナティブ）：専門教育はヒューマニスティックでホリスティックな基盤の上に置かれるべきで、次のツールを統合するべきである。

32Ｂ1：感情学 抵抗ポイント：【　】（1～10）
32Ｂ2：コミュニケーション学 抵抗ポイント：【　】（1～10）
32Ｂ3：価値学 抵抗ポイント：【　】（1～10）
32Ｂ4：デモクラシー学 抵抗ポイント：【　】（1～10）
32Ｂ5：自然体験 抵抗ポイント：【　】（1～10）
32Ｂ6：身体感覚の鋭敏化 抵抗ポイント：【　】（1～10）
32Ｂ7：手工芸 抵抗ポイント：【　】（1～10）

念のためにもう1度：実際のコンベントではすべての問いとソリューション案について詳細に解説がされ、バランスが取れた形で賛成論拠と反対論拠が提示される。これら伴奏情報の作成も、問いとソリューション案の開発とともに、コンベントの中心的な任務である。決定を下すのは、開発プロセスにアクティブに参加する主権者である。

※　※

２０２１年夏、この本の最終編集作業の時、すでに開催されていた市民評議会を拠り所にして、複数のコンベントの準備が始まった。どの村、どの都市、どの地域で最初のコンベントが開催されるか、楽しみである。そのような「主権者による」プロセスを望むすべての人間は、良い実践事例で先導し、ほかの仲間たちと一緒に、１つのビジョンを現実化させることができる！

謝辞

左記の方々に、私は多大な感謝の意を表したい。

地域グループの創設者、公共善決算の編集者、企業、イベント主催者、学者、レクチャーの講師、監査官、支援者など、《公共善エコノミーの全プロセス》で積極的に活動し、刻々と強まるグローバルな《エネルギーフィールド》を形成する多数の人々。

原著を出版したウィーンのドイティケ・イム・ポール・ゾルネイ出版社のプロフェッショナルなチーム、そして日本語版を出版する鉱脈社。

公共善エコノミーの日本語版作成のイニシアチブを取り、自ら翻訳をし、アジアにそのアイデアをもたらした池田憲昭氏。

連帯的、民主的、人間的で、持続可能な経済活動の方法について考えを巡らし、議論をもたらし、法的な要求をし、もしくは実践して模範を見せるすべての人々。

公共善エコノミーの守護神であるガイヤとパチャママ。

クリスティアン・フェルバー

訳者あとがき

『公共善エコノミー』はオーストリア・ウィーン在住のクリスティアン・フェルバーが、2010年に同名の本によって提唱した、新しい市場経済のコンセプトである。2018年には改訂版の文庫本も出版されるロングセラーになり、今年2022年暮れに出版されるフランス語版と日本語版を含め、8カ国語に翻訳され、14カ国で出版されている。

私がこの本に出会ったきっかけは、2019年末に岩手県中小企業同友会の視察団と一緒に訪問した、ドイツ・フライブルク市にある豆腐工場タイフーンだった。ヨーロッパ産のビオ（有機認証）の大豆から豆腐を製造する設立1987年の老舗メーカーである。ここで製造される豆腐は、南西ドイツに暮らす、私の日本人家族の食卓に日常的に上がる必需品でもある。このタイフーン社が公共善エコノミーの運動に参加し、実践していた。

それで私は興味が湧き、原書を友人が経営する地元の本屋で購入し、読み始めた。突然世界を襲ったコロナ禍で、時間的な余裕ができたことも幸いして、私はこの本に没頭し、一気に読み切った。経済学や政治学の専門用語もたくさん出てくる専門書であるが、とても簡潔・明瞭に、そしてリズミカルに書かれた本だった。学者、作家、政治活動家、ダンサーという多様な顔を持つ著者の人間性が表れていた。専門的な内容の本であるにも関わらず、広く一般に読まれ、そして年々、世界的な運動として実践が広がっている理由がわかった。環境問題から貧困、社会格差の問題まで、現代の人間社会が抱える様々な問題がなぜ起こっているのか、その根本的な理由が、明快に整理・表現されていた。そして、それら深刻で危機的な各種問題を解決するためには、現在の私たちが乗っている資本主義的市場経済システムを、新しいシステムに転換しなければならない、というヴィジョンと、そこに行き着くための具体的な道筋が描かれていた。私はこの名著に大変感銘を受け、2021年春に出版した拙著『多様性〜人と森のサスティナブルな関係』(Arch Joint Vision) でも随所に、『公共善エコノミー』の記述を引用させてもらった。

翻訳の仕事はこれまで、学術論文や記事など、時々頼まれて行っていたが、書店に並べられる一般書の翻訳は初めてのことである。ロックダウンのなか、ドイツ黒い森の自宅でサナギのように静かな生活をしていた2020年の晩秋に私は、この本を私の祖国の言葉に翻訳したい、翻訳する意義がある、たぶんうまく翻訳できる、と強く思ったので、11月末に思い切って作者に直接メールしてみた。作者からは「君のメールは、思わぬクリスマスプレゼントだった。とても嬉しい」と直ぐにポジティブな返事が来て、日本語翻訳プロジェクトがスタートした。

最初の作業は、翻訳本の出版社を探すことだった。この本に出会うきっかけになった、私の長年のお客さんでパートナーである岩手県中小企業家同友会事務局長の菊田哲さんに相談した。『公共善エコノミー』の主役は中小企業である。もともとフェルバーも、意志を共にするオーストリアの中小企業のパイオニアたち (Attac (アタック) 企業グループ) と一緒にこのコンセプトを作り上げた。菊田さんから直ぐに、宮崎県中小企業家同友会に所属する地域出版社の鉱脈社を紹介してもらった。宮崎の同友会メンバーも数名、過去に岩手のグループと一緒に来欧し、視察セミナーに参加されていたので、話は早かった。鉱脈社の代表取締役社長である川口敦己さんからは、私が作成した本の概要説明と第1章の試訳を読まれたあと、「翻訳して出版する価値がある本だと思う。紹介いただいてありがたい。ぜひ出版の方向で話を進めたい」と嬉しい回答をもらった。

そして間もなく、著作権を有するオーストリアのドイティケ・イム・ポール・ゾルネイ出版社(Deuticke im Paul Zsolnay Verlag)との契約プロセスへと作業が進んだ。作者によれば、『公共善エコノミー』のコンセプトは、日本の学術界でも数年前から知られていて、これまで何度か、日本語訳出版の話は持ち上がったようだが、様々な理由で出版には至らなかった。今回、『公共善エコノミー』の趣旨にもマッチした、社会的な使命感と哲学を持った、地に足がついた地域の小さな出版社がこの事業を引き受けてくれたことは、作者、翻訳者にとって、大変嬉しいことだった。

公共善エコノミーは、「尊厳」を重要なベースにしている。尊厳は、国連憲章や各国の憲法にも明記されている人間社会の根源的な価値である。ドイツの著名な脳神経生物学者で公共善エコノミー大使でもあるゲラルト・ヒューターは、科学的な知見から、尊厳が、人間の誰もが生まれ持った生物学的な資質であることを指摘している。ヒューターはまた、現代社会・経済の大きな原動力になっている「競争」は、生物進化論の観点から、人間の強みではない、と説明している。そして、人間が生まれながらにして持っている資質である「尊厳」と密接なつながりがあり、可塑性の高い脳を持つ人間が生物学的に得意な「協力」をベースにした社会の構築を提唱している。公共善エコノミーは、エゴや妬み、無責任さといった人間の弱みを助長する「競争」でなく、信頼やリスペクト(尊敬)、思いやり、といった人間の美徳がもとになった「協力」を原動力とする、倫理的な市場経済のコンセプトである。並行して存在する他の類似の理論やコンセプト、運動とも、排他的な「競争」をするのではなく、「協力」し、お互いに高め合うことを推奨している。

公共善エコノミーは、「公共善決算」という、事業体の総合的な経営評価ツールを有している実用的なものである。だからヨーロッパを起点に、世界中にその実践が広がっている。しかし、単なる新しい経済コンセプトではない。そのために必要な法的な枠組みと、「主権者デモクラシー」という、市民の主体的な政治参加（社会構築）システムも提唱している。学校教育に関する本質的な提案もある。ドイツの著名な環境ジャーナリストであるフランツ・アルトは、公共善エコノミーのことを「社会主義と資本主義の間に位置する実用的な第3の道」と評している。経済・政治・教育分野をつなぐ、ホリスティック（包括的）で具体的な道を、『公共善エコノミー』は簡潔・明瞭に描いている。

本書は、フランス語版の出版に際し、2018年に出版された文庫本『Gemeinwohl-Ökonomie（公共善エコノミー）』（Piper）に、ドイツ語の新版出版のために、2022年春、作者が改定・更新を加えた原稿を翻訳したものである。中欧を震源に、刻々と進化・発展し、拡大する公共善エコノミーの波の最新改訂版が、元のドイツ語版よりも先に日本語版で世の中に出ることは、翻訳者として非常に光栄なことだ。

作者と翻訳者は共に1972年生まれ。今年は2人とも50歳になるという、人生の節目を迎えている。この記念すべき年での日本語版の出版は、2人にとって、この上ない誕生日プレゼントでもある。このプレゼントに入ったメッセージが、危機から危機へと混迷する世の中で、多くの日本の読者にも伝播して、希望と勇気を与え、幸せな未来のための行動へと広がっていくことを願う。

2022年9月

池田　憲昭

205. Katharina Kraiß/Thomas van Elsen: »Community Supported Agriculture (CSA) in Deutschland«, in: *Lebendige Erden* 2/2008, P44–48.
206. United States Department of Agriculture: »2012 Census of Agriculture, Summary and State Data, Volume 1 • Geographic Area Series • Part 51«, Mai 2014, Table 43, Selected Practices, P558.
207. www.buschberghof.de
208. www.regionalwert-ag.de
209. http://www.gabv.org/
210. www.gls.de
211. https://www.triodos.com
212. www.gemeinschaftsbank.ch
213. www.abs.ch
214. www.sparda-m.de
215. http://www.zum-wohl-aller.de/
216. https://www.ecogood.org/de/community/botschafterinnen/
217. https://www.oikocredit.coop
218. www.gugler.at, www.vonderwiegezurwiege.at
219. www.sonnentor.com
220. www.badblumauermanifest.com
221. https://www.grueneerde.com/de/blog/gesellschaftskritisch/gemeinwohloekonomie/gemeinwohloekonomie.html
222. www.zotter.at
223. Lester M. Salamon, S. Wojziech Sokolowski, Megan A. Haddock, Helen S. Tice: »The State of Global Civil Society and Volunteering«, Johns Hopkins Universi- ty, Baltimore 2013, P3.
224. Sebastian Knauer: »Wo sich Deutschland engagiert«, *Spiegel online*, 2008年11月19日.
225. VAUGHAN (2002).

[第８章　実践の戦略]

226. FELBER (2014), P257以降.
227. http://ethischerwelthandel.info/engagieren/
228. http://www.uni-flensburg.de/nec/forschung/givun/
229. http://www.uv.es/uvweb/catedras-institucionales/es/relacion-catedras-institucionales/Economia-Bien-Comun-1286008062860.html
230. https://www.ecogood.org/apply-ecg/common-good-matrix/
231. https://www.mdpi.com/2071-1050/13/4/2093
232. Papst Franziskus: »Das Gemeinwohl ist der Polarstern jedes gesellschaftlichen Engagements«, *análisis digital*, 2014年4月5日.

[付録２　民主的経済コンベントの根幹となる問い]

233. Gerd Hofielen, Helmut Kähler, Manfred Kofranek, Christian Kozina, Marielle Rüppel, Seraina Seyffer and Karl Schneiderからのフィードバックに感謝する。

166. V-Dem Institute: »Autocratization Turns Viral. Democracy Report 2021«, University of Gothenburg, 2021年3月.
167. オーストリアでは2007年に、国会が選挙周期を4年から5年に延長した。
168. Christian Felber: »Prädemokratie und der impotente Souverän«, *Der Standard*, 2013年9月17日.
169. ROUSSEAU (2000), P93.
170. ROUSSEAU (2000), P81.
171. FELBER (2017b).
172. FELBER (2019b).
173. 当時のオーストリア外務大臣Ursula Plassnik が ORFテレビ局のプレス発表にて。2007年10月22日。
174. Attac: »10 Prinzipien für einen Demokratischen Vertrag«: www.attac.at/eu-convention
175. »Luxemburgs Premierminister Juncker ist unzufrieden mit dem Ergebnis des Europäischen Verfassungskonvents«, *Der Spiegel* 35/14. 2003年6月.
176. 参照 ACOSTA (2016).
177. EFLER/HÄFNER/HUBER/VOGEL (2008), P122.
178. LEDERER (2013).
179. Josef Pröll: »Projekt Österreich«, Rede des Finanzministers, 2009年10月14日, P27.
180. www.superfund.com/HP07/download/press/BP0209.pdf
181. http://ec.europa.eu/internal_market/finservices-retail/docs/capability /members_en.pdf
182. »1,4 Millionen Unterschriften gegen Wasserprivatisierung«, *APA/Der Standard*, 2010年7月19日.
183. European Public Service Union: »EPSU welcomes the result of the Italian water referendum!«, Presseinformation, 2011年6月14日.
184. 参照 BIESECKER/HOFMEISTER (2006).
185. »Bürgerrat Demokratie: Ergebnis-Übersicht«, www.buergerrat.de 2021年6月30日。
186. www.mehr-demokratie.de www.ig-eurovision.net www.volksgesetzgebung-jetzt.at
187. MEHR DEMOKRATIE (2006), P16.
188. www.dirdemdi.org/de/images/media/Info-Zeitung.pdf
189. TIEFENBACH/NIERTH (2013).
190. HALLER (2006), BAKAN (2005), FROMM (1992), P146.
191. »Abstimmung der Ahnungslosen - Die EU-Verfassung im Bundestag«, *ARD Panorama*, 2005年5月12日.
192. Nathalie Borgers: »Krone – L'Autriche entre les lignes«
193. FORSAアンケート調査, *stern.de*, 2006年12月27日.
194. Moritz Wichmann: »Große Mehrheit für bundesweiten Volksentscheid, Union-Wähler und Junge kritischer«, auf Yougov, 2016年10月18日. Online: https://yougov.de/news/2016/10/18/grosse-mehrheit-fur-bundesweiten-volksentscheid-un/ (2021年7月1日)
195. HÄFNER (2009).

[第7章　事例、類似例、模範例]

196. JEANTET (2010), P49.
197. www.luc.edu/faculty/dschwei
198. EXNER/KRATZWALD (2012), P110以降.
199. www.semco.com.br/en
200. CECOSESOLA (2012) P10以降.
201. CECOSESOLA (2012), P146–149.
202. www.sekem.com
203. FELBER (2017a).
204. http://www2.oikopolis.lu/de/gemeinwohl/

131. LEUBOLT (2006).
132. オーストリアの法律では自然に法的主体としてのステータスを授けることは可能である、と大半の法律家が解釈している：　§285b ABGB.
133. エクアドル憲法 71–74条, »Derechos de la naturaleza«. 参照 ACOSTA (2016), P110以降.
134. http://natures-rights.org/
135. MILL (1909), II.2.21.
136. Deuteronium 25, P23. 引用 in: DUCHROW/HINKELAMMERT (2002), P31.

[第5章　モチベーションと意義]

137. ULRICH (2005), P9.
138. LAYARD (2009), P46.
139. NICKERSON/SCHWARZ/KAHNEMANN (2003).
140. Christoph Sackmann: »Warum Japans Top-Manager dicke Gehälter als peinlich empfinden«, *finanzen100.de*, 2016年8月8日.
141. BAUER (2011), P31.
142. BAUER (2008), P61.
143. Richard Wilkinson (John F. Jungclaussen とChristian Tenbrockとのインタビュー): »Die Mittelklasse irrt«, *Die Zeit*, 2010年3月26日.
144. *Die Zeit*, 2009年2月12日.
145. Eurostat 2021.
146. GRUEN (1992).
147. HALLER (2006), BAKAN (2005), FROMM (1992), P146.
148. *Financial Times Deutschland*, 2007年5月7日.
149. Brigitte Ederer im Interview mit Gerald John: »Die Hetz ist vorbei«, *Der Standard*, 2009年9月19日.
150. »Gewaltfreien Kommunikation«, s. RO- SENBERG (2003).
151. KÜNG (2010).
152. 参照　FELBER (2019a), P207以降
153. Gerhard Roth: »Das Gehirn und seine Wirklichkeit. Kognitive Neurobiologie und ihre philosophischen Konsequenzen«, Suhrkamp, Frankfurt am Main 1998.
154. 参照ARVAY (2015).

[第6章　デモクラシーのさらなる発展]

155. ドイツの当時の防衛大臣Peter Struckによる 政府表明。2004年3月11日。.
156. 参照 »Repräsentation in der Krise«, *ApuZ* 40–42/2016, Zeitschrift der Bundeszentrale für Politische Bildung, 2016年10月4日.
157. www.lobbycontrol.de/blog
158. ADAMEK/OTTO (2008).
159. Gesche Wüpper: »Der große Erbstreit um Frankreichs Rüstungsriesen«, *Die Welt*, 2016年4月21日.
160. FELBER (2019a), P165以降.
161. www.insm.de
162. Karin Fischer: »The Atlas Network: Littering the World with Free-Market Think Tanks«, in Global Dialogue, Volume 8, Issue 2, August 2018. Online: https://globaldialogue.isa-sociology.org/the-atlas-network-littering-the-world-with-free-market-think-tanks/
163. https://www.agenda-austria.at/ueber-uns/foerderkreis/
164. https://www.maplight.org
165. GILENS/PAGE (2014), P564.

98. GESELL (1998/2009).
99. KEYNES (1936), P298以降.
100. Martin Dunst: »Die Welt staunte über Wunder von Wörgl«, *Oberösterreichische Nachrichten*, 2012年2月11日.
101. MARX (1872), P137 and P145以降.
102. SCHULMEISTER (2010), P84以降.
103. SCHULMEISTER (2010), P87.
104. BRUNI/ZAMAGNI (2013), P62.
105. 引用in: MARX (1872), P146.
106. PIKETTY (2014).
107. DALY (2014).
108. ATTAC (2010).
109. www.gemeinwohl.coop
110. https://www.gemeinwohlkonto.at/

［第４章　所有］

111. MILL (1909), II.2.17.
112. Klaus Schwab (Georg Meckとのインタビュー): »Zu hohe Managergehälter sind nicht mehr sozial verträglich«, *Frankfurter Allgemeine Sonntagszeitung*, 20. Januar 2013年1月20日.
113. トマ・ピケティ によれば、過去10年の平均的な資本利率は８％である。 PIKETTY (2014), P202, P435, P448.
114. Frank Dohmen, Dietmar Hawranek: »Der 100-Millionen-Euro-Mann«, *Der Spiegel* 04/16. 2015年１月.
115. WILKINSON/PICKETT (2009).
116. John Thornhill: »Income inequality seen as the great divide«, *Financial Times*, 2008年3月19日.
117. Hannes Koch: »Mehrheit will begrenzte Managergehälter«, *taz*, 2007年12月13日.
118. システミック・コンセンサス手法では、複数の提案を一緒に評決することができる。賛成ではなく、抵抗をカウントする。抵抗がもっとも少ない提案が採用される。詳しくは：www.sk-prinzip.eu
119. WILKINSON (2001), P300.
120. Andreas Toller: »So vererbt Deutschland«, *Wirtschaftswoche*, 2017年7月7日.
121. HARTMANN (2002) and »Zum Manager wird man geboren«, Interview mit Michael Hartmann, *Spiegel online*, 2003年3月26日.
122. ドゥコムンは「成年持参金」を提案している: DUCOMMUN (2005), P131以降.
123. Christoph Schäfer, Johannes Thielen: »Jeder Fünfzigste vererbt mehr als eine Million«, *Frankfurter Allgemeine Zeitung*, 2020年12月14日.
124. Statistisches Bundesamt & Deutsche Bundesbank: Ergebnisse der Gesamtwirtschaftlichen Finanzierungsrechnung für Deutschland 1991 bis 2008, Statistische Sonderveröffentlichung 4, Frankfurt am Main, 2009年6月.
125. MILL (1909), V.2.14.
126. Guy Berger: »The case for death duties. How to improve an unpopular tax«, *The Economist*, 2007年10月25日.
127. Pirmin Fessler, Peter Mooslechner, Martin Schürz, Karin Wagner: »Das Immobilienvermögen privater Haushalte in Österreich«, in: OeNB: Geldpolitik & Wirtschaft, Q2/09, P113–135; Martin Schürz/Beat Weber: »Die soziale Hän- gematte der Reichen«, MO 16/2009.
128. 引用 in: Richard I. Kirkland Jr., Carrie Gottlieb: »Should You Leave It All to the Children?«, *Fortune*, 1986年9月29日.
129. REIMON/FELBER (2003).
130. FELBER (2006), P257以降. und FELBER (2008), P304以降.

63. IMF国際通貨基金 (2019), P1.
64. FELBER (2019a).
65. SCHULMEISTER (1995) und (2007).
66. Andreas Möckli: »Der langjährige Roche-Lenker Franz Humer wird 75 Jahre alt«, *bz - Zeitung für die Region Basel*, 2021年 7 月 1 日.
67. 参照 FELBER (2014), Kapitel IV: »Das Fundament: Geld als öffentliches Gut«, P47以降.
68. JAKOBS (2016), P669.
69. LORDON (2010).
70. REDAK/WEBER (2000), P47.
71. BAKAN (2005), P13.
72. Neunte Verordnung der Bundesregierung zur Änderung der Außenwirtschaftsverordnung, 2017年7月12日.
73. United States, Congress House (1973): *»Energy reorganization act of 1973: Hearings«, Ninety-third Congress, first session, on H.R. 11510*, P248.
74. Eva Stanzl: „10 Jahre Attac: Globalisierungskritiker fordern Systemwechsel", *Wiener Zeitung*, 2008年6月4日.
75. Erich Streissler: »Irrglaube vom Wohlstand aus der Steckdose«, *Wiener Zeitung*, 10. Juni 2008.
76. KOHR (1995), P43以降.
77. BAUER (2006), P166.
78. NOWAK/HIGHFIELD (2013), P17.
79. HÜCKSTÄDT (2012).
80. FELBER (2006), P68–88 and P236–256; REIMON/FELBER (2003), P135–165. FELBER (2014), Kapitel V. 9: »Sichere Renten«, P176以 降. English version: FEL- BER (2017b), chapter 13: »Secure Pensions«, P135-146.
81. 作者の著書『Ethischer Welthandel（倫理的な世界貿易）』にて作者は、民主的な実践メカニズムを含めて、このモデルを詳細に作成した: FELBER (2017a), English version (2019b).

[第３章　公共財としてのお金]

82. 引用 in: KLEIN (2008), P79.
83. Horst Köhler: »Die Finanzmärkte sind zu einem Monster geworden«, *Stern*, 2008年5月15日
84. HUBER (2010).
85. Frosti Sigurjónsson: »Monetary Reform – A better monetary system for Iceland«, アイスランド総理大臣からの依頼のもとに作成されたレポート, Reykjavík, 2015年3月.
86. https://positivemoney.org/2014/08/7-10-mps-dont-know-creates-money-uk/
87. HUBER (2010) & MAYER/HUBER (2014).
88. より詳細にIn: FELBER (2012), P73以降 & FELBER (2016/2020).
89. Legge 11 dicembre 2016, n. 232: Bilancio di previsione dello Stato per l'anno finanziario 2017, Art. 111-bis: „Finanza etica e sostenibile". こちらも参照: http://www.gabv.org/news/first-time-europe-law-recognizes-ethical-finance
90. KEYNES (1980).
91. Zhou Xiaochuan: »Reform the International Monetary System«, Essay zum G20-Gipfel in London, 2009年3月23日.
92. STIGLITZ et al. (2009), P93.
93. 貨幣システムに関するより詳細な議論と根本的な改革に関しては、こちらを参照: FELBER (2014).
94. https://www.gabv.org/members
95. »Lohndeckel für Glarner Kantonalbanker«, *Handelszeitung*, 2013年1月11日.
96. »Heimische Vermögen kräftig gewachsen«, *orf.at*, 2021年6月10日.
97. CREUTZ (2008), P83.

引き上げられた(www.dol.gov/whd/minimumwage.htm). もっとも高給取りの John Paulsonは, 2010年に50億USドルを稼いだ: *The Wall Street Journal*, 2011年1月28日.

30. R+V-Versicherung. WILKINSON/PICKETT (2009), P68以降.
31. Deutscher Angst-Index der R+V-Versicherung.
32. www.fao.org/news/story/en/item/45210/icode/ & http://www.fao.org/publications/sofi/2013/en/
33. Heike Jahberg: »60 Prozent unserer Produkte sind ungesund – Wie eine interne Studie Nestlé in Teufels Küche bringt«, *Tagesspiegel*, 2021年6月1日.
34. WORLD RESOURCES INSTITUTE (2005), P1以降
35. JACKSON (2011), P106.
36. GALLUP (2013), P13.
37. FROMM (1992), P129.
38. CROUCH (2008).
39. V-Dem Institute: »Autocratization Turns Viral. Democracy Report 2021«, University of Gothenburg, 2021年3月.
40. FORRESTER: Is there a similar good quotation?
41. FELBER (2006), (2008), (2009) und (2012).

［第2章 公共善エコノミーの核］

42. バイエルン州憲法, 第151条.
43. ドイツ連邦共和国基本法, 第14条2項.
44. イタリア憲法, 第41条.
45. コロンビア憲法, 第333条.
46. DIERKSMEIER/PIRSON (2009).
47. DIERKSMEIER (2016), P35.
48. »Della pubblica felicità« Ludovico Antonio Muratori (1749), 引用 in: BRUNI/ZAMAGNI (2013), P86.
49. Timo Meynhardt: »Ohne Gemeinwohl keine Freiheit. Zur Psychologie des Gemeinwohls«, in: PAPIER/MEYNHARDT (2016), P174.
50. 参照 MARX (1872), P31以降.
51. www.oecdbetterlifeindex.org/
52. Enquete-Kommission »Wachstum, Wohlstand, Lebensqualität – Wege zu nachhaltigem Wirtschaften und gesellschaftlichem Fortschritt in der Sozialen Marktwirtschaft« (2013), P28以降.
53. STIGLITZ/SEN/FITOUSSI (2009).
54. CENTRE FOR BHUTAN STUDIES AND GNH RESEARCH/ROYAL GOVERNMENT OF BHUTAN (2014).
55. CSR = corporate social responsibility. 参照: FELBER (2008), P221–238.
56. VON AQUIN (1265–1273), Secunda Secundae, Quaestio 47, Articulus 10
57. MISEREOR (2015), P8以降.
58. DEUTSCHER BUNDESTAG ドイツ連邦国会 (2016), P30以降.
59. https://www.wko.at/service/umwelt-energie/Informationspflicht-ueber-Nachhaltigkeitsaspekte.html
60. BROCKHOFF, D., ENGELHARDT, G., YABROUDI, H., KARG, L., ASCHENBREN- NER, A., FELBER, C. (2020), P23-24.
61. EUROPEAN COMMISSION: »EU Taxonomy, Corporate Sustainability Reporting, Sustainability Preferences and Fiduciary Duties: Directing finance towards the European Green Deal«, COM(2021)188, 2021年4月14日, P10.
62. UMWELTBUNDESAMT ドイツ連邦環境省 (2016), P6.

[原注]

[まえがき]

1. EUROPÄISCHER WIRTSCHAFTS- UND SOZIALAUSSCHUSS 欧州経済・社会委員会（2015）
2. Bertelsmann-Stiftung (2010)
3. https://blogs.worldbank.org/opendata/pandemic-prices-and-poverty
4. https://www.worldbank.org/en/news/press-release/2022/03/10/two-thirds-of-households-with-children-have-lost-income-during-pandemic
5. https://www.wfp.org/global-hunger-crisis
6. Boston Consulting Group: Standing Still is not an Option. Global Wealth 2022, P3.
7. „UNO: Ungleichheit in der Welt so groß wie lange nicht", in Salzburger Nachrichten, 13. Juni 2022. Online: https://www.sn.at/panorama/international/uno-ungleichheit-in-der-welt-so-gross-wie-lange-nicht-122730205
8. https://www.noaa.gov/news-release/carbon-dioxide-now-more-than-50-higher-than-pre-industrial-levels
9. Manfred Lenzen et al. (2021): Implementing the material footprint to measure progress towards Sustainable Development Goals 8 and 12, in: Nat Sustain, 9.12.2021. Online: https://doi.org/10.1038/s41893-021-00811-6
10. DIERKSMEIER/PIRSON (2009).
11. Dirk Philipsen (2015): The Little Big Number. How GDP Came to Rule the World and What to Do about It, Princeton University Press, Princeton/Oxford, P232.
12. 《アルフレッド・ノーベルの考えに基づいた、経済学者に対するスウェーデン国立銀行の賞》は、ノーベル委員会によってノミネートされていないし、ノーベル基金によって資金が出されてもいない。参照: FELBER (2019a), P165以降
13. Avner Offer, Gabriel Söderberg (2016): The Nobel Factor: The Prize in Economics, Social Democracy, and the Market Turn, Princeton University Press, Princeton.
14. Johannes Dolderer, Christian Felber, Petra Teitscheid (2021): From From Neoclassical Economics to Common Good Economics, sustainability 2021, 13(4), 2093; Online: https://www.mdpi.com/2071-1050/13/4/2093

[第１章　短い分析]

15. BAUER (2011), P39.
16. MANKIW / TAYLOR (2016), P136.
17. PINDYCK / RUBINFELD (2018), P26.
18. MANDEVILLE (1980).
19. SMITH (2005), P17.
20. SMITH (1759/2010), P381 – 382.
21. もしくは参照 »Vorsehung«, BRUNI/ZAMAGNI (2013), P108.
22. KOHN (1986/92), P140以降 .
23. Immanuel Kant: Metaphysik der Sitten, Tugend- lehre (道徳形而上学言論), § 38.
24. BRUNI/ZAMAGNI (2013), P100 にて引用
25. 参照 HERZOG (2013), P85.
26. HAYEK (2004), P22.
27. KOHN (1986/92), P205.
28. OXFAM INTERNATIONAL (2017), P2.
29. US Department of Labourのいくつかの試算による。 2009年7月に最低賃金が7.25 USドルに

UNDP 国連開発計画(2005): »Human Development Report 2005«, summary, New York: http://hdr.undp.org/reports/global/2005/pdf/hdr05_summary.pdf
UNFCCC気候変動枠組条約 (2017): »Report of the High-Level Commission on Carbon Prices«.
VAUGHAN, Genevieve (2002): »For-Giving. A Feminist Criticism of Exchange«, Plain View Press/Anomaly Press, Austin.
VON AQUIN, Thomas (1265–1273): »Summa theologica«, Venedig.
VON LÜPKE, Geseko (2003): »Politik des Herzens. Nachhaltige Konzepte für das 21. Jahrhundert. Gespräche mit den Weisen unserer Zeit«, Arun, Engerda.
VON WEIZSÄCKER, Ernst Ulrich/YOUNG, Oran R./FINGER, Matthias (Hg.) (2006): »Grenzen der Privatisierung. Wann ist des Guten zu viel?«, Bericht an den Club of Rome, Hirzel, Stuttgart.
WILKINSON, Richard G. (2001): »Kranke Gesellschaften. Soziales Gleichgewicht und Gesundheit«, Springer, Wien/New York.
邦訳：リチャード・ウィルキンソン（2009）『格差社会の衝撃──不健康な格差社会を健康にする法』書籍工房早山
WILKINSON, Richard/PICKETT, Kate (2009): »Gleichheit ist Glück. Warum gerechte Gesellschaften für alle besser sind«, Tolkemitt Verlag, Berlin.
邦訳：リチャード・ウィルキンソン, ケイト・ピケット（2010）『平等社会』東洋経済新報社
WILLKE, Gerhard (2003): »Neoliberalismus«, Campus, Frankfurt am Main.
WOLF, Winfried (2007): »Treibmittel Öl & Milchmädchen-Logik. Zur Struktur der weltweit größten Konzerne 2005«, in: Solarzeitalter 2/2007, S. 59–66.
WORLD RESOURCES INSTITUTE (2005): »Millennium Ecosystem Assessment, 2005. Ecosystems and Human Well-being: Synthesis«, Island Press, Washington, DC.
WTO世界貿易機構 (2005): »Understanding the WTO«, 3.Version, September 2003, durchgesehen Oktober 2005. Abrufbar auf: www.wto.org/english/thewto_e/whatis_e/whatis_e.htm
WUPPERTAL-INSTITUT (2005): »Fair Future. Begrenzte Ressourcen und globale Gerechtigkeit«, C.H. Beck, München.

Krankenhäuser – Was opfern wir dem freien Markt?«, Ueberreuter, Wien.
RIFKIN, Jeremy (2006): »Der Europäische Traum. Die Vision einer leisen Supermacht«, Fischer Taschenbuch, Frankfurt am Main.
邦訳：ジェレミー・リフキン（2006）『ヨーロピアン・ドリーム』日本放送出版協会
ROBERTSON James (2012): »Future Money. Breakdown or Breakthrough?«, green books, Totnes.
ROSENBERG, Marshall B. (2003): »Gewaltfreie Kommunikation. Aufrichtig und einfühlsam miteinander sprechen«, Jungfermann Verlag, 4. Auflage, Paderborn.
邦訳：マーシャル・ローゼンバーグ（2012）『NVC 人と人との関係にいのちを吹き込む法』
ROUSSEAU, Jean-Jacques (2000): »Vom Gesellschaftsvertrag oder Die Grundlagen des politischen Rechts«, Insel Taschenbuch, Frankfurt am Main.
邦訳：ジャン-ジャック・ルソー（2013）『社会契約論』ちくま新書
SCHÖNBORN, Christoph (2006a): »Referat zu Weltreligionen und Kapitalismus«, in: Hermann Knoflacher/Klaus Woltron/Agnieszka Rosik-Kölbl (Hg.): »Kapitalismus gezähmt? Weltreligionen und Kapitalismus«, echomedia, Wien 2006, S. 18–24.
SCHÖNBORN, Christoph (2006b): »Gott und der freie Markt«, in: Wiener Zeitung, 22. Dezember 2006.
SCHULMEISTER, Stephan (1995): »Zinssatz, Wachstumsrate und Staatsverschuldung«, WIFO-Monatsberichte 3/95, S. 165–180.
SCHULMEISTER, Stephan (2007): »Finanzspekulation, Arbeitslosigkeit und Staatsverschuldung«, Intervention 1/2007, S. 73–97.
SCHULMEISTER, Stephan (2010): »Mitten in der großen Krise. Ein ›New Deal‹ für Europa«, Wiener Vorlesung, Picus Verlag, Wien.
SEMLER, Ricardo (1993): »Das SEMCO-System. Management ohne Manager«, Heyne, Dresden.
邦訳：リカルド・セムラー（2006）『セムラーイズム　全員参加の経営革命』ソフトバンク文庫
SEN, Amartya (2002): »Ökonomie für den Menschen. Wege zu Gerechtigkeit und Solidarität in der Marktwirtschaft«, dtv, München.
邦訳：アマルティア・セン（2016）『経済学と倫理学』ちくま学芸文庫
SIKORA, Joachim (2001): »Vision einer Gemeinwohl-Ökonomie – auf der Grundlage einer komplementären Zeit-Währung«, Katholisch-Soziales Institut der Erzdiözese Köln, Bad Honnef.
SLIWKA, Manfred (2005): »Denkschule Evolution. Führungsintelligenz und Führungsverantwortung in Wirtschaft, Politik und Gesellschaft«, Books on Demand, Norderstedt.
SMITH, Adam (2005): »Der Wohlstand der Nationen«, dtv, München.
邦訳：アダム・スミス（2020）『国富論』講談社学術文庫
SMITH, Adam (2010): »Theorie der ethischen Gefühle«, F. Meiner, Hamburg.
邦訳：アダム・スミス（2013）『道徳的感情論』講談社学術文庫
STEINDL-RAST, David (2005): »Die Achtsamkeit des Herzens«, Herder, Freiburg.
STIGLITZ, Joseph (2006): »Die Chancen der Globalisierung«, Siedler, München.
ジョセフ・スティグリッツ（2006）『世界に格差をバラ撒いたグローバリズムを正す』徳間書店
STIGLITZ, Josef et al. (2009): »Report of the Commission of Experts of the President of the United Nations General Assembly on Reforms of the International Monetary and Financial System«, Zwischenbericht (Anfang Juni 2009) für die UN-Konferenz 24.–26. Juni 2009.
STIGLITZ, Joseph/SEN, Amartya/FITOUSSI, Jean-Paul (2009): »Report by the Commission on the Measurement of Economic Performance and Social Progress«, Paris, 14. September 2009.
TIEFENBACH, Paul/NIERTH, Claudine (2013): »Alle Macht dem Volke? Warum Argumente gegen Volksentscheide meistens falsch sind«, VSA, Hamburg.
ULRICH, Peter (2005): »Zivilisierte Marktwirtschaft. Eine wirtschaftsethische Orientierung«, Herder, Freiburg.
UMWELTBUNDESAMT ドイツ連邦環境省 (2017): »Umweltschädliche Subventionen in Deutschland 2016«, Broschüre, Dessau-Roßlau.
UNDP 国連開発計画(1999): »Bericht über die menschliche Entwicklung 1999«, New York.

deuda externa«, Icaria, Barcelona.
MARX, Karl (1872): »Das Kapital. Kritik der politischen Ökonomie«, Voltmedia, ungekürzte Ausgabe nach der 2. Auflage von 1872, Paderborn.
邦訳：マルクス（1969）『資本論』岩波文庫
MAYER, Thomas/HUBER, Roman (2014): »Vollgeld. Das Geldsystem der Zukunft«, Tectum, Marburg.
MAZZUCATO, Mariana (2014): »Das Kapital des Staates. Eine andere Geschichte von Innovation und Wachstum«, Kunstmann, München.
MEHR DEMOKRATIE (2006): »Praxis, Tipps + Argumente 2006«, Broschüre, 6. Auflage, München.
MIES, Maria/SHIVA, Vandana (1995): »Ökofeminismus. Beiträge zur Praxis und Theorie«, Rotpunktverlag, Zürich.
MILL, John Stuart (1909): »Principles of Political Economy with some of their Applications to Social Philosophy«, Longmans, Green & Co., London.
邦訳：ジョン・スチュアート・ミル（1959）『経済学原理』岩波文庫
MISEREOR (Hg.) (2015): »Weltgemeinwohl. Globale Entwicklung in sozialer und ökologischer Verantwortung. Ein interkulturelles Dialogprojekt 2012 – 2015«, Systematische Zusammenfassung eines gemeinsamen Projekts des kirchlichen Entwicklungshilfswerks MISEREOR (Aachen) und des Instituts für Gesellschaftspolitik IGP (München).
NAGEL, Bernhard (2007): »Wettbewerb und Rechtsordnung«, Abschiedsvorlesung an der Gesamthochschule Kassel, 1. Februar 2007: www.nachdenkseiten.de/?p=2109
NICKERSON, Carol/SCHWARZ, Norbert/KAHNEMANN, Daniel (2003): »Zeroing in on the Dark Side of the American Dream: A Closer Look at the Negative Consequences of the Goal for Financial Success«, in: Psychological Science, Vol. 14, No. 6, November 2003, S. 531–536.
NORBERG, Johan (2003): »Das kapitalistische Manifest. Warum allein die globalisierte Marktwirtschaft den Wohlstand der Menschheit sichert«, Eichborn, Frankfurt am Main.
NOWAK, Martin A./HIGHFIELD, Roger (2013): »Kooperative Intelligenz. Das Erfolgsgeheimnis der Evolution«, C.H. Beck, München.
OSTROM, Elinor (2011): »Was mehr wird, wenn wir teilen. Vom gesellschaftlichen Wert der Gemeingüter«, oekom, München.
OXFAM INTERNATIONAL (2017): »An Economy for the 99%«, Oxfam Briefing Paper, Oxford, Januar 2017.
PAECH, Niko (2012): »Befreiung vom Überfluss. Auf dem Weg in die Postwachstumsökonomie«, oekom, München.
PAPIER, Hans-Jürgen/MEYNHARDT, Timo (Hg.) (2016): »Freiheit und Gemeinwohl. Ewige Gegensätze oder zwei Seiten einer Medaille?«, Universität St. Gallen.
PIKETTY, Thomas (2014): »Capital in the 21st Century«, The Belkap Press of Harvard University Press, Cambridge (USA)/London.
邦訳：トマ・ピケティ（2014）『21世紀の資本論』みすず書房
PINDYCK, Robert/RUBINFELD, Daniel: »Mikroökonomie», Pearson, 9. Aufl., 2018, Halbergmoos.
邦訳：ロバート・S・ピンダイク，ダニエル・L・ルビンフェルド(2014)『ミクロ経済学Ⅰ』KADOKAWA／中経出版
PIRSON, Michael (2017): »Humanistic Management. Protecting Dignity and Promoting Well-Being«, Cambridge University Press.
RAWORTH, Kate (2017): »Doughnut Economics. Seven Ways to Think like a 21st-Century Economist«, Random House Business, New York.
邦訳：ケイト・ラワース（2021）『ドーナツ経済』河出文庫
REDAK, Vanessa/WEBER, Beat (2000): »Börse«, Rotbuch Verlag, Hamburg.
REICH, Robert (2008): »Superkapitalismus.Wie die Wirtschaft unsere Demokratie untergräbt«, Campus, Frankfurt am Main.
REIMON, Michel/FELBER, Christian (2003): »Schwarzbuch Privatisierung. Wasser, Schulen,

1. Auflage, Duncker & Humblot, Berlin.
邦訳：ケインズ（2008）『雇用、利子および貨幣の一般理論』上・下　岩波文庫
KLEIN, Michael (2008): »Bankier der Barmherzigkeit: Friedrich Wilhelm Raiffeisen. Das Leben des Genossenschaftsgründers in Texten und Bildern«, Sonder-Edition für Mit.Einander NÖ, Aussaat Verlag, Neukirchen-Vluyn.
KLIMENTA, Harald (2006): »Das Gesellschaftswunder. Wie wir Gewinner des Wandels werden«, Aufbau-Verlag, Berlin.
KNOFLACHER, Hermann: »Zähmung des Kapitalismus? Warum wir die Religionen brauchen«, in: Hermann Knoflacher/Klaus Woltron/Agnieszka Rosik-Kölbl (Hg.): »Kapitalismus gezähmt? Weltreligionen und Kapitalismus«, echomedia, Wien 2006, S. 40–69.
KNOFLACHER, Hermann/WOLTRON, Klaus/ROSIK-KÖLBL, Agnieszka (Hg.) (2006): »Kapitalismus gezähmt? Weltreligionen und Kapitalismus«, echomedia, Wien.
KOHN, Alfie (1986/92): »No Contest. The Case against Competition. Why we lose in our race to win«, Houghton Mifflin Company, Boston/New York.
邦訳：アルフィ・コーン（1994）『競争社会を超えて――ノー・コンテストの時代』法政大学出版局
KOHR, Leopold (1995): »Small is beautiful. Ausgewählte Schriften aus dem Gesamtwerk«, Deuticke, Wien.
KORTEN, David C. (1995): »When Corporations Rule the World«, Kumarian Press/Berrett-Koehler Publishers, West Hartford/San Francisco.
KÜNG, Hans (2010): »Projekt Weltethos«, Piper, München.
KURZ, Robert (2000): »Marx lesen. Die wichtigsten Texte von Karl Marx für das 21. Jahrhundert«, Eichborn, Frankfurt am Main.
KURZ, Robert (2005): »Schwarzbuch Kapitalismus. Ein Abgesang auf die Marktwirtschaft«, Ullstein Taschenbuch, 4. Auflage, Berlin.
KYMLICKA, Will (1997): »Politische Philosophie heute. Eine Einführung«, Campus, Studienausgabe, Frankfurt/New York.
LALOUX, Frederic (2016): »Reinventing Organizations visuell: Ein illustrierter Leitfaden sinnstiftender Formen der Zusammenarbeit«, Vahlen, München.
邦訳：フレデリック・ラルー（2018）『ティール組織――マネージメントの常識を覆す次世代型組織の出現』英治出版
LATOUCHE, Serge (2007): »Petit traité de la décroissance sereine«, Mille et une Nuits, Paris.
邦訳：セルジュ・ラトゥーシュ（2020）：『脱成長』白水社
LAYARD, Richard (2009): »Die glückliche Gesellschaft. Was wir aus der Glücksforschung lernen können«, Campus, Frankfurt/New York.
LEDERER, Michael (2013): »Vorarlberg verankert erstmals in Europa partizipative Demokratie in der Landesverfassung«, Büro für Zukunftsfragen der Landesregierung Vorarlberg.
LEUBOLT, Bernhard (2006): »Staat als Gemeinwesen. Das partizipative Budget in Rio Grande do Sul und Porto Alegre«, LIT-Verlag, Reihe Investigaciones: Forschungen zu Lateinamerika, Band 8, Wien.
LORDON, Frédéric (2010): »Ein Würfelbecher namens Börse. Alle halten Aktienmärkte für nützlich und unentbehrlich, aber das ist ein Mythos«, in: Le Monde diplomatique, 16. Februar 2010.
MADÖRIN, Mascha (2007): »Neoliberalismus und die Re-Organisation der Care-Ökonomie«, in: Jahrbuch Denknetz 2007, S. 141–162.
MANDEVILLE, Bernard (1980): »Die Bienenfabel oder Private Laster, öffentliche Vorteile«, suhrkamp taschenbuch wissenschaft, Frankfurt am Main.
邦訳：バーナード・マンデヴィル（2015）『蜂の寓話――私悪すなわち公益』法政大学出版局
MANKIW , N. Gregory/TAYLOR, Mark P. (2016): »Grundzüge der Volkswirtschaftslehre«, 6. Auflage, Schäffer-Poeschel, Stuttgart.
邦訳：グレゴリー・マンキュー（2017）『マンキュー　マクロ経済学I 入門編』東洋経済新報社
MARTÍNEZ-ALIER, Joan/OLIVERES, Arcadi (2010): »¿Quién debe a quién? Deuda ecológica y

von Markt und Staat«, transkript, 2. Auflage, Bielefeld.
HERRMANN, Ulrike (2010): »Hurra, wir dürfen zahlen. Der Selbstbetrug der Mittelschicht«, Westend, Frankfurt am Main.
HERRMANN, Ulrike (2016): »Kein Kapitalismus ist auch keine Lösung. Die Krise der heutigen Ökonomie oder Was wir von Smith, Marx und Keynes lernen können«, Westend, Frankfurt am Main.
邦訳: ウルリケ・ヘルマン (2020)『スミス・マルクス・ケインズ　よみがえる危機の処方箋』みすず書房
HERRMANN, Ulrike (2017): »Ein Preis, der nicht nobel ist«, in: taz, 22. August 2017.
HERZOG, Lisa (2013): »Feiheit gehört nicht nur den Reichen. Plädoyer für einen zeitgemäßen Liberalismus«, C.H. Beck, München.
HOLZINGER, Hans (2012): »Neuer Wohlstand. Leben und Wirtschaften auf einem begrenzten Planeten«, Robert-Jungk-Bibliothek für Zukunftsfragen, Salzburg.
HOLZINGER, Hans/ROBERT-JUNGK-BIBLIOTHEK FÜR ZUKUNFTSFRAGEN (2010): »Wirtschaften jenseits von Wachstum? Befunde und Ausblicke«, Zukunftsdossier Nr. 1, Lebensministerium, Wien.
HOPKINS, Rob (2014): »Einfach. Jetzt. Machen. Wie wir unsere Zukunft selbst in die Hand nehmen«, oekom, München.
邦訳：ロブ・ホプキンス (2013)『トランジション・ハンドブック』電子本ピコ第三書館販売
HUBER, Joseph (2010): »Monetäre Modernisierung. Zur Zukunft der Geldordnung«, Metropolis-Verlag, Marburg.
HUBER, Joseph/ROBERTSON, James (2008): »Geldschöpfung in öffentlicher Hand. Wege zu einer gerechteren Geldordnung im Informationszeitalter«, Verlag für Soziale Ökonomie, Kiel.
邦訳：ジョセフ・フーバー、ジェームス・ロバートソン (2001)『新しい貨幣の創造――市民のための金融改革』日本経済評論社
HÜCKSTÄDT, Bernd (2012): »Gradido. Natürliche Ökonomie des Lebens. Ein Weg zu weltweitem Wohlstand und Frieden in Harmonie mit der Natur«, Institut für Wirtschafts-Bionik, Künzelsau.
IMF 国際通貨基金 (2019): »Global Fossil Fuel Subsidies Remain Large: An Update Based on Country-Level Estimates«, prepared by David Coady, Ian Parry, Nghia-Piotr Le, and Baoping Shang, IMF Working Paper, Mai 2019.
JACKSON, Tim (2011): »Wohlstand ohne Wachstum«, oekom, München.
邦訳：ティム・ジャクソン (2017)『成長なき繁栄』一灯社
JAKOBS, Hans-Jürgen (2016): »Wem gehört die Welt? Die Machtverhältnisse im globalen Kapitalismus«, Knaus, München.
JEANTET, Thierry (2010): »Economie sociale. Eine Alternative zum Kapitalismus«, AG SPAK Bücher, Neu-Ulm.
邦訳：ティエリ・ジャンテ (2009)『フランスの社会的経済』日本経済評論社
KANT, Immanuel (1977): »Grundlegung zur Metaphysik der Sitten«, Werke in 12 Bänden, Suhrkamp, Frankfurt am Main.
邦訳：カント (1976)『道徳形而上学言論』岩波文庫
KASSER, Tim/COHN, Steve/KANNER, Allen/RYAN, Richard (2007): »Some costs of American corporate capitalism: A psychological exploration of value and goal conflicts«, Psychological Inquiry 18, S. 1–22.
KEYNES, John Maynard (1980): »Vorschläge für eine International Clearing Union/Union für den internationalen Zahlungsverkehr«, in: Collected Writings, Vol. 25 – Activities 1940–1944, Cambridge 1980, S. 168–195. Die hier verwendete deutsche Übersetzung von Werner Liedke erschien in: Stefan Leber (Hg.): »Wesen und Funktion des Geldes«, Freies Geistesleben, Stuttgart 1989, S. 325–349.
KEYNES, John Maynard (1994): »Allgemeine Theorie der Beschäftigung, des Zinses und des Geldes«, Übersetzung: Fritz Waeger, 7. Auflage, unveränderter Nachdruck der 1936 erschienenen

FELBER, Christian (2017a): »Ethischer Welthandel. Alternativen zu TTIP, WTO & Co«, Deuticke, Wien.
FELBER, Christian (2017b): »Money. The New Rules of the Game«, Springer, Cham.
FELBER, Christian (2019a): »This is not economy. Aufruf zur Revolution der Wirtschaftswissenschaft«, Deuticke, Wien.
FELBER, Christian (2019b): »Trading for Good. How Trade can be Made to Serve People not Money«, Zed Books, London.
FRESIN, Albert (2005): »Die bedürfnisorientierte Versorgungswirtschaft. Eine Alternative zur Marktwirtschaft«, Peter Lang, Frankfurt am Main.
FRIEDMAN, Milton (2006): »Kapitalismus und Freiheit«, Piper Taschenbuch, 3. Auflage, München/Zürich.
邦訳：ミルトン・フリードマン（2008）『資本主義と自由』日経BP
FRIEDMAN, Thomas L. (2000): »The Golden Straitjacket«, in: »The Lexus and the Olive Tree«, NY Anchor Books, New York, S. 101–111.
FROMM, Erich (1992): »Haben oder Sein. Die seelischen Grundlagen einer neuen Gesellschaft«, dtv, München.
邦訳：エーリッヒ・フロム（2020）『生きるということ』（新装版）紀伊國屋書店
GALLUP (2013): »State of the American Workplace 2013«, Washington, DC.
GEHMACHER, Ernst/KROISMAYR, Sigrid/NEUMÜLLER, Josef/SCHUSTER, Martina (Hg.) (2006): »Sozialkapital. Neue Zugänge zu gesellschaftlichen Kräften«, Mandelbaum, Wien.
GESELL, Silvio (1988–2009): »Die natürliche Wirtschaftsordnung durch Freiland und Freigeld«, gesammelte Werke, Verlag für Sozialökonomie, Kiel.
GIEGOLD, Sven/EMBSHOFF, Dagmar (2008): »Solidarische Ökonomie im globalisierten Kapitalismus«, VSA, Hamburg.
GILENS, Martin/PAGE, Benjamin I. (2014): »Testing Theories of American Politics: Elites, Interest Groups, and Average Citizens«, in: Perspectives on Politics, Vol. 12/No. 3, September 2014, S. 564–581.
GOTTWALD, Franz-Theo/KLEPSCH, Andrea (1995): »Tiefenökologie. Wie wir in Zukunft leben wollen«, Diederichs, München.
GROLL, Franz (2009): »Von der Finanzkrise zur solidarischen Gesellschaft. Visionen für eine zukunftsfähige Wirtschaftsordnung«, VSA, Hamburg.
GRUEN, Arno (1992): »Der Verrat am Selbst. Die Angst vor Autonomie bei Mann und Frau«, dtv, 7. Auflage, München.
GRUEN, Arno (2005): »Der Verlust des Mitgefühls. Über die Politik der Gleichgültigkeit«, dtv, 6. Auflage, München.
邦訳：アルノ・グリューン（2005）『人はなぜ憎しみを抱くのか』集英社新書
HÄFNER, Gerald (2009): »Das Potenzial Direkter Demokratie. Durch Beteiligung der BürgerInnen zu besseren politischen Entscheidungen«, Vortrag im Haus der Musik, Wien, 12. November 2009. Zum Nachbetrachten: http://vimeo.com/7617007
HALLER, Reinhard (2006): Interview in: Der Standard, 23. Dezember 2006.
HARTMANN, Michael (2002): »Der Mythos von den Leistungseliten. Spitzenkarrieren und soziale Herkunft in Wirtschaft, Politik, Justiz und Wissenschaft«, Campus, Frankfurt am Main.
HAUG, Frigga (2009): »Die Vier-in-einem-Perspektive. Eine Utopie von Frauen, die eine Utopie für alle ist«, veröffentlicht im Internet: www.vier-in-einem.de/
HAYEK, Friedrich August (2004): »Der Weg zur Knechtschaft«, Deutsche Reader's-Digest-Ausgabe, Friedrich August von Hayek Institut, Wien.
邦訳：フリードリッヒ・ハイエク（2016）：『隷属への道』日経BP
HAYEK, Friedrich August (2005): »Die Verfassung der Freiheit«, Mohr Siebeck, 4. Auflage, Tübingen.
HELFRICH, Silke/HEINRICH-BÖLL-STIFTUNG (2014): »Commons. Für eine neue Politik jenseits

Publishing, Cheltenham (UK)/Northhampton (USA).
邦訳：ハーマン・デイリー（2014）『定常経済は可能だ！』岩波ブックレット

DALY, Herman E./COBB, John B. Jr (1994): »For the Common Good. Redirecting the Economy Toward Community, the Environment and a Sustainable Future«, Beacon Press, 2. aktualisierte und erweiterte Auflage, Boston.

DARWIN, Charles (1899): »Über die Entstehung der Arten durch natürliche Zuchtwahl oder die Erhaltung der begünstigten Rassen im Kampfe um's Dasein«, E. Schweizerbart'sche Verlagshandlung, 9. Auflage, Stuttgart.
邦訳：チャールズ・ダーウィン（2009）『種の起源』光文社古典新訳文庫

DEUTSCHE BUNDESREGIERUNG ドイツ連邦政府(2016): »Entwurf eines Gesetzes zur Stärkung der nichtfinanziellen Berichterstattung der Unternehmen in ihren Lage- und Konzernlageberichten (CSR-Richtlinie-Umsetzungsgesetz)«, Berlin.

DEUTSCHER BUNDESTAG ドイツ連邦国会(2016): »Schriftliche Fragen mit den in der Woche vom 4. April eingegangenen Antworten der Bundesregierung«, Drucksache 18/8052, 8. April 2016.

DIERKSMEIER, Claus (2016): »Reframing Economic Ethics. The Philosophical Fundament of Humanistic Ethics«, Palgrave Macmillan, Cham.

DIERKSMEIER, Claus/PIRSON, Michael (2009): »Oikonomia Versus Chrematistike«, Learning from Aristotle About the Future Orientation of Business Management, Journal of Business Ethics (2009) 88:417–430.

DITTMAR, Vivian (2014): »Gefühle & Emotionen. Eine Gebrauchsanweisung«, Verlag V.C.S. Dittmar, München.

DUCHROW, Ulrich (2013): »Gieriges Geld. Auswege aus der Kapitalismusfalle. Befreiungstheologische Perspektiven«, Kösel-Verlag, München.

DUCHROW, Ulrich/BIANCHI, Reinhard/KRÜGER, René/PETRACCA, Vicenzo (2006): »Solidarisch Mensch werden. Psychische und soziale Destruktion im Neoliberalismus – Wege zu ihrer Überwindung«, VSA, Hamburg.

DUCHROW, Ulrich/HINKELAMMERT, Franz Josef (2002): »Leben ist mehr als Kapital. Alternativen zur globalen Diktatur des Eigentums«, Publik-Forum, Oberursel.

DUCOMMUN, Gil (2005): »Nach dem Kapitalismus. Wirtschaftsordnung einer integralen Gesellschaft«,Verlag Via Nova, Petersberg.

EFLER, Michael/HÄFNER, Gerald/HUBER, Roman/VOGEL, Percy (2008): »Europa: nicht ohne uns! Abwege und Auswege der Demokratie in der Europäischen Union«, VSA, Hamburg.

EISENSTEIN, Charles (2013): »Ökonomie der Verbundenheit. Wie das Geld die Welt an den Abgrund führte – und sie dennoch jetzt retten kann«, Skorpio, Berlin-München.

EUROPÄISCHER WIRTSCHAFTS- UND SOZIALAUSSCHUSS 欧州経済・社会委員会(2015): »The Economy for the Common Good: a sustainable economic model geared towards social cohesion«, ECO/378, Brüssel, 17. September 2015.

EXNER, Andreas/KRATZWALD, Brigitte (2012): Solidarische Ökonomie & Commons, Mandelbaum, Wien.

FELBER, Christian (2006): »50 Vorschläge für eine gerechtere Welt. Gegen Konzernmacht und Kapitalismus«, Deuticke, Wien.

FELBER, Christian (2008): »Neue Werte für die Wirtschaft. Eine Alternative zu Kommunismus und Kapitalismus«, Deuticke, Wien.

FELBER, Christian (2009): »Kooperation statt Konkurrenz. 10 Schritte aus der Krise«, Deuticke, Wien.

FELBER, Christian (2012): »Retten wir den Euro!«, Deuticke, Wien.

FELBER, Christian (2014): »Geld. Die neuen Spielregeln«, Deuticke, Wien.

FELBER, Christian (2016/2020): »From Positive Money to Sovereign Money. Advantages and Options of a Positive Money Reform«, Working Paper, Wien. Online: https://christian-felber.at/wp-content/uploads/2020/07/From-Positive-Money-to-Sovereign-Money_Felber_2020.pdf

参考文献

ACOSTA, Albert (2016): »Buen Vivir. Vom Recht auf ein gutes Leben«, oekom, 2. Auflage, München.
ADAMEK, Sascha/OTTO, Kim (2008): »Der gekaufte Staat. Wie Konzernvertreter in deutschen Ministerien sich ihre Gesetze selbst schreiben«, Kiepenheuer & Witsch, Köln.
AKADEMIE SOLIDARISCHE ÖKONOMIE (Hg.) (2014): »Das dienende Geld. Die Befreiung der Wirtschaft vom Wachstumszwang«, oekom, München.
ALBERT, Michael (2006): »Parecon. Leben nach dem Kapitalismus«, Trotzdem Verlag, Frankfurt am Main.
ALT, Franz/SPIEGEL, Peter (2009): »Gute Geschäfte. Humane Marktwirtschaft als Ausweg aus der Krise«, Aufbau-Verlag, Berlin.
ALTVATER, Elmar (2006): »Das Ende des Kapitalismus, wie wir ihn kennen. Eine radikale Kapitalismuskritik«, Westfälisches Dampfboot, Münster.
ARISTOTELES (1989): »Politik«, Reclam, Ditzingen.
邦訳：アリストテレス（1961）『政治学』岩波文庫
ARVAY, Clemens G. (2015): »Der Biophilia-Effekt. Heilung aus dem Wald«, edition a, Wien.
AUBAUER, Hans Peter (2011): »Eine wirtschaftlich und sozial verträgliche Ressourcenwende«, in: Zeitschrift für Sozialökonomie, Nr. 170/171, Oktober 2011, S. 31–39.
BAKAN, Joel (2005): »The Corporation. The Pathological Pursuit of Profit and Power«, Free Press, New York.
BAUER, Joachim (2006): »Prinzip Menschlichkeit. Warum wir von Natur aus kooperieren«, Hoffmann und Campe, Hamburg.
BAUER, Joachim (2008): »Das kooperative Gen. Abschied vom Darwinismus«, Hoffmann und Campe, Hamburg.
BAUER, Joachim (2011): »Schmerzgrenze. Vom Ursprung alltäglicher und globaler Gewalt«, Blessing, München.
BIESECKER, Adelheid/HOFMEISTER, Sabine (2006): »Die Neuerfindung des Ökonomischen. Ein (re)produktionstheoretischer Beitrag zur Sozialökologischen Forschung«, oekom, München.
BOLLIER, David/HELFRICH, Silke (2013): »The Wealth of the Commmons: A World Beyond Market and State«, Levellers Press, Amherst.
BROCKHOFF, D., ENGELHARDT, G., YABROUDI, H., KARG, L., ASCHENBRENNER, A., FELBER, C. (2020): »Publizitätspflicht zur Nachhaltigkeit. Entwicklung eines Anforderungskatalogs für einen universellen Standard (PuNa-Studie)«, IASS Study, Potsdam, Juli 2020.
BRODBECK, Karl-Heinz (2002): »Buddhistische Wirtschaftsethik. Eine vergleichende Einführung«, Shaker Verlag, Aachen.
BRUNI, Luigino/ZAMAGNI, Stefano (2013): »Zivilökonomie. Effizienz, Gerechtigkeit, Gemeinwohl«, Ferdinand Schöningh, Paderborn/München/Wien/Zürich.
CECOSESOLA (2012): »Auf dem Weg. Gelebte Utopie einer Kooperative in Venezuela«, Die Buchmacherei, Berlin.
CENTRE FOR BHUTAN STUDIES AND GNH RESEARCH/ROYAL GOVERNMENT OF BHUTAN (2014): »The Third Gross National Happiness Survey Questionnaire«, Thimphu.
CREUTZ, Helmut (2008): »Die 29 Irrtümer rund ums Geld«, Signum Wirtschaftsverlag, Sonderproduktion, Wien.
CROUCH, Colin (2008): »Postdemokratie«, Suhrkamp, Frankfurt am Main.
邦訳：コリン・クラウチ『ポスト・デモクラシー――格差拡大の政策を生む政治構造』（2007）青灯社
DALY, Herman E. (2014): »From Uneconomic Growth to Steady-State Economy«, Edward Elgar

[著者略歴]

クリスティアン フェルバー
Christian Felber

1972年、オーストリア・ザルツブルク生まれ。ウィーン大学とマドリード大学で、ロマンス系文献学、政治学、心理学、社会学を学ぶ。Attacオーストリアの設立メンバー（2000年～）。公共善エコノミー運動の創始者（2010年～）。IASSポツダムのシニアフェロー（2018年～）。ウィーン経済大学、グラーツ大学など複数の大学で客員講師。作家（1998年～）、ダンスパフォーマー（2004年～）。

[翻訳者略歴]

池田憲昭（いけだ のりあき）

1972年、長崎県佐世保市生まれ。岩手大学でドイツ言語文化、ドイツ・フライブルク大学で森林環境学を学ぶ。フライブルク近郊のヴァルトキルヒ市を拠点に、環境分野のコンサルタント、異文化コミュニケーター、文筆家として、日独の架け橋となる仕事に従事。

●本書翻訳出版にあたっては、新事業サポートセンターを通しての
クラウドファンディングプロジェクトに賛同いただいた多くの方
の支援をいただいています。深く感謝申し上げます。

公共善エコノミー

2022年12月１日　初版印刷
2022年12月15日　初版発行

著　者　クリスティアン フェルバー
翻訳者　池田憲昭
発行者　川口敦己
発行所　鉱 脈 社
〒880-8551 宮崎県宮崎市田代町263番地
TEL0985-25-1758　FAX0985-25-1803
装幀者　榊　あずさ
印刷製本　有限会社鉱脈社

ISBN978-4-86061-840-7

発掘・継承・創造 ―《いのち》をうけ継ぎ・育み・うけ渡そう ―
（鉱脈社経営理念）

いまこそ人間の尊厳を大事にする会社づくりを。

人間力経営

社長と幹部の共育ち実践編

赤石 義博 著

つねに人間尊重経営を訴え実践してきた一中小企業家が、自らの体験をふまえて、現代の世界と日本の課題を見すえて、「暮らし」をつくることを軸にした新たな展開をはかる。中小企業経営者必読の書。

本体1333円＋税

私と「自主・民主・連帯」（上下2巻）

赤石 義博 著

上巻 人間尊重経営を深める ——「労使見解」への道をふまえて——

敗戦後の苦難の復興から高度成長期の労使対立のもとでの人間尊重経営確立への苦闘。中小企業経営者が労使の信頼による全社一丸体制を築き、中小企業の自立と連帯の道を切り拓いてきた自らの歩みをもとに、「人間尊重」経営の真髄を語る。

本体1300円＋税

下巻 「人間の尊厳」と中小企業 ——「人間らしく生きる」を深める——

中小企業の経営と運動の現場でつかんだ労働者と経営者の思いを、人類の歩みに位置付けて、「生きる・暮らしを守る・人間らしく生きる」の理念に抽出し、20世紀の現代社会における人間尊厳の回復を呼びかけ、その担い手としての中小企業経営者へ熱く呼びかける。

本体1524円＋税